金庸作品集 2

书剑恩仇录

下

金庸 著

图书在版编目（CIP）数据

书剑恩仇录／金庸著. 一广州：广州出版社，2011. 11（2012. 06重印）
ISBN 978-7-5462-0618-9

Ⅰ. ①书… Ⅱ. ①金… Ⅲ. ①侠义小说一中国一当代 Ⅳ. ①I247.5

中国版本图书馆CIP数据核字（2011）第228105号

广东省版权局版权合同登记图字：19-2007-077号

目录

在六和塔第十二层上，乾隆终于答应了陈家洛兴汉灭满的图谋。陈家洛请群雄进来，说道：“此后咱们共图大事，驱除鞑子，还我汉家河山，如有异心，天诛地灭。”

第十一回　高塔入云盟九鼎
快招如电显双鹰

乾隆在六和塔顶饿了两日两夜，又受了两日两夜的惊吓气恼，心力交瘁，甚是委顿。第三天早晨，忽有一个小书僮走近，说道："少爷请东方老爷过去谈谈。"乾隆认得他是陈家洛的书僮心砚，心头一喜，忙随着他走到下一层来。

他一进门，陈家洛笑容满脸的迎出，当先一揖。乾隆还了一揖，走进室内。心砚献上茶来。陈家洛道："快拿点心来。"心砚捧进一个茶盘，盘中放着一碟汤包、一碟蟹粉烧卖、一碟炸春卷、一碟虾仁芝麻卷、一碗火腿鸡丝莼菜荷叶汤，盘未端到，已是清香扑鼻。心砚放下两副杯筷，筛上酒来。

陈家洛道："小弟因要去探望一位朋友的伤，有失迎迓，还请恕罪。"乾隆道："好说，好说。"陈家洛道："请先用些粗点，小弟还有事请教。"乾隆饿得肚皮已贴到了背心。他素来体格强健，食量兼人，两日两夜不吃东西，如何耐得？见陈家洛先举筷夹一个汤包吃了，当即下箸如飞，快过做诗十倍，顷刻之间，把四碟点心吃得干干净净，汤也喝了个"碗底朝天子"。陈家洛每碟点心只吃了一件，喝了口汤，就放下筷子，见他吃得香甜，只是微笑。点心吃完，乾隆说不出的舒服受用，端起茶杯，望着杯中碧绿的龙井细茶，缓缓啜饮，齿颊生津，脾胃沁芳。陈家洛把门推得洞开，道："他们都守在底下，咱们在这里说话再妥当也没有，决不会有第三人听见。”

乾隆板起脸，一字字低沉的道：“你把我劫持到这里，待要怎样？”

陈家洛走上两步，望住他脸。乾隆只觉他目光如电，似乎直看到了自己心里去，不由得慢慢转开了头，隔了半晌，听得陈家洛道：“哥哥，你到今日还不认我么？”

这句话语音柔和，声调恳切，钻入乾隆耳中，却如晴空打了个霹雳，他忽地跳起，颤声道：“你……你……你说什么？”

陈家洛脸色诚挚，缓缓伸手握住他手，说道：“咱们是亲兄弟亲骨肉。哥哥，你不必再瞒，我什么都知道啦。”

自从文泰来被救，乾隆就知这个大秘密再也保守不住，但听陈家洛突然叫自己为“哥哥”，仍不禁震惊万分，登时全身无力，瘫痪在椅中。

陈家洛道：“你到海宁扫墓，大举修筑海塘，把爸爸姆妈封为潮神和潮神娘娘，我知你并没忘本。你在这镜子里照照看。”说着把墙上画旁的一根线一拉，画幅卷起，露出一面大镜子来。

乾隆站起身来，见镜中自己一身汉装，面目神情，毫无满洲人的痕迹，再看看站在身旁的陈家洛，两人年岁不同，容貌却实在颇为肖似，叹了口气，回坐椅中。陈家洛道：“哥哥，咱兄弟以前互不知情，以致动刀抡枪，骨肉相残，爸爸姆妈在天之灵，一定很是痛心呢。好在大家并无损伤，并无做下难以挽救的事来。”

乾隆只觉喉干舌燥，一颗心扑通、扑通的跳个不住，隔了半晌，说道：“我本来叫你到京里去办事，你自己不肯去。”见陈家洛转身眼望大江，并不置答，续道：“我已查过，知道你已中乡试，那好得很啊。凭你才学，会试殿试必可高中，将来督抚、尚书、大学士，岂有不提拔你之理？这于家于国，对你对我，都是大有好处，何苦定要不忠不孝，干这种大逆不道之事。”

陈家洛忽地转身，说道：“哥哥，我没说你不忠不孝，大逆不道，你反说起我来。”乾隆咦了一声，道：“臣对君尽忠，叛君则为大逆。我既已为君，又怎说得上不忠?”

陈家洛道：“你明明是汉人，却降了胡虏，这是忠吗？父母在世之日，你没好好侍奉，父亲在朝廷之上，反而日日向你跪拜，你于心何安，这是孝么?”乾隆头上汗珠一粒一粒的渗了出来，低声说道：“我本来不知。是你们红花会已故的首领于万亭今年春天进宫来，我才听说的，现今我仍是将信将疑。不过为人子的，宁可信其有，不可信其无。信错了不过是愚，否则可是不孝。因此我到海宁来祭墓。”

实则这年春天于万亭偕文泰来入宫，将陈夫人的一封信交给乾隆，信中详述当时经过，又说他左股有一块朱记，这是再也确切不过的明证，乾隆已然信了九成。待于万亭走后，把当年喂奶的乳母廖氏传来，秘密询问。更得悉了详情。

原来康熙五十年八月十三日，四皇子允祯的侧妃钮祜禄氏生了一个女儿，不久听说大臣陈世倌的夫人同日生产，命人将小儿抱进府里观看。哪知抱进去的是儿子，抱出来的却是女儿。陈世倌知是四皇子掉了包，大骇之下，一句都不敢泄漏出去。

当时康熙诸子争储夺嫡，明争暗斗，无所不用其极，各人笼络大臣，阴蓄死党。允祯知父皇此时尚犹豫不决，兄弟中如允禟、允禩、允䄉等才干都不在自己之下，诸人势均力敌。皇帝选择储君时，不但要比较诸皇子的才干，也要想到诸皇子的儿子，要知立储是万年之计，皇子死了，皇孙就是皇帝。如果皇子英明，皇孙昏庸，决非长远之策。允祯此时已有一子，但懦弱无用，素来不为祖父所喜，他知道在这一点上吃了亏，满盼再生一个儿子，哪知生出来的却是女儿。允祯不顾一切要做皇帝，凑巧陈世倌生了个儿子，就强行换了一个。允祯于诸皇子中手段最为狠辣，陈世倌哪敢声张?

这换去的孩子取名弘历，后来就是乾隆。他自小聪颖武勇，六岁即能诵《爱莲说》，到了九岁时，更遇到一件事，使康熙十分喜爱。

这年弘历跟随祖父到热河打猎，卫队从山中赶了一只大黑熊出来，赶到康熙跟前。康熙举起火枪，一枪打中黑熊头上，那熊扑地倒了。康熙放枪之时，弘历骑了一匹小马，举起火枪，在祖父身旁跃跃欲试，见了那庞大的黑熊居然丝毫不惧。康熙看得有趣，说道："你过去打它一枪。"康熙爱惜孙儿，叫他去打一枪，就算是他打死的，将来说弘历九岁击毙大熊，可以夸示群臣。弘历下马走到黑熊跟前，叫道："打死你，打死你！"对准黑熊肚皮放了一枪，众侍卫齐声欢呼叫好，康熙也是捻须微笑。弘历转身回来，刚要上马，哪知黑熊没有死透，突然人立，恶狠狠向康熙马前扑来。众侍卫大惊，数枪齐发，将之击毙。康熙吃了一惊，对侍卫们道："这孩子福份可真不小，要是他在黑熊跟前之时那熊站了起来，那还有命么？"

从此康熙认为弘历福命大，兼之他文武双全，在诸孙中最为得宠。允祯后来能做皇帝，实颇仗这假儿子之力。是以终雍正一朝，海宁陈家荣宠无比，雍正一来是报答，二来是笼络，免得陈家有所怨望，而泄漏这天大秘密。

至于换到陈家的女儿，本是公主，后来嫁给常熟蒋溥。蒋溥的父亲蒋廷锡于雍正初年任户部侍郎，其时陈世倌任山东巡抚，两人共同治水有功。陈蒋二人后来都入内阁。蒋溥由户部尚书、礼部尚书、吏部尚书而大学士，终乾隆一朝，蒋家荣宠不衰。据常熟故老相传，蒋溥陈夫人所住的楼堂，当地都称为"公主楼"。

乾隆初被抱入雍亲王（允祯封号）府时啼哭不止，不肯吃奶。允祯的侧妃钮祜禄氏只得把陈家原来给乾隆喂奶的奶母廖氏召到府中，乾隆这才止哭吃奶。哪知事隔多年，乾隆忽然问起，廖氏本不肯说，但听他口气，知道已悉详情，无法再加隐瞒。廖氏这时已六十多岁，当夜就被乾隆派人绞死，防她走漏隐事。

乾隆说这番话时，想起廖氏抚育之劳，心头颇为自疚。

陈家洛道："你自己看看又哪里像旗人了？还有什么好疑虑的？"乾隆沉吟不语。陈家洛道："你是汉人，汉人的锦绣江山沦入胡虏之手，你却去做了胡虏的头脑，率领鞑子来欺压咱们黄帝子孙。这岂不是不忠不孝，大逆不道吗？"

乾隆无言可对，昂然道："我今天反正已落入你的手里，你要杀便杀，何必多言。"陈家洛温言道："咱们在海塘上曾经约定，以后互不加害，言犹在耳，我岂能背誓？何况现下知道你是我的亲哥哥，兄弟相会，亲近还来不及，哪有相害之理？"说着不禁掉下泪来。

乾隆道："那么你要我怎样？要逼我退位么？"陈家洛拭一拭眼泪，说道："不，你仍然做你的皇帝，然而并非不忠不孝的皇帝，而是一位仁孝英明的开国之主。"乾隆奇道："开国之主？"陈家洛道："正是，做汉人的皇帝，不是满清的皇帝。"

乾隆一听此言，已明白他意思，道："你要我把满人赶出关外？"陈家洛道："不错，你一样做皇帝，与其认贼作父，为后世唾骂，何不奋发鹰扬，建立万代不易之基？"乾隆本是好大喜功之人，听了这几句话，不由怦然心动。陈家洛鉴貌辨色，知道自己说词已经见效，续道："你现今做皇帝，不过是承袭祖宗余荫，有什么希奇？你看看这人。"

乾隆走到窗边，顺着他手指向下望去，见一个农夫在远处田边挥锄耕作。陈家洛道："要是这人生在雍亲王府中，而你生在农家，那么他就是皇帝，你却须得在田间锄地了。"乾隆一向自以为天纵神武，迥非常人可比，此刻细细体会陈家洛的话，不由得爽然若失。陈家洛又道："大丈夫生在世间，百年之期，倏忽而过，如不建功立业，转眼与草木同朽，历来帝皇，如汉高祖、唐太宗、明太祖，那才是真英雄真豪杰。元人如成吉思汗，清人如太祖努尔哈赤、太宗皇太极，也算得一代雄主。如汉献帝、明崇祯这种人，纵使不是亡国之君，因人碌碌，又何足道哉？"

这番话每一句都打入了乾隆心坎。他知道自己是汉人后，曾几次想下令宫中朝中改服汉人衣冠，都被太后和满洲大臣拦住，心想倘若真的依着陈家洛的话，把满人赶出关外，重还汉家天下，自己就是陈姓皇朝的开国之主，功业实可上比刘邦、李世民。

他正想接话，忽听得远处传来一阵犬吠之声，又见陈家洛双眉一扬，凝神外望，只见四条身躯异常庞大的狼犬向六和塔疾奔而来，后面跟着两人。

转眼之间，两人四犬已奔到塔下，隐隐听到有人厉声喝问。六和塔塔高十三层，乾隆与陈家洛这时在第十二层上，与塔下相距甚远，听不清楚下面说话。只见两人四犬都冲进了塔中，忽然四条狼犬反身奔逃，孟健雄手挟弹弓追出，一阵连珠弹把四犬打得狺狺狂叫。

陈家洛正在奇怪，不知两人四犬是什么路数，忽见塔中一人窜出，身法迅疾无比，夹手把孟健雄的弓夺过，左掌便向他项颈劈落。孟健雄一闪没避开，忙举手格时，被那人用弹弓弓端在腰里一戳，截中穴道，俯身跌倒。那人头也不回，直奔进塔。这人刚进塔门，塔里便抛出一个人来，仰天跌在地下，动也不动，却是安健刚。又听得塔内的马善均、马大挺父子哨声大作，连连报警。

乾隆眼见来了救援，心中大喜。陈家洛四下瞭望，见各处并无动静，知道来攻的只此两人，马家父子此时才发警号，想是敌人行动过速，待到发现，敌已入塔。这两人身手如此矫健，必是大内侍卫中的高手，看来比之金钩铁掌白振尚要胜得一筹。

四条狼犬重又折回，再窜进塔内，只听得女子斥骂声、少年叫喊声、狼犬吠叫声响成一片，那是把守第二层的周绮和心砚正在对付狼犬。突然两声惊叫，第二层窗口中投下两件兵器来，一是单刀，一是软鞭。陈家洛认得是周绮和心砚所用，想是被敌人夺去而掷下来的，不知两人是否遇险，甚是担心。

乾隆见陈家洛本来神色自若，忽然脸有忧色，知道自己手下人占了上风，暗暗欢喜，突见他转露微笑，忙向下望。只见一条大汉手舞大铁桨，将四条狼犬打出塔来。周绮和心砚抢出来扶了孟健雄和安健刚进去。四条狼犬猛恶异常，直如四头豹子一般。一条狼犬后腿给铁桨打断，兀自不退，仍然猛扑乱咬，蒋四根给四只狗围在垓心，一时也无法取胜。

心砚又从塔里奔出，双手连挥，十几块砖头把狼犬打得汪汪乱叫。蒋四根乘机一桨，击在一条狼犬臀部，把它直掼出去。周绮也奔出塔外呐喊助威，眼见四犬就要给蒋四根和心砚尽数打死。忽然第六层窗口有人探出头来，撮嘴作啸，声音甚是奇特。四犬一听，立即掉头，向外奔去。周绮和心砚拾起兵刃，站在塔下守御，怕再有敌人来攻。

陈家洛见敌人在第六层窗口中指挥狼犬，心想："那么第四层上的十二哥，第五层的九哥和第六层的八哥都没拦住他们……"想到这里，暗叫："不好。"敌人武艺高强，而且两人合力，己方每层一人，一定拦他们不住，正要下令集合四人在第九层上拦截，忽见第七层窗中窜出一人，正是徐天宏。他刚跃出窗口，后面一人跟着跳出，一把抓住了他左脚。陈家洛大吃一惊，手中扣住的三粒围棋子正要掷出，忽听徐天宏大喝："照镖！"右手一扬，敌人一缩头，却无暗器射来，徐天宏乘机一挣，挣脱了左脚鞋子，已站在宝塔檐角之上。

这时距离已近，看清敌人比徐天宏更矮，一身灰衣，满头白发，竟是个老太婆。她背插单剑，双手空着，凌空跃起，又抓了过去。徐天宏右手无刀，想来已被敌人打脱，左手铁拐使招"一夫当关"在胸前一横，又喝："照镖！"那老太婆骂道："猴儿崽子，莫想再骗你奶奶！"夹手来夺单拐。哪知徐天宏这一次却非虚招，已揭起塔顶瓦片猛掷过去。那老妇避让不及，迎面一掌，把瓦片击得粉碎，四散纷飞。守在第八层的常氏双侠似已被另一人缠住，始终没出来相助。徐天宏武功远不及那老妇，交手数招，迭遇凶险，他声东击西，又支持了几招。

周绮抬起了头，仰望徐天宏在塔角上和那老妇恶斗，眼见不敌，很是焦急，大叫："爸爸，爸爸，快动手哪！"

周仲英守在第十层上，也早见两个徒弟被打倒，义子处境危险，探身窗外，叫道："什么人在这里撒野?"两枚铁胆一先一后向那老妇掷去。铁胆未到，那老妇忽然如飞般直纵而下，左手手掌在瓦上一按，一个筋斗翻过来在第六层上站住，只听得叮叮叮一阵乱响，袖箭、铁莲子、钢镖、背弩，一批暗器纷纷落在第八层塔顶上，却是守在第九层上的赵半山为助徐天宏而放。

周仲英铁胆打空，拍拍两声，把塔角的木檐打断。徐天宏俯身抢住一个，另一个在塔角瓦沟中乱转。周仲英纵身跃下想拾，脚未踏实，突然一阵掌风向胸口袭来。

他身子临空，无法避让，掌风来势凌厉，若是出手抵挡，悬空不能借力，必被敌人推下塔去，跌得粉身碎骨，危急中拔出金背大刀在面前一立，和身向敌人扑去，拼着受他一掌，落个两败俱伤。

敌人见周仲英扑来，侧身让过，左手来抓他手腕。周仲英见他手法又快又狠，不觉咦的一声，暗暗惊心："这人是谁?"当即跳开，见常氏双侠已从窗中跳出，和那人打在一起。那人魁梧异常，常氏双侠是瘦长条子，此人身材却比双侠还高了些，一个鹰钩鼻，脸色红如朱砂，头顶光溜溜的秃得不剩一根头发。周仲英见此人神威凛凛，武功好得出奇，心想："这样的人物也甘作清廷走狗?"

那秃顶老头双掌如风，迅疾无比，常氏兄弟在塔上跳跃来去，以二攻一。周仲英见常氏兄弟虽不能胜，也不致落败，不必过去相助，向下望时，却大吃一惊。

只见第六层上那白发老妇正把周绮逼得连连倒退。徐天宏大叫："绮妹，退开退开。"周绮很听徐天宏的话，转身便走。那老妇不追，待要上跃，周绮却站住了脚，骂道："老太婆，你敢追我么？我这里有埋伏。"那老妇双脚一点，如一枝箭般直飞过来。周绮大骇，返身便逃。

周仲英右手发出铁胆，向老妇后心飞去。那老妇堪堪追上周绮，刚要伸手抓她后心，忽听得背后暗器之声劲急猛恶，不敢伸手去接，当即使出轻功中"寒江独钓"招数，身子向外一挫，全身悬空塔外，只以左脚勾住塔角飞檐。当的一声大响，铁胆打得塔顶火星乱飞，砖瓦碎片四溅。

那老妇避开铁胆，又追周绮。周仲英向下跳到第六层上，横刀当路，那时周绮已逃到塔后，两人一逃一追，绕着宝塔打转。周绮自与徐天宏订婚后，心想丈夫是出名的聪明人，自己如一味卤莽，怕被他看低了，是以临事已不若以往那么任性。这次听徐天宏叫她退走，便打打逃逃，和敌人拖延时刻。周仲英刚立定身子，已见女儿从塔后绕了出来，那老妇仍然空手追赶，老妇背后却又有一人跟着，双钩挥霍，向她后心挺刺，却总是差了尺许，看他奋勇直前，救援周绮，正是九命锦豹子卫春华。

这时杨成协、石双英等也从下层赶了上来，周仲英迎上抢过周绮，金刀呼呼生风，连劈两刀。那老妇见他刀法精奇，不敢轻敌，退开三步，正要拔剑，忽然那秃顶老头在上面喊道："我上塔顶去攻下来，你从下面攻上！"声若洪钟，送将下来。

那老妇一听，不再和众人缠战，飞身纵起，左手在第七层塔角上一扳，借势又翻上了第八层。这一层上已无人阻挡，仍以此法翻向第九层上。她从下面打上来时，知道每层守御之人武功一层高过一层，虽避开了周仲英一胆两刀，但已知他是少林高手，平地拼斗，不弱于己，只怕上面有更厉害劲敌，凝神屏气，身未上，剑先上，挽花护顶，忽觉手上一震，长剑被敌人兵刃黏住，险险脱手。

那老妇知道又遇劲敌，长剑乘势向前一探，解去对方黏走之力，不敢正面纵上，向左斜奔三步，突然反身向右疾驰，一跃跳上第十层，寒风起处，一剑迎面刺到。

那老妇以攻为守，刷刷刷三剑均攻对方要害。敌人以太极剑中"云麾三舞"三式解开。老妇见他化解时举重若轻，深得内家剑术三昧，不待对方回手，跳开一步，看敌人时，见是个身材微胖的中年汉子，上唇一丛浓髭，鬓发微斑，左手捏住剑诀，凝神而视，并不追来。老妇叫道："你一身好功夫，可惜可惜。"那人正是千手如来赵半山，他见这白发老妇身手迅捷，也自惊佩。两人挺剑又斗在一起。

乾隆见两人一路攻上，心头暗喜，但见陈家洛气度闲雅，不以为意，反而拖了一张椅子到窗口坐下观战，心想来救我的只有两人，总敌不过红花会人多，正自患得患失之际，忽听远处传来犬吠之声，又有吆喝声，马匹奔驰声。

梯上脚步响处，心砚奔上楼来，用红花会切口向陈家洛禀报："在塔外巡哨的头目来报，有两千多清兵正向这边过来，方向对正六和塔。"陈家洛点点头，心砚又奔下塔去。乾隆不懂心砚的话，但见他神情紧张，知道定是对他们不利的消息，凝神远望，枫叶如火，林梢忽然白旗飘动，旗上大书一个"李"字。乾隆大喜，知是李可秀带兵前来救驾了。

陈家洛俯身窗口大叫："马大哥，退到塔里，预备弓箭！"马善均在塔下答应。

陈家洛喊声方毕，忽见那秃顶红面老者直窜上来，常氏双侠和周仲英在后紧追不舍。那老者绕塔盘旋，后面追得紧时就回身接几招，找到空隙，又跳上一层。那边厢赵半山和那老妇正斗到紧处，那老者已跳到第十二层来。常赫志见他来势猛恶，第十二层正是监视乾隆之处，不再追赶，腰间取出飞抓，迎风一晃，站在窗外，常伯志双掌斜举，抢在他身前两步。兄弟两人摆好阵势，飞抓远攻，肉掌近袭，双双挡在窗外。那老者眼见情势，竟不过来，直上塔顶。周仲英追赶不及，从窗口跳入塔内。乾隆见他执刀跳进，吃了一惊，却见他奔到塔顶通下来的梯级上横刀待敌。

赵半山和那老妇攻拒进退，旗鼓相当，转瞬间拆了百余招。那老妇剑法迅速无比，赵半山展开太极快剑，也是以快打快，心中暗暗称奇："这人白发如银，又是女流，怎地竟然战她不下？"心中焦躁，要摸暗器取胜，岂知那老妇逼得甚紧，微一疏神，左手衣袖竟被她长剑划破了一道口子，虽然未伤皮肉，但也不免心惊。

徐天宏、杨成协、卫春华、石双英和周绮手执兵刃，旁观赵半山和那老妇恶斗，见两人剑光闪烁，打得激烈异常，尽皆骇然，忽见赵半山衣袖中剑，都吃了一惊。卫春华双钩一摆，便要抢上相助。赵半山一剑“李广射石”，把老妇迫退一步，忽地跳开，说道：“老太太果然高明，请上吧。”卫春华愕然止步。

赵半山衣袖中剑，不再恋战，心想：“陆菲青大哥守在十一层上，一别十余年，想他武功必然精进，定可制住这老妇。众兄弟均佩他云天高义，却未见识过他的超妙剑术。”他任由老妇上去，意在让好友陆菲青露脸扬名，否则划破袖口，尽可再战，也未必会输。

那老妇见他谦退，举剑施了一礼，说道：“好剑法！”纵身直上。周绮叫道：“赵三叔，你没输啊，干么这么客气？”赵半山微微一笑，道：“她剑法好极啦，咱们去看看陆大爷的武当派功夫。咦，周姑娘，你干么这般客气，叫我三叔？七弟可叫我三哥。”周绮脸一红道：“我只跟爹爹叫。”杨成协笑道：“那么你叫他七叔么？”说着向徐天宏一指。周绮道：“呸，他想么？”各人知道己方人多，敌人虽然武功精湛，料也无能为力，大家一面说笑，一面奔上塔去。第九、第十两层悄无一人，冲进第十一层时，只道陆菲青定在和那老妇斗剑，哪知室中空荡荡地竟无人影。

众人吃了一惊，疾忙再上，将进室内，已听得刀剑交并，铮铮有声，一进门，只见周仲英使开金背大刀，风声虎虎，正和那白发老妇激战，一个刀大力沉，一个剑走轻灵，一时不分高下。陈家洛把乾隆拖在一角，坐在榻上观战。

徐天宏一打手势，杨成协、石双英两人守住窗口。徐天宏叫道：“抛下兵器，饶你不死！”老妇见身陷重围，并不畏惧，刷刷刷数记进手招数。周绮道：“这人的剑术和一个人很像，你说是么？”徐天宏道：“不错，我也觉得奇怪。”那老妇把周仲英迫退一步，突然一拉桌子，挡在胸前，贴墙而立。周仲英一刀急斩，险险砍在桌上，疾忙收刀。那老妇转头向乾隆叫道：“你是皇帝吗？”

乾隆忙道：“我是皇帝，我是皇帝，救兵都来了么？”那老妇一跃上桌，突然举剑当胸，如一只大鸟般向他急扑过去，一招“鹏搏万里”，向乾隆胸口直刺。这一剑去势既快且狠，群雄只道她是乾隆的手下前来搭救，哪知忽然行刺，这一下大出意料之外，人人均是愕然失色，手足无措。

陈家洛虽然站在乾隆身旁，但这剑实在来得太快，也是不及抵挡，立即左手双指一骈，向老妇胁下要穴点去，这是攻敌之不得不救。老妇剑尖将及乾隆胸口，突见陈家洛手指袭到，左掌“金龙探爪”，自下向上一撩，随即反手抓出，这是三十六路大擒拿法中的厉害招数，和点穴有异曲同工之妙，陈家洛只要腕脉被抓，当时就得全身瘫软。就这样，她右手剑的势道缓得一缓，陈家洛右手已拔出短剑，向上急架，铮的一声，火星飞溅，左手跟着反击敌人面门。这一招之后，紧着下面还有一腿，叫作“上下交征”。那老妇拳术娴熟，见他左手击来，又伸左掌抓拿，下盘向右闪避，手中剑刺向对方咽喉。不料陈家洛的“百花错拳”每一招均与众不同，老妇向右闪避，他一脚偏从右方踢来，好在她长剑亦已刺出，陈家洛腿力尚未使足，随即收势。

两人均起疑心，危势既解，各退两步。陈家洛把乾隆往身后一拉，挡在他面前，拱手道：“请教老太太高姓?”这时那老妇也在喝问。两人语声混杂，都听不清楚对方说话。

陈家洛住了口，那老妇重复一遍刚才的问话：“你这短剑哪里来的?”陈家洛听得她不问别事，先问短剑，倒出于意料之外，答道：“是朋友送的。”老妇又问：“什么朋友？你是皇帝侍卫，她怎会送你？天池怪侠是你什么人?”陈家洛先答她最后一问：“天池怪侠是晚辈恩师。”他想老妇剑刺乾隆，定是同道中人，见她年龄既长，武功又高，是以自称晚辈。那老妇嗯了一声，道：“这就是了。你师父虽然为人古怪，却是正人君子，你怎么丢师父的脸，来做清廷走狗?”

杨成协忍耐不住，喝道：“这位是我们陈总舵主，你别胡言乱道。”那老妇面露诧异之色，问道：“你们是红花会的?”杨成协道：“不错。”

那老妇转向陈家洛，厉声道：“你们投降了清朝么?”陈家洛道："红花会行侠仗义，岂能对满清屈膝？老太太请坐，咱们慢慢谈。"那老妇并不坐下，面色稍和，又问："你这短剑哪里来的？"

陈家洛见到她武功家数，听她二次又问短剑，已料到几分，说道："是一位回部朋友送的。"其时男女间授受物品，颇不寻常，陈家洛虽是豪杰之士，胸襟豁达，当着众人之面也有些说不出口。那老妇又问："你识得翠羽黄衫吗？"陈家洛点点头。

周绮见他吞吞吐吐，再也忍不住了，插嘴道："就是霍青桐姊姊送的。你也认识她吗？那么咱们是一家人啦！"那老妇道："她是我的徒弟。"陈家洛行下礼去，说道："原来是天山双鹰两位前辈到了，晚辈们不知，多有冒犯。"

那老妇身子稍侧，不受这礼，森然问道："既说是一家人，干么你们却帮皇帝，不让我杀他？"

杨成协等见陈家洛对她很是恭敬，而这老太婆却神态倨傲，都感气恼。这时常氏双侠也已从窗口跳进室内，常赫志道："皇帝是我们抓来的，要杀也轮不到你。"那老妇咦了一声道："皇帝是给你们抓来的？"

陈家洛道："前辈有所不知，皇帝确是我们请来的。我们只当两位是清宫侍卫，前来打救皇帝，因此一路上拦截。两位前辈武功实在高明之极，我们众兄弟不是对手，没能拦住，以致生了误会。"其实红花会群雄已把二人截住，众人都知他这话是谦逊之辞。

那老妇忽然探身窗外，纵声大叫："当家的，你下来。"过了半晌，不闻回答，忽然飕的一声，塔下一枝箭直射上来。老妇伸左手抓住箭尾，转身一掷，那枝箭插在桌面之上，箭尾不住颤动，厉声喝道："无信小辈，怎地又放暗箭？"

陈家洛道："前辈勿怒，塔下兄弟尚未知情，以致得罪，回头叫他们赔礼。"走到窗口，自下喊道："是自己人，别放箭！"语声未毕，又是一箭射到。这时陈家洛也已看得清楚，下面千余名清兵已将六和塔团团围住，弯弓搭箭，见窗口有人探头就射箭上来。陈家洛对赵半山道："三哥，你去派人守住塔门，别冲出去厮杀。"

赵半山应声下去。

周仲英道："这位是雪雕关老师父吧，在下久仰得很。"

那老妇正是雪雕关明梅，是秃头老者陈正德的妻子，两人一高一矮，一个秃头，一个白发，江湖上人称秃鹫雪雕，合称天山双鹰。

关明梅听了周仲英的话，微微点头。陈家洛道："这位是铁胆周仲英周老英雄。"关明梅道："嗯，我也听到过你的名头。"说到这里，忽然张口大叫："当家的，快下来，你在干什么呀？"她正说得好好的，突如其来的一声大喊，把众人都吓了一跳。

周仲英道："陈老师父在和无尘道长斗剑，咱们快去把事情说清楚。"

陈家洛向常氏双侠使个眼色。双侠会意，走到乾隆身旁监视。陈家洛和关明梅等奔上梯级，走到第十三层来，在梯级上却不闻刀剑之声，群雄都有点担忧，心想这两人武功卓绝，出手快速，两虎相争，必有一伤，如哪一个失手疏虞，都是终身恨事。关明梅却漫不在意，知道丈夫平生罕遇敌手，决不致有甚失闪。

众人刚到室门，只见白刃耀眼，满室剑光，两个人影在斗室中盘旋飞舞，虽只两柄剑相斗，但金刃劈风之声，有如数十人交战一般。群雄刚站定，无尘和陈正德又已拆了十余招。两人斗到酣处，剑法一招紧似一招，点到即收，双剑不交。

关明梅本来托大，但看到两人拆了数十招后，丈夫丝毫未见便宜，不由得暗暗心惊："怎地江南竟有如此人物？"只见两人越斗越紧，兀自分不出高下。

陈家洛叫道："道长，是自己人，请住手吧！"无尘举剑一封，退后一步。陈正德杀得性起，剑招连绵，剑锋不离敌手左右。无尘退后一步，他一剑"神驼骏足"刺了过去。无尘向左一闪，还了一剑。两人又交数招。关明梅叫道："当家的，他们是红花会！"

陈正德一怔，说道："是吗？"他势道微缓，高手斗剑，直无毫发之差，只听得嗤的一声，右边衣襟已被无尘一剑穿过，这还是无尘听了陈家洛的话后手下容情，否则这一剑当更为狠辣。

陈正德大怒，喝道："好老道!"刷刷刷连环三剑。无尘一步不退，还了四剑。

两人又斗数十招。陈正德使出"三分剑术"中的绝招，虚虚实实，变幻莫测。无尘展开"追魂夺命剑法"，七十二路正变中包藏八十一路奇变。只见陈正德一剑"冰河开冻"，向无尘右臂直劈下来。无尘向左侧让，陈正德长剑突然上撩，"夜半烽烟"，迅捷绝伦。哪知无尘没了左臂，这时反占便宜，喝道："好剑法!"一剑"孟婆灌汤"，直刺敌喉。

陈正德这剑撩了个空，心头一惊："老胡涂！他没左臂，我怎地使上了这招?"心念甫动，无尘长剑剑尖已指到咽喉。来剑势若电闪，陈正德再也不及闪让，败中求胜，举剑横削，眼见已不免两败俱伤。

众人大惊，呼叫声中，无尘突向右倒，将陈正德来袭之势让过，回剑接住来剑，只听当的一声，两剑颤动，声若龙吟，嗡嗡之音，良久不绝。

无尘右膝跪地，双剑交并，两人都不敢移动，各运内力，势均力敌，两柄纯钢的长剑相交处各生缺口，慢慢互相陷入。

陈家洛见情势危急，接过杨成协手中钢鞭，抢上前去要将两人隔开，刚跨出一步，只听得头顶一人哈哈长笑，叫道："好剑法，好剑法!"语声方毕，人影下堕，铮的一声，无尘和陈正德双剑齐断。两人各向前窜出数步，才收住势子，各持半截断剑，转过身来，只见一人笑吟吟的站在中间，手中长剑如一泓秋水。

无尘见从梁上跳下来的是陆菲青，微微一笑，道："好剑!"陈正德红起了眼，扑上去要和他拼斗。陆菲青笑道："秃兄，你不认得小弟了吗?"

陈正德一呆，向他凝视片刻，突然惊叫："啊，你是绵里针。"陆菲青笑道："正是小弟。"陈正德道："你怎么在这里?"陆菲青不答他问话，插剑入鞘，回身向关明梅一揖，道："大嫂，多年不见，你功夫越来越俊啦！”关明梅喜叫：“陆大哥！”

原来陆菲青在第十一层上守御，见天山双鹰攻上，二人生具异相，虽然多年不见，仍是一眼即知。陆菲青和他们夫妻相交有素，知二人是侠士高人，决不会给清廷做走狗，何以拼命向监禁乾隆之处攻来，必有原因，决定躲起来看个究竟，因此关明梅闯到第十一层时无人阻截。他见关明梅剑刺乾隆，和陈家洛等说明误会，就比众人先一步上了第十三层，躲在梁上，他轻功卓绝，陈正德和无尘又斗得激烈，都没留心。他见两人奋力相拼，时候久了必有损伤，于是削断两人长剑，解了僵持之局。

陈正德道：“哼，陆老弟，你的剑真是宝物！”陆菲青知道此老火气极大，笑道：“这是别人的东西，暂且放在我这里的。”原来这便是张召重的凝碧剑，骆冰在狮子峰上取来后交给了总舵主。陈家洛以这是武当派历代相传的名剑，转交给他。陆菲青又道：“亏得这把剑好，否则两大高手斗在一起，天下又有哪一人解拆得开？”这句话把陈正德和无尘两人一捧，两人心气顿和。陆菲青道：“不打不成相识，陈大哥，我给你引见引见。”于是从陈家洛起，逐一引见了。

陆菲青道：“我只道你们两位在天山脚下安享清福，哪知赶到了江南来杀皇帝。”关明梅道：“你们都见过小徒霍青桐，这事就由她身上而起。皇帝派兵去打回部，青桐的爸爸木卓伦领兵抵抗，敌不过清兵人多，连吃了几个败仗。后来清兵的粮草在黄河边上给人劫了……”陆菲青插嘴道：“那便是红花会的各位英雄，为了相助木卓伦老英雄而劫的。”

关明梅道：“嗯，在回部时我也听人说起过。”望了陈家洛一眼，道：“怪不得她送这短剑给你。”陈家洛道：“那是在此之前，木卓伦老英雄率众夺还经书，我们在途中遇到了。”关明梅道：“夺还经书，你们也帮过忙的。回人说起来，把你们说成个个是大英雄，哼！”言下之意，是说今日相见，却也不见得如何高明，又道：“清兵没粮草，败了一仗，木卓伦便提和议，双方正在停战商谈，哪知兆惠得了粮草，又即进攻。”

陆菲青道：“满清官兵原本不守信义。”关明梅道：“回部百姓给清兵害得很惨，木卓伦老英雄抵敌不住，邀我们去商量。我们夫妇本来并不想理会这种事……”陈正德插口道：“都是你，现下又来撇清。”关明梅道：“怎么都是我？你瞧着清兵在回部杀人放火、残害百姓，心里安么？”陈正德哼了一声，又要接嘴。陆菲青笑道：“你们老夫妻还是这么一副脾气，一说话就吵嘴，也不怕年轻人笑话。大嫂，莫理他，你说下去。”

关明梅向丈夫白了一眼，说道：“我们本想去刺杀统兵的兆惠，后来一想，杀了这个什么狗屁定边大将军，皇帝又可另派一个，杀来杀去没什么用，不如把皇帝杀了来得直截了当。于是便赶去北京，路上得到消息说皇帝到了江南。靠了那几条狗，我们老夫妻在杭州追踪了大半夜。原来你们是从地道里把皇帝抓走的，害得我们一路跟踪，也钻了一回地道。我们正自奇怪，皇帝为什么大发雅兴，要钻地道。”陈正德道：“什么？皇帝是你们抓来的？”陈家洛把捉到乾隆之事简略说了。

陈正德道：“这一手做得不坏，只是不够爽快，何必饿他？一刀杀了，岂不干净利落？”无尘冷冷的道：“国家大事，岂是一刀一剑就能办得了的。”陈正德怒道：“道长剑术高明之极，咱们还没分高下，道长如有兴致，再来玩玩如何？”无尘道：“瞧你这大把年纪，还没你徒弟霍青桐这女娃子有见识。咱们是自己人，何必再打？”关明梅笑道：“你瞧，我说你胡涂，你从来不服。现下人家也说你来着，怎么样？”眼见老夫妻又要抬起杠来。陈正德道：“就算我没见识。”转身又对无尘道：“咱们又不是拼命，比试一下剑法打什么紧？你剑法确是不错，那叫什么名堂，倒要请教。”

陆菲青怕两人说僵了再动手，伤了和气，忙插嘴道：“你的剑法叫作三分剑术，道长的叫作追魂夺命剑，都是震古烁今的绝技。”陈正德道：“也未必能将人追去了魂，夺得了命。”

无尘本来瞧在陆菲青份上让他一步，哪知这老头十分好胜，简直不通情理，听了这几句话心头火起，说道："好吧，那么咱们再来比比。我输了以后终身不再用剑。"群雄一听，都待要出言劝解，陈正德说道："我们夫妇离开回部时，说过杀不了皇帝决不回去，既然你们不让杀，那也得拿点本领出来，教人心服了才算。道长肯赐教，那是再好没有。我输了转身就走，决不再来行刺。"语声方毕，已从关明梅手中夺过剑来。

陈家洛走上一步，长揖到地，说道："无尘道长虽然剑法精妙绝伦，但火候总还逊老前辈一筹。大家有目共睹，何必再比？"

陈正德傲然道："陈总舵主你又何必客气？你师父是世外高人，不屑跟我们凡夫俗子动手，我只好向你领教了。我先请道长赐教，再请你教训教训我这老头子如何？"众人都觉这个老头儿实在不近人情，却不知他和天池怪侠袁士霄素有心病，一直耿耿于怀，因此一口气发作在陈家洛身上。陈家洛忍气道："我更不是老前辈的对手了。我恩师平时常对晚辈说起天山双鹰，他是十分佩服的。"

陈正德一指关明梅，怒道："你师父佩服的是她，不是我。"关明梅叫道："当着这许多新朋友，你又呷什么干醋了？"群雄相顾愕然。陆菲青笑道："秃兄，你们两夫妻都是六十开外的人啦，这件事吵了几十年还没吵完吗？"

陈正德横性发作，须眉俱张，忽然如一枝箭般从窗中直窜出去，叫道："小道士，不出来的不算好汉。"

红花会群雄都觉陈正德未免欺人太甚。杨成协道："可惜四哥不在这里，否则定可和他斗上一斗。"无尘听了这一句激将之言，忍无可忍，叫道："三弟，把剑给我。"这时赵半山已从下面上来，把剑递了给他，低声道："道长，要顾全咱们和木卓伦、霍青桐的交情。"无尘点点头，挺剑跃出窗去。

塔下的清兵见塔角上有人，早已箭如飞蝗般射将上来。无尘道："咱们到下面去打，在箭丛里较量一下如何？"陈正德哪肯示弱，道："好极啦！"双脚一挺，头下脚上，直扑下去，从第十三层顶扑到第六层，左手在塔檐上一扳，已在第五层塔角上立定。他外号秃鹫，轻身功夫自是高明之极，这一扑一翻，当真如一头大鹫相似。塔中群雄齐声喝彩。塔下清兵箭射得密了。陈正德持剑拨箭，仰视无尘动静。

无尘双脚并拢，右手贴腿，如一根木棍般笔直堕下。塔下清兵齐声呐喊，纷纷让开。无尘堕到第五层时仍未止住，眼见要向第四层堕去，突然右臂平伸，剑锋已在塔檐上平平贴住，手一使劲，赵半山那柄纯钢剑剑身柔韧，反弹起来。他一借劲，已站在第五层上。

陈正德见他这手功夫中轻功、内力、剑法、胆识，无一不是生平罕见，哪里敢有半点轻忽，待他站定，说道："进招了！"剑走偏锋，斜刺左肩。

清兵见两人拼斗，只道其中必有一个是自己人，怕有误伤，当下停弓不射。无尘道："咱们各掷一箭，引他们放箭！"陈正德道："好！"两人各从塔顶捡起一枝箭，以甩手箭手法甩了下去，射伤了两名兵卒。塔下清兵高声呐喊，千箭齐发。

这时离地已近，每一箭射中都可致命，两人攻防相斗，同时拨打下面射上来的箭枝，如此比武可说从所未有，群雄都奔到第六层观看。关明梅暗暗担忧，心想这道人剑法狠辣异常，丈夫年事已高，耳目已不如昔日灵便，平地斗剑决无疏虞，现下身处高塔，清兵箭如骤雨，实是凶险万分，手中暗扣三粒铁莲子，站在窗口相护。

两人在箭雨中斗得激烈，连在第十二层上看守乾隆的常氏双侠也忍不住探首窗外，向下观战。两人各握住了乾隆的一只手，防他逃走。乾隆双手柔软细嫩，给常氏兄弟这对精擅黑沙掌的粗手巨掌握住了，总算他兄弟不使劲力，否则一捏之下，乾隆手骨粉碎，从此再也不能做诗题字，天下精品书画，名胜佳地，倒可少遭无数劫难。此时乾隆虽知来了救兵，但自己身在红花会手中，倘若他们败了，老羞成怒，说不定会给自己一刀，心想宁可让红花会得胜，听陈家洛口气，定可释放自己。

塔角上双剑于万箭攒射中狠斗，胜负难决。陈家洛大叫："两位剑法神妙，不必再比了。”两人斗得正紧，哪里停得住手？陈正德心想：“这道人剑法果然高明，看来我无法取胜。”他逞强好胜，缓缓移动脚步，面向东方，背朝塔下清兵，这显是十分不利的地位，日光耀眼，受箭又多，心想只须打成平手，无形中已然胜了对方。

无尘见他故意抢占恶劣地势，已知他用意，心道：“你自讨苦吃，可莫怪我无情。”使出追魂夺命剑中上八路剑法，专刺他面目咽喉，剑尖映日，耀眼生花。陈正德连拆三剑，暗叫不妙，忽听背后呼呼数声，六七枝箭射了上来。陈正德矮身低头，一剑“平沙落雁”，疾刺无尘右臂，同时那些箭枝也向无尘射来。

无尘剑拨箭杆，左腿疾起，向陈正德太阳穴踢去。陈正德不知他腿上功夫如此精妙，吃了一惊，吸一口气，倒退一步，正在此时，忽然一枝箭劲急异常，突向他背后射到。这箭是清宫侍卫中高手所发，来得极快，他向后疾退，恰是以背迎敌。关明梅叫声：“啊哟！”发铁莲子救援已然不及，群雄也齐声惊呼。

无尘忽施“马面掷叉”绝技，长剑脱手，把那枝箭碰歪，长剑和箭枝同时向塔下跌去。群雄喘了口气，刚要喝彩，下面又射来数箭，无尘手中没剑，无法拨打，只得闪避。关明梅铁莲子发出，打落三箭，陈正德也回身拨打。两人本来狠命厮拼，这时却互相救援，塔下官兵大为不解。

白振见无尘手中没了兵器，他在西湖中较艺曾输在这道人手上，心中记恨，叫箭手齐射无尘。一时羽箭蝗集。无尘东躲西避，闹了个手忙脚乱。陈正德叫道：“别怕，我给你挡住！”挺剑上来，正要拨打，忽然第六层窗口中飞身纵出一人，抢在其前，尚未立定，转瞬间双手已接住十几枝羽箭，使开甩手箭手法，掷箭出去击打来箭，手法奇妙，快速已极，随来随接，随接随掷，竟无一箭落空，一个人便似生了几十条手臂一般。

塔下清兵看得呆了，都停了放箭。杨成协俯身大叫：“今日叫你们见见千臂如来的手段！”清兵队中兵将侍卫衷心佩服，彩声如雷。赵半山微笑抱拳，躬身答谢。众官兵见他风度如此，更是情不自禁的鼓掌。

三人纵身跃入塔中，群雄都过来道贺。陈氏夫妇这时才真心钦佩无尘、赵半山的武功，对无尘舍己救敌的侠义心肠尤为敬服。众人互相谦让赞誉了几句，塔下清兵鼓噪又起。徐天宏道："我去叫皇帝压服他们。"说罢飞步上楼。

过了半晌，只见乾隆从第七层窗口探出头来，叫道："我在这里。"

白振叫道："皇上在塔上。"率领众人，伏地高呼："万岁！"乾隆叫道："我在这里有事，你们别吵！"隔了一会，又道："各人退后三十步！"李可秀奉旨，勒兵后退。

陈家洛笑道："七哥指挥皇帝，皇帝指挥官兵，这比冲下去大杀一阵好得多啦。皇帝者，天下之至宝也，与其杀之，不如用之。"群雄听得陈家洛掉文，尽皆大笑。

卫春华望着清兵后退，见他们队伍中有几名猎户牵着猎狗，说道："我正想不通他们怎会找到这里，原来他们也带了狗。"从小头目手中接过弓箭，弯弓搭箭，飕飕两箭向塔下射去，只听得几声长嗥，两条狗被射死在地。清兵发一声喊，退得更快。

陈家洛向陆菲青道："陆周两位前辈，请你们陪陈老前辈、关老前辈说话，我上去和皇帝再谈。"众人都道："总舵主请便。"他上楼时红花会群雄都站起来相送，陆周两人也欠身为礼。陈正德和关明梅见陈家洛形容清贵、丰神俊雅，年纪又轻，群豪对他却都执礼甚恭，颇以为异。

陈家洛走到第七层上，常氏双侠和徐天宏行礼退出。乾隆嗒然若失，闷坐椅上。陈家洛道："你打定了主意没有？"乾隆道："我既落入你手里，要杀便杀，何必多说？"陈家洛叹道："可惜，可惜！"乾隆道："可惜什么？"陈家洛道："我一向以为你是个雄才大略之人，庆幸我爸爸姆妈生了你这好儿子，我有一个好哥哥，哪知道……"乾隆问道："哪知道怎样？"

陈家洛沉吟半晌，道："哪知外表似乎颇有胆量，内里却是胆小万分。"乾隆怒道："我什么地方胆小了？"陈家洛道："不怕死，那最容易不过了。匹夫之勇，有什么可贵？可是图大事、决大疑，却非大勇者所不能为。这个你就不能了。"

乾隆佛然而起，道："天下建大功、立大业之事，有没有被人胁逼而成的？"

陈家洛道："当年唐高祖在太原起事之初，犹豫不决，他儿子李世民多方部署，令他迫于情势，不得不从。宋太祖如无陈桥兵变，岂有黄袍加身？这两位开国之主虽受儿子或部下所迫，不得不冒险自立，终成大事，但后世何尝不对他们景仰拜服？"乾隆沉吟不语，颇为心动。陈家洛又道："何况哥哥你才能远胜李渊、赵匡胤。只要你决心恢复汉家天下，我们这许多草莽豪杰立时听你指挥。我可拍胸担保，他们从此决不敢对你有丝毫不敬，不尽为臣子之道。"

乾隆不住点头，心下尚还有一份顾虑，却是不便出口。陈家洛猜到他心意，说道："我只要见哥哥把满清胡虏赶到关外，那就心满意足。那时要请你准我归隐西湖，和我手下这些兄弟们赏花饮酒，共享太平，以终余年。"乾隆道："这是哪里话？如能成就大事，天下军政大计都要请你辅佐才好。"陈家洛道："咱们话说在先，一等大事成功，你必须准我退休。须知我们这些兄弟不知礼法，如有不合你心意之处，反而失了君臣之礼、兄弟之义。"

乾隆听他说得斩钉截铁，去了心中顾虑，伸手在桌上一拍，道："好，就这么办！"陈家洛大喜，道："你再没犹豫了？"乾隆道："没有了。只是我要托你一件事，你们故总舵主于万亭，有几件东西放在回部，说是我出身的证据，你去拿来给我瞧瞧。我看了之后，对自己真是汉人这件事才没丝毫疑心，那时必定和你共图大事。"陈家洛心想这倒也合情合理，道："好，这些东西听文四哥说要紧非常，我明日就动身亲自去拿。"

乾隆道："等你回来，你先来御林军办事，我把你升作御林军总管，统率护军、骁骑、前锋三营，过些时候，再兼京师九门提督。天下各省兵权也慢慢交在咱们亲信的汉人手里。等到我命你做兵部尚书，把八旗精兵分散得七零八落之后，咱们就可举事了。”陈家洛大喜，道：“皇上计谋深长，何愁大事不成。”当即跪下行君臣之礼，乾隆忙伸手扶起。

陈家洛道：“今日之事，须和众人立誓为盟，不得反悔。”乾隆点点头。陈家洛双掌一拍，命心砚取来乾隆原来的衣冠，服侍他换过了。陈家洛道：“请大家进来参见皇上。”

群雄入内。陈家洛说明乾隆已允驱满复汉，朗声道：“以后咱们辅佐皇上，共图大事，如有异心，泄露机密，天诛地灭。”当下歃血为盟。乾隆也饮了一口盟酒。只有陈正德和关明梅在一旁微微冷笑。

陆菲青道：“大哥、大嫂，你们也来喝一杯盟酒！”陈正德道：“官府的话说得再好听，我也从来不相信，何况是官府的头脑?”关明梅道：“恢复汉家山河，那是咱们每个黄帝子孙万死不辞之事。只要皇帝真有此心，如有用得着我们夫妻的地方，陈总舵主送个信来，我们这对老骨头赴汤蹈火，决没半点含糊。这口酒，我们是不喝的了。”陈正德右手一伸，忽地插入墙中，抓下了一大块泥土砖石，厉声说道：“要是谁狼心狗肺，负义背盟，出卖朋友，坏了大事，这就是榜样!”手指一发力，砖石都碎成细粉，簌簌而落。乾隆见墙上那洞指痕宛然，甚是惊骇。

陈家洛道：“两位老前辈虽不加盟，和大家也是一条心。这里都是血性朋友，我也不必多嘱。但愿皇上不可三心两意，忘了今日之盟。”乾隆道：“大家尽管放心。”陈家洛道：“好，我们送皇上出去。”卫春华奔到塔外，叫道：“你们过来迎接皇上!”

李可秀与白振听了，将信将疑，怕红花会又使诡计，率领兵卒慢慢走近，见乾隆果然从塔中走出，忙伏地迎接。白振牵过马来，乾隆上了马，对白振道：“我在这里和他们饮酒赋诗，贪图几日清静。你们偏要大惊小怪，败了我的清兴。”白振连说：“臣该死!”当下前后拥卫，旌旗招展，打起得胜鼓，威风凛凛的奏凯回杭。只是金鼓声中，偶夹几声猎犬的“汪汪、呜呜”，略嫌美中不足。

红花会群雄正要重回六和塔，陈正德道：“我们老夫妇今日会到江南群雄，见了素来仰慕的周老英雄，又和分别多年的陆老弟重逢，实在高兴得很。得与无尘道长两番交手，更是生平第一快事。我和老妻另有俗事，就此别过。”

陈家洛忙道：“两位前辈难得到江南来，务必要请多住几日，好让后辈多多请教。”陈正德白眼一翻，道：“你师父本领比我大得多，你向我请教什么？无尘道长，将来咱们再斗一斗酒量，看谁厉害。”无尘笑道：“那我是甘拜下风。”

关明梅把陈家洛拉在一旁道：“你娶了亲没有？”陈家洛脸一红道：“没有。”关明梅又道：“定了亲么？”陈家洛道：“也没有。”关明梅点点头，微微一笑，忽然厉声道：“如你无情无义，将来负了赠剑之人，我老婆子决不饶你。”陈家洛不禁愕然，无辞以对。

那边陈正德叫道：“喂，你蝎蝎螫螫的，跟人家年青小伙子谈什么心？好走啦！”关明梅眉头一皱，转身过去，忽然撮唇作哨，四条大狗从树林中奔了出来。两夫妇向群雄施了一礼，带了四犬便走。

陆菲青叫道：“大哥、大嫂，你们去哪里？”两人不答，不一会，身影已在林中隐没，只听犬吠之声渐渐远去。

常氏双侠愤愤不平，常赫志道：“倚老卖老。”常伯志接口道：“没点礼数。”陈家洛道：“世外高人，大抵如此。咱们到塔里谈吧。”

众人回到六和塔内。陈家洛道：“我答应了皇帝，要到我师父那里去拿两件要紧物事，现下咱们先去天目山看四哥和十四弟的伤势，然后再调配人手如何？”众人都无异议。

出得塔来，马善均、马大挺父子自回杭州。

群雄乘马向西进发，次日到了于潜，又一日上山来看文泰来和余鱼同。

余鱼同与李沅芷避入了山洞之中。一阵寒风吹来，李沅芷微微一颤。余鱼同脱下长袍给她披在身上。

第十二回　盈盈彩烛三生约
霍霍青霜万里行

山上林木荫森，此时已是深秋，满山都是红叶，草色渐已枯黄。山上小头目得到消息，通报上去，章进下来迎接。

陈家洛不见骆冰，心中一惊，怕有甚意外，忙问："四嫂呢？四哥、十四弟好么？"章进道："十四弟没事。四嫂说去给四哥拿一件好玩的东西，已走了两天，你们途中没遇上么？"陈家洛道："什么东西？"章进笑道："我也不知道，四哥这两天伤势大好啦，整天躺着闷得无聊。四嫂就出主意去找玩物，也不知是谁家倒霉。"

赵半山笑道："四弟妹也真是的，这么大了，还像孩子般的爱闹，将来生了儿子，难道也把这门祖传的玩艺儿传下去。"群雄轰然大笑。

群雄谈笑上山，走进一座大庄院去。大家先去看文泰来。他正躺在藤榻上发闷，见群雄进来，大喜过望，起身迎接，众人把经过情形约略一说，到对面厢房去看余鱼同。

各人蹑足进门，忽听一阵呜咽之声。陈家洛过去揭开帐子，见余鱼同脸朝床里，背部耸动，哭泣甚悲。这一下颇出众人意料之外，群雄都是慷慨豪迈之人，连骆冰、周绮等女子都极少哭泣，见他悲泣，均觉又是惊奇又是难过。

陈家洛低声道："十四弟，大家来瞧你啦，觉得怎样？伤势很痛，是不是？"

余鱼同停了哭泣，却不转身，说道：“总舵主、周老爷子、师叔、各位哥哥，多谢你们来探望。恕我不起身行礼，伤势这几天倒好得多，只是我的脸烧成了丑八怪，见不得人。”周绮笑道：“十四哥，男子汉烧坏了脸有什么打紧？难道怕娶不到老婆吗？”众人听她口没遮拦，有的微笑，有的便笑出声来。

陆菲青道：“余师侄，你烧坏脸，是为了救文四爷和救我，天下豪杰知道这事的，哪一个不肃然起敬？哪一个不说你是大仁大义的英雄好汉？你的脸越丑，别人对你越是敬重，何必挂在心怀？”余鱼同道：“师叔教训的是。”可是又忍不住哭了出来。

原来他自来天目山后，骆冰朝夕来看他伤势，文泰来也天天过来陪他说话解闷。他自知对骆冰痴恋万分不该，可是始终不能忘情，每当中宵不寐，想起来又苦又悔。他见骆冰、文泰来、章进看着他时，脸上偶尔露出惊讶和怜惜神色，料想自己面目定已烧得不成模样，几次三番想取镜子来照，始终没这份勇气。他本想舍了性命救出文泰来，以一死报答骆冰，解脱心中冤孽，哪知偏偏求死不得，再想李沅芷对己一往情深，却是无法酬答，有负红颜知己，又是十分过意不去。这般日日夜夜思潮起伏，竟把一个风流潇洒的金笛秀才折磨得瘦骨嶙峋、憔悴不堪了。

群雄别过余鱼同，回到厅上议事。文泰来抑郁不乐，说道：“十四弟为了救我，把脸毁成这个模样。他本是个俊俏少年。现今……唉！”无尘道：“男子汉大丈夫行侠江湖，讲究的是义气血性。容貌好恶，只没出息的人才去看重。我没左臂，章十弟的背有病，常家兄弟一副怪相，江湖上有谁笑话咱们？十四弟也未免太想不开了。”赵半山道：“他是少年人心性，又在病中，将来大家劝劝他就没事了。今天咱们来痛饮一番，和四弟庆贺。”群雄轰然叫好，兴高采烈，吩咐小头目去预备酒席。

周绮道：“可惜冰姊姊不在，不知她今天能不能赶回来。她是骑白马去的么？”章进道：“不是，她说白马太耀眼，四哥和十四弟伤没好全，别惹鬼上门。”杨成协笑道：“此刻咱们大伙儿都在这里了，有鬼上门，那是再好不过。”蒋四根听得说到鬼，向着石双英咧嘴一笑。石双英绰号鬼见愁，不过这诨号大家在常氏双侠面前从来不提，双侠绰号黑无常白无常，无常是鬼，岂不是哥哥怕了兄弟？

陈家洛和徐天宏低声商量了一会，拍一拍掌，群雄尽皆起立。陈家洛道：“陆、周两位前辈请坐，下次请别这么客气。”陆菲青和周仲英说声：“有僭。”坐了下来。

陈家洛道：“这次咱们的事情办得十分痛快，不过以后还有更难的事。眼下我分派一下。九哥和十二哥，你们到北京去打探消息，看皇帝是不是有变盟之意，有何诡计。这是首要之事，也是极难查明，两位务必小心在意。”卫石两人点头答应了。

陈家洛又道：“两位常家哥哥，请你们到四川云贵去联络西南豪杰。八哥到苏北皖南一带，道长到两湖一带，十三哥到两广一带联络。三哥与马氏父子联络浙、闽、赣三省的豪杰。山东、河南一带，请陆老前辈主持。西北诸省由周老前辈带同孟大哥、安大哥、七哥、周姑娘主持。四哥、十四弟两位在这里养伤，仍请四嫂和章十哥照料。心砚随我去回部。各位以为怎样？”群雄齐道：“当遵总舵主号令。”

陈家洛道：“各位分散到各省，并非筹备举事，只是和各地英豪多所交往，打好将来大事根基，咱们的事机密异常，任他亲如妻子，尊如父母师长，都是不可泄漏的。”众人道：“这个大家理会得。”陈家洛道：“以一年为期，明年此时大伙在京师聚齐。那时四哥和十四弟伤早好了，咱们就大干一番！”说罢神采飞扬，拍案而起。群雄随着他步出中庭，俱都意兴激越。

章进听得总舵主又派他在天目山闲居，闷闷不乐。文泰来猜到他心意，对陈家洛道：“总舵主，我的伤已经大好，十四弟火伤虽然厉害，调养起来也很快。这一年教我们闷在这里，实在不是滋味。我们四人想请命跟你同去回部，也好让十四弟散散心。”章进大喜，忙道：“对，对。”文泰来道：“咱们沿路游山玩水，伤势一定好得更加快些。”陈家洛道：“那也好，只不知十四弟能不能支持。”文泰来道：“让他先坐几天大车，最多过得十天半月，我想就可以骑马啦！”陈家洛道：“好，就这么办。”章进喜孜孜的奔进去告知余鱼同，随即奔出来道：“十四弟说这样最好。”

周仲英把陈家洛拉在一边，道：“总舵主，现下四爷出来啦，你和皇上又骨肉相逢，实是喜事重重。我想再加一桩喜事，你瞧怎样？”陈家洛道：“老爷子要给七哥和大姑娘合卺完婚？”周仲英笑道：“正是。”陈家洛大喜，道：“那是再好没有，乘着大伙都在这里，大家喝了这杯喜酒再走，只是匆促了一点，不能遍请各地朋友来热闹一番，未免委屈了大姑娘。”周仲英笑道：“有这许多英雄好汉，还不够么？”陈家洛道：“那么咱们来挑个好日子。”周仲英道：“咱们这种人还讲究什么吉利不吉利，我说就是今天。”

陈家洛知他顾全大体，不愿因儿女之事耽误各人行程。说道：“老爷子这等眷顾，我们真是感激万分。”周仲英笑道：“老弟台，你还跟我客气么？”

陈家洛笑嘻嘻的走到周绮跟前，作了一揖，笑道：“大姑娘，大喜啦！”周绮登时满脸飞红，道：“你说什么？”陈家洛笑道：“我要叫你七嫂了！七嫂，恭喜你啦。”周绮啐道：“呸，做总舵主的人也这么不老成。”陈家洛笑道：“好，你不信。”他手掌一拍，群雄登时静了下来。

陈家洛道：“刚才周老爷子说，今儿要给七哥和周大姑娘完婚，咱们有喜酒喝啦！”群雄欢声雷动，纷向周仲英和徐天宏道喜。

周绮才知不假，忙要躲进内堂。卫春华笑道：“十弟，快拉住她，别让新娘子逃走了。”章进作势要拉。周绮左手横劈一掌，章进一让，笑着叫道：“啊哟，救命哪，新娘子打人啦！”周绮噗哧一笑，闯了进去。

众人正自起轰，忽听门外一阵鸾铃响，骆冰手中抱着一只盒子，奔了进来，叫道：“好啊，大家都来了。什么事这般高兴？”说着向陈家洛参见。卫春华道：“你问七哥。”骆冰道：“七哥，什么事啊?”徐天宏一时呐呐的说不出话来。骆冰道:“咦,奇了,咱们的诸葛亮怎么今儿傻啦?”蒋四根躲在徐天宏背后,双手拇指相对,屈指交拜,说道:“今天诸葛亮招亲,他要作傻女婿啦。”

骆冰大喜,连叫:“糟糕,糟糕!”杨成协笑道:“四嫂你高兴胡涂啦,怎么七哥完婚,你却说糟糕?”群雄又轰然大笑。骆冰道:“早知七哥和绮妹妹今天完婚,就顺手牵羊,多拿点珍贵的东西来,眼下我没什么好物事送礼,岂不糟糕?”杨成协道:“你给四哥带了什么好东西来了,大家瞧瞧成不成?”

骆冰笑吟吟的打开盒子,一阵宝光耀眼,原来便是回部送来向皇帝求和的那对羊脂白玉瓶。群雄都惊呆了,忙问:“哪里得来的?”骆冰道:“我和四哥闲谈,说到这对玉瓶好看,瓶上的美人尤其美丽,他不信……”徐天宏接口道:“四哥一定说:‘哪有你美丽啊,我不信!’是不是?”骆冰一笑不答,原来当时文泰来确是那么说了的。徐天宏道:“你到杭州皇帝那里去盗了来?”

骆冰点点头,很是得意,说道:“我就去拿来给四哥瞧瞧。至于这对玉瓶怎样处置,听凭总舵主吩咐。送还给霍青桐妹妹也好,咱们自己留下也好。”文泰来细看玉瓶,不禁啧啧称赏。骆冰笑道:“我说的没错吧?”文泰来笑着摇摇头,骆冰一楞,随即会意,丈夫是说瓶上的美人再美,也不及自己妻子,望了他一眼,不禁红晕双颊。

无尘道:“四弟妹,皇帝身边高手很多,这对玉瓶如此贵重,定然好好看守,怎会给你盗来?你这份胆气本事,真是男子汉所不及,老道今日可服你了。”骆冰笑着将她怎样偷入巡抚衙门、怎样抓到一个管事的太监逼问、怎样用毒药馒头毒死看守的巨獒、怎样装猫叫骗过守卫的侍卫、怎样在黑暗中摸到玉瓶等情说了一遍。群雄听得出神,对骆冰的神偷妙术都大为赞叹。

陆菲青忽道:“四奶奶,我和你老爷子骆老弟是过命的交情,我要倚老卖老说几句话,你可别见怪。”骆冰忙道:“陆老伯请说。”陆菲青道:“你胆大心细,单枪匹马干出这件事来,确是令人佩服的了。不过事有轻重缓急，倘若这对玉瓶跟咱们所图大事有关，要不然是为了行侠仗义，那么这般冒险是应该的。现下不过是和四爷一句玩话，就这般孤身犯险，要是有什么失闪，不说朋友们大家担忧，你想四爷是什么心情？”这番话骆冰只听得背上生汗，连声说“是”。陆菲青又道：“这晚恰好皇帝给咱们请去了六和塔，众侍卫六神无主，只顾寻访皇帝，是以没高手在抚衙守卫，要是什么金钩铁掌白振等都在那边，你这个险可冒得大啦！”骆冰答应了，掉过头来向文泰来伸了伸舌头。

陈家洛出来给骆冰解围：“四哥出来之后，四嫂是高兴得有点胡涂啦，以后可千万别这样。”骆冰忙道：“不啦，不啦！”

陈家洛道：“好。现下咱们给七哥筹备大礼。喂，七哥，眼前事情急如星火，山中采购东西又是不便，你神机妙算，足智多谋，快想条妙计出来。”群雄哄堂大笑。徐天宏想到就要和意中人完婚，早就心摇神驰，也真胡涂了，大家开他玩笑，只是笑嘻嘻的说不出话来。

陈家洛笑道：“武诸葛今儿变了傻女婿，那么我来出个主意吧。女家是周老爷子主婚，那不用说了，男家请三哥主婚，陆老爷子是大媒。九哥，你赶快骑四嫂的白马，到于潜城里采购婚礼物品。孟大哥，你到山下去筹备酒席。咱们的礼就暂且免了，将来待七嫂生了儿子，大家送个双份。各位瞧这样好不好？”卫春华和孟健雄答应着先去了。赵半山道：“男方主婚还是要总舵主担任，待会我来赞礼就是了。”陈家洛谦逊推让。众人都说当然应由首领主婚，陈家洛也就答应了。

到得傍晚，孟健雄回报说酒席已经备好，只是粗陋些，众人都说不妨。又过半个时辰，卫春华也回来了，各物采购齐备，新娘的凤冠霞帔也从采礼店买了来。

骆冰接过新娘衣物，要进去给周绮打扮，见连胭脂宫粉也都买备，笑道：“九哥，你真想得周到，不知哪一位姑娘有福气，将来做你的新娘子？”卫春华笑道：“四嫂，你莫开玩笑，咱们今晚想个新鲜花样闹闹新郎新娘。”骆冰拍手笑道：“好啊，你有什么主意？”

蒋四根等听得他们商量要闹新房，都围拢来七张八嘴的出主意。卫春华道：“四嫂，你把皇帝身边的玉瓶盗来，大家确是服了你。不过刚才陆老前辈也说，要是大内的高手都在那边，只怕也没这么容易得手。”骆冰笑道：“偷盗是斗智不斗力的玩意，我虽打不过人家，也未必就盗不出来。”卫春华道：“照啊！咱们七哥是最精明不过了，要是今晚你能偷到他一件东西，那我就真服了你。”骆冰笑说：“偷他什么啦？”卫春华笑道：“你等新郎新娘安睡之后，把他们的衣服都偷出来，教他们明朝起不得身。”章进等都轰然叫好。赵半山过来笑问：“这么高兴，笑什么了？”蒋四根把他推开，道：“这里没三哥你的事。”大家怕赵半山老成厚道，偷偷去告诉徐天宏，不许他听。

赵半山走开后，杨成协道：“咱们对付皇帝，也是这法子，教他没了衣衫，起不得身。四嫂，这件事难得很，我瞧你不成。”骆冰皱起眉头不答，心想：“这件事的确不好办。玩笑又开得太大，对不起绮妹妹。”但听杨成协一激，好胜之心油然而生，说道：“要是我偷到了怎么办？”卫春华道：“这里八哥、十弟、十二弟、十三弟连我一共五人，我们打一副纯金的马具给你那匹白马，式样包你称心满意。”骆冰道：“好。就是这样办。要是我偷不到，我绣五个荷包，你们每人一个。”杨成协和卫春华齐道：“好，一言为定。”蒋四根笑道：“这荷包可不能马马虎虎，偷工减料。”骆冰笑道：“呸，四嫂会欺你吗？你们可不许去对七哥七嫂说。”杨成协等齐道：“那当然，我们宁可输给你，好瞧热闹。”六人商量已定，分头去帮办喜事。骆冰这个赌是打下了，可是真不知如何偷法，对付周绮倒好办，徐天宏却智谋百出，说到用计，不是他的敌手，只好随机应变，走着瞧了。

一会大厅上点起明晃晃的彩绘花烛，徐天宏长袍马褂，站在左首。骆冰把周绮扶了出来。赵半山高声赞礼，夫妇俩先拜天地，再拜红花老祖的神位，然后双双向周仲英夫妇和陈家洛行礼。周仲英和周大奶奶还了半礼。陈家洛不受大礼，也跪下去还礼。周仲英在旁边连声谦让。新夫妇又谢大媒陆菲青。

新夫妇交拜毕，依次和无尘、赵半山、文泰来、常氏双侠等见礼。心砚把余鱼同扶出来坐在椅上。他脸上蒙了块青布，露出两个眼珠，也和新夫妇见礼。大厅中喜气洋溢。余鱼同取出金笛，吹了一套《凤求凰》。群雄见他心情好转，更是高兴。

开上酒席之后，众人轰饮起来，无尘执了酒壶叫道："今晚哪一个不喝醉，就不许睡……"语声未毕，突然手一扬，一把酒壶向庭中的桂花树上掷去。

酒壶刚掷出，卫春华和章进已跃到庭中。两人饮酒之际未带兵刃，空手纵到桂花树下。那酒壶并未击中谁人，掉了下来，卫春华伸手接住。章进跃上墙头，四下一望，并无人影，回来报知陈家洛，请问要不要出去搜索。陈家洛笑道："今儿是七哥大喜的日子，别让鼠辈败坏了兴意。咱们还是喝酒。"轻声吩咐心砚："带几名头目四下查看，莫让歹人混进来放火。"心砚答应着去了。群雄见他毫不在乎，又兴高采烈斗起酒来。

陈家洛低声对无尘道："道长，我也见到树上人影一晃，瞧这家伙的身手，不是什么高明之辈。"无尘道："不错，让他去吧。"陈家洛站起身来，朗声笑道："道长在六和塔上大展神威。叫天山双鹰不敢小觑了咱们。来，大家同敬一杯。"群雄都站起来与无尘把盏。无尘笑道："天山双鹰果然名不虚传。陈正德那老儿要是年轻二十岁，老道一定不是他对手。"赵半山笑道："那时他身手虽然矫健，功夫又没这么纯了。"

那边席上章进和石双英呼五喝六的猜拳，越来越大声。杨成协、蒋四根两人联盟和常氏双侠斗酒，四人各已喝了七八碗黄酒。文泰来和余鱼同身上有伤，不能喝酒吃油腻，坐在席上饮茶相陪。大家不住逗余鱼同说笑解闷。

吃了几个菜，新夫妇出来敬酒。周仲英夫妇老怀弥欢，咧开了嘴笑得合不拢来。周绮素来贪杯，这天周大奶奶却嘱咐她一口也不得沾唇。她出来敬酒，大家不住劝饮。她很想放怀大喝，但想起妈妈的话，无奈只得推辞，心头气闷，不悦之情不觉见于颜色。

卫春华笑道："啊哟，新娘子在生新郎的气啦。七哥，快跪快跪。"蒋四根道："七哥，你就委屈一下，跪一跪吧，新郎跪了，头胎就生儿子……"周绮忍不住噗哧一声笑出来，说道："你又没儿子，怎么知道？真是胡说八道！"众人见周绮天真烂漫，无不感到有趣。周大奶奶笑着尽摇头，连声叹道："这宝贝姑娘，哪里像新媳妇儿。"

骆冰轻轻对卫春华道："你们多灌七哥喝些酒，帮我一个忙。"卫春华点点头，和蒋四根一使眼色，两人站起来敬新郎的酒。徐天宏见他们鬼鬼祟祟，知道不怀好意，今天做新郎喝酒是推不掉的，酒到杯干，十分豪爽，喝了十多杯，忽然摇摇晃晃，伏在桌上。周大奶奶爱惜女婿，连说："他醉啦，醉啦。"叫安健刚扶他到内房休息。杨成协等见徐天宏喝醉，对骆冰道："这次你多半赢了。"

骆冰一笑，拿了一把茶壶，把茶倒出，装满了酒，到新房去看周绮。周绮见她进来，很是高兴，笑道："冰姊姊快来，我正闷得慌。"骆冰道："你口渴吗？我给你拿了茶来。"周绮道："我烦得很，不想喝。"骆冰把茶凑到她鼻边，道："这茶香得很呢。"周绮一闻，酒香扑鼻，不由得大喜，忙双手捧过，咕噜噜的一口气喝了半壶，停了一停，道："冰姊姊，你待我真好。"

骆冰本想捉弄她，见她毫无机心，倒有点不忍，但转念一想，闹房是图个吉利，再恶作剧也不相干，便笑道："绮妹妹，我想跟你说一件事。本来嘛，这是不能说的，不过咱们姊妹这么要好，我就是有什么对你不起，做得过了份，你也不能怪我，是不是？"周绮道："当然啦，你快说。"骆冰道："你妈有没有教你，待会要你先脱衣裳？"周绮满脸通红，道："什么呀，我妈没说。"骆冰一脸郑重其事的神色，道："我猜她也不知道。是这样的，男女结亲之后，不是东风压倒西风，便是西风压倒东风，总有一个要给另一个欺侮。”周绮道：“哼，我不想欺侮他，他也别想欺侮我。”骆冰道：“是啊，不过男人家总是强凶霸道的，有时他们不知好歹起来，你真拿他们没法子。尤其是七哥，他这般精明能干，绮妹妹，你是老实人，可得留点儿神。”

这句话正说到了周绮心窝中，她虽对丈夫早已情深一往，然想到他刁钻古怪，诡计多端，却也真是头痛，心下对这事早有些着慌，但在骆冰面前也不肯示弱，说道：“要是他对我不起，我也不怕，咱们拿刀子算帐。”骆冰笑道：“绮妹妹又来啦，夫妻总要和美要好，才是道理，怎能动刀动枪的，不怕别人笑话么？再说，七哥对你这么好，你又怎能忍心提刀子砍他？”周绮噗哧一笑，无言可答。

骆冰道：“文四爷功夫比我强得多啦，要是讲打，我十个也不是他对手，可是我们从来不吵架，他一直很听我的话。”周绮道：“是啊，好姊姊……”说到这里停住了口。骆冰笑道：“你想问我有什么法儿，是不是？”周绮红着脸点了点头。

骆冰正色道：“本来这是不能说的，既然你一定要问，我就告诉你，你可千万别跟七哥说，明儿你也不能埋怨我。”周绮怔怔的点头。骆冰道：“待会你们同房，你先脱了衣服，等七哥也脱了衣服，你就先吹熄灯，把两人衣服都放在这桌上。”她指了指窗前的桌子，又道：“你把他的衣服放在下面，你的衣服压在他的衣服之上，那么以后一生一世，他都听你的话，不敢欺侮你了。”

周绮将信将疑，问道：“真的么？”骆冰道：“怎么不真？你妈妈怕你爸爸不是？定是她不知这法儿，否则怎会不教你？”周绮心想妈妈果然有点怕爸爸，不由得点头。

骆冰道：“放衣服时，可千万别让他起疑，要是给他知道了，他半夜里悄悄起身，把衣服上下一掉换，那你就糟啦！”周绮听了这番话，虽然害羞，但想到终身祸福之所系，也就答应照做，心中打定了主意：“但教他不欺侮我便成，我总是好好对他。他从小没爹没娘，我决不会再亏待他。”骆冰为了使她坚信，又教了她许多做人媳妇的道理，那些可全是真话了。周绮红着脸听了，很感激她的指点。

正说得起劲，忽然门外人影一晃，跟着听到徐天宏呼喝。周绮首先站起，抢到门外，只见徐天宏一身长袍马褂，手中拿了单刀铁拐，从墙上跃下。周绮忙问："怎么，有贼吗?"徐天宏道："我见墙上有人窥探，追出去时贼子已逃得没影踪了。"周绮打开衣箱，从衣衫底下把单刀翻了出来。原来周大奶奶要女儿把凶器拿出新房，周绮执意不肯，终于把刀藏在箱中。她拿了刀，叫道："到外面搜去!"骆冰笑道："新娘子，算了吧。你给我安安静静的，这许多叔伯兄弟们都在这儿，还怕小贼偷了你的嫁妆吗?"周绮一笑回到房。

骆冰笑着指住徐天宏道："好哇，你装醉！我先去捉贼，回头瞧罚不罚你。你给我看住新娘子，不许她动刀动枪的。"一边说一边把他手中兵刃接了过去。徐天宏笑嘻嘻的回入新房，听得屋顶屋旁都有人奔跃之声，群雄都已闻声出来搜敌，寻思："咱们和皇帝定了盟，按理不会是朝廷派人前来窥探，难道皇帝一回去马上就背盟？瞧那墙头之人身手，不似武功如何了得，多半是过路的黑道朋友见到这里做喜事，想来拾点好处。"

正自琢磨，骆冰、卫春华、杨成协、章进、蒋四根等走了进来，手中拿着酒壶酒杯，纷纷叫嚷："新郎装假醉骗人，怎么罚?"徐天宏无话可说，只得和每人对喝了三杯。众人存心要看好戏，仍是不依。徐天宏笑道："毛贼没抓到，大家少喝两杯吧。别阴沟里翻船，教人偷了东西去。"杨成协哈哈大笑道："你尽管喝，众兄弟今晚轮班给你守夜。"

正吵闹间，周仲英走进房，见新女婿醉得立足不定，说话也不清楚了，忙过来打圆场，和每人干了一杯酒。大家见新郎是真的醉了，和周绮说些笑话，都退出房去。

周绮见众人散尽，房中只剩下自己和丈夫两人，不由得心中突突乱跳，偷眼看徐天宏时，见他和衣歪在床上，已在打鼾，轻轻站起，闩上房门，红烛下看着夫婿，见他脸上红扑扑地，睡得正香，轻声叫道："喂，你睡着了吗?"徐天宏不应。周绮叹道："那你真是睡着了。"四下一望，确无旁人，又侧耳倾听，声息早静，料想歹人已远远逃走了。这才脱去外衣，走到床前推了推夫婿。他翻个身，滚到了里床。周绮把他鞋子和长袍马褂除下，再想解他里衣，忽然害羞，心想："有了袍褂，也就够了吧?我又不想当真压倒了他。"于是依着骆冰的教导，把他袍褂放在窗边桌上，再把自己衣服压在上面，回到床边，抖开棉被盖在徐天宏身上，自己缩在外床，将另一条被子紧紧裹住身子，一动也不敢动。

过了良久，徐天宏翻了个身，周绮吓了一跳，尽力往外床一缩，正在此时，红烛上灯火毕卜一声，爆了开来。周绮怕丈夫醒来见到衣服的布置，想起来吹熄蜡烛，哪知脱了衣服之后睡在男人身旁，心中说不出的害怕，无论如何不敢起来。她暗暗咒骂自己无用，急出了一身大汗。正自惶急，灵机一动，在内衣上撕下两块布来，在口中含湿了，团成两个丸子，施展打铁莲子手法，扑扑两声，把一对花烛打灭了。

徐天宏睡得极沉，他酒量本来平平，这次给硬劝着喝到了十二分，直睡得人事不知。他翻一次身，周绮总是一惊，拥着棉被不敢动弹。也不知过了多少时候，忽听得窗外老鼠吱吱吱的叫个不停，又过片刻，一只猫妙呜妙呜的叫了起来。蓬的一声，窗子推开，一只猫跳了进来，在房里打了个转，跑不出去，跳上床来。就在周绮脚边睡了。周绮见再无声息，床上多了一只猫相伴，反觉安心，迷迷糊糊合上了眼，却始终不敢睡熟。

挨到三更时分，忽然窗外格的一响，周绮忙凝神细听，窗外似有人轻轻呼吸，心想这是弟兄们开玩笑，来偷窥新房韵事，正想喝问，猛想起这可叫喊不得，只觉脸上一阵发烧，忙把已经张开的嘴闭上了。

忽听得心砚在外喝问："什么人?不许动!"接着是数下刀剑交并，又听得常氏兄弟的声音："龟儿子好大胆!"一个生疏的声音“啊哟”一叫，显是在交手中吃了亏。

周绮霍地跳起，抢了单刀，往桌上去摸衣服时，只叫得一声苦，衣衫已然不知去向。这时再也顾不得害羞，一把将徐天宏拉起，连叫：“快醒来，快……快出去拿贼。小贼把咱们衣服……衣服都偷去啦。”徐天宏一惊之下，登时清醒，只觉得一只温软的手拉着自己，黑暗中香泽微闻，中人欲醉，才想起这是他洞房花烛之夕。

他心中一荡，但敌人当前，随即宁定，把妻子往身后一拉，自己挡在她身前，拖过手旁一张椅子，预备迎敌，只听得屋顶和四周都有人轻轻拍掌，低声道：“弟兄们四下守住了，毛贼别想逃走。”周绮道：“你怎知道？”徐天宏道：“这些掌声是我们会中招呼传讯的记号，四方八面都看住了，咱们不必出去吧。”放下椅子，转身搂住周绮，柔声说道：“妹子，我喝多了酒，只顾自己睡觉，真是荒唐……”当啷一声，周绮手中单刀掉在地下。

两人搂住了坐在床沿，周绮把头钻在丈夫怀里，一声不响。过了一会，听得无尘骂道：“这毛贼手脚好快，躲到哪里去了？”窗外一阵火光耀眼，想是群雄点了火把在查看。徐天宏道：“你睡吧，我出去瞧瞧。”周绮道：“我也去。”徐天宏道：“好吧，先穿衣服。”周绮开了箱子，取出两套衣服来穿上。

徐天宏拔闩出门，只见自己的长袍马褂和周绮的外衣折得整整齐齐的放在门口，刚呆得一呆，周绮已叫了起来：“这毛贼真怪，怎么又把衣服送了回来？”徐天宏一时也琢磨不透，问道：“咱们的衣服本来放在哪里的？”周绮含糊回答：“好像是床边吧，我记不清楚啦。”这时骆冰和卫春华手执火把奔近，卫春华笑吟吟道：“毛贼把新郎新娘也吵醒啦，”骆冰假装一惊，道：“唷，怎么这里一堆衣服？”卫春华嗤的一声笑了出来。徐天宏一看两人神色，就知是他们捣鬼，当下不动声色，笑道：“我酒喝多啦，连衣服给小贼偷去也不知道。”骆冰笑道：“只怕酒不醉人人自醉呢。”徐天宏一笑，不言语了。

原来骆冰挨到半夜，估量周绮已经睡熟，轻轻撬开新房窗户，怕撬窗时有声，嘴里不断装老鼠叫，随即推窗将一只猫儿丢了进去，乘窗子一开一闭之间，顺手把桌上两人的衣服抓了出来。杨成协等坐在房中等候消息，见她把衣服拿到，大为佩服，问她使的是什么妙法，骆冰微笑不答。众人谈笑一会，正要分头去睡，忽然心砚叫了起来，发现了敌人。骆冰心想衣服已经偷到，正好乘此机会归还，免得明晨周绮发窘，奔到新房窗边，听得房内话声，知两人已醒，便将衣服放在门口。

这时陈家洛和周仲英一干人都走了过来。陈家洛道："宅子四周都围住了，不怕他飞上天去，咱们一间间房搜吧。"群雄逐一搜去，竟然不见影踪。无尘十分恼怒，连声大骂。

徐天宏忽然惊叫："咱们快去瞧十四弟。"卫春华笑道："总舵主早已请陆老前辈守护十四弟，请赵三哥守护文四哥，怕他们身上有伤，受了暗算。要是没人守着四哥，四嫂还有心情来跟你们开玩笑么？"徐天宏道："是。不过咱们还是去看一看吧，只怕这贼不是冲着四哥，便是冲着十四弟而来。"陈家洛道："七哥说得有理。"

群雄先到文泰来房中，房中烛光明亮，文泰来和赵半山正在下象棋，对屋外吵嚷似乎充耳不闻。众人又到余鱼同房去。陆菲青坐在石阶上，仰头看天上星斗，见群雄过来，站起身来，说道："这里没什么动静。"这一群英雄好汉连皇帝也捉到了，今晚居然抓不到一个毛贼，都是又气恼又奇怪。

徐天宏忽见窗孔中一点细微的火星一爆而隐，显是房中刚吹熄蜡烛，心头起疑，说道："咱们去瞧瞧十四弟吧。"陆菲青道："他睡熟了，所以我守在外面。"骆冰道："咱们快到别的地方去搜。"徐天宏道："不，还是先瞧瞧十四弟。"他右手拿着火把，左手一推，房门应手而开，却是虚掩着的，见床上的人一动，似乎翻了个身。

徐天宏用火把去点燃蜡烛，一时竟点不着，移近火把一看，原来烛芯已被打烂，陷入烛里，显然烛火是用暗器打灭的。他吃了一惊，生怕余鱼同遭逢不测，快步走到床前，叫道："十四弟，你好么?"

余鱼同慢慢转过身来，似是睡梦刚醒，脸上仍是蒙着帕子，定了定神才道："啊，是七哥，你今晚新婚，怎么看小弟来啦?"徐天宏见他没事，才放了心，拿火把再到烛边看时，只见一枚短箭钉在窗格上，箭头还染有烛油烟煤。他认得这箭是余鱼同的金笛所发，更是大感不解：他为什么见到大伙过来就赶紧弄熄烛火？又是这般紧急，来不及起身吹熄，迫得要用暗器?

这时陈家洛等都已进房。余鱼同道："啊哟，各位哥哥都来啦，我没事，请放心。"徐天宏伸手要拔窗格上短箭，陈家洛在他背后轻轻一拉，徐天宏会意，当即缩手。这时群雄都已看出余鱼同床上的被盖隆起，除他之外里面还藏着一人。陈家洛道："那么你好好休息吧。"率领群雄出房，对陆菲青道："陆老前辈还是请你辛苦一下，照护余兄弟，咱们出去搜查。"陆菲青答应了，等群雄走开，又坐在阶石上。

众人跟着陈家洛到他房里。陈家洛道："把卡子都撤回来吧!"心砚传令出去，在屋外把守的常氏双侠、章进、石双英、蒋四根都走进房来。

陈家洛坐在床上，群雄或坐或站，围在四周，大家都感局面颇为尴尬，可是谁也不说话。无尘终于忍耐不住，说道："那毛贼明明躲在十四弟被窝里，那究竟是什么人？十四弟干么要庇护他?"这一说开头，大家七张八嘴的议论起来。有的说余鱼同近来行为古怪，教人捉摸不透，有的说他为何躲在李可秀府里，混了这么多时候。常氏双侠又提到他救护李可秀的事。说了一会，章进叫道："大伙儿去问个清楚。我不是疑心十四弟对大家不起，他当然是血性男子。不过既是异姓骨肉，生死之交，何事不能实说，干么要瞒咱们?"群雄齐声称是。

徐天宏道："十四弟或者有什么难言之隐，当面问他怕不肯说，要心砚假意送点心，去察看一下怎样？”蒋四根道：“七哥这法子不错。”周仲英嘴唇动了一下想说话，但又忍住，眼望陈家洛，瞧他是什么主张。

陈家洛道：“闯进来的那人躲在十四弟房里，那是大家都瞧见的了。十四弟和大伙儿一起同生共死，这次又拼了性命相救四哥，咱们对他决无半点疑心，他既这么干，总有他的道理。我刚才请陆老前辈在房外照顾，只是防那人伤害于他。只要他平安无事，我想其余的事不必查究，别伤了大伙儿的义气。”周仲英叫道：“陈总舵主的话对极。”陈家洛道：“将来他要是肯说，自然会说，否则大家也不必提起。少年人逞强好胜，或者有什么风流韵事，有时也是免不了的，只要他不犯会规，十二哥自然不会找他算帐。大家请安睡吧。明天要上路呢。”

这番话群雄听了都十分心服。徐天宏暗暗惭愧，心想：“讲到胸襟气度，总舵主可比我高得多了。”

骆冰笑道：“春宵一刻值千金，你们新婚夫妇还在这里干么呀？”众人都大笑起来。这一笑之下，大宅子中又是一片喜气洋洋。

余鱼同待群雄一走，急忙下床，站在桌旁，等众人脚步消失，亮火折子点了蜡烛，低声道：“你来干么？”

床上那人揭开棉被，跳下床来，坐在床沿之上，低头不语，胸口起伏，泪珠莹然，正是李可秀的女儿、陆菲青的女徒弟李沅芷。只见她一身黑衣，更衬得肌肤胜雪，一双手白玉一般，放在膝盖上，一言不发，眼泪一滴一滴落在手背。

那日提督府一战，余鱼同随红花会群雄飘然引去，李沅芷伤心欲绝，整天骑了马在杭州城里城外乱闯。李可秀明白女儿心事，也不加管束，让她自行散心。这天黎明，她在西城驰马，刚巧遇到骆冰从巡抚衙门盗了玉瓶回去。她曾和骆冰数次会面，知她是红花会中人物，于是远远跟随，直到天目山来。只是她万万料想不到，自己魂牵梦萦的那个心上人，竟然就是对这个美貌少妇梦萦魂牵。李沅芷十分机伶，骆冰又心情畅快，丝毫没有提防，居然没发觉后面有人跟踪。

当晚李沅芷踪迹数次被群雄发现，均得侥幸躲过。她只想找到余鱼同，向他剖白心事，却闯到了徐天宏和周绮的新房之外。心砚一叫嚷，群雄四下拦截，李沅芷左肩终于吃了常赫志一掌。她忍痛在暗中一躲，声东击西的丢了几块石子，直闯到后院来，在庭中劈面遇到陆菲青，被他一把拉住。李沅芷惊叫："师父。"陆菲青怒道："你来干什么？"李沅芷道："我找余师哥有话说。"陆菲青叹气摇头，心中不忍，向左边的厢房一指。李沅芷拍门，叫了几声："余师哥。"

当众人四下巡查之时，余鱼同已然醒来，手持金笛，斜倚床边，以防敌人袭击，忽然听得李沅芷的声音，大吃一惊，忙拔开门闩，李沅芷冲了进去。他想：黑暗之中，孤男寡女同处一室甚是不妥，便亮火折点燃蜡烛，刚想询问，群雄已查问过来。此情此景，原本无私，却成有弊，实在好不尴尬，只得先行遮掩再说，以免她从此难以做人。他身上有伤，行动不便，便用笛中短箭打灭烛火。两人屏息不动。待听得徐天宏拍门，李沅芷低声道："余师哥救我。"余鱼同无法可想，只得让她躲入了被窝。

若非陈家洛一力回护，这被子一揭，当真不堪设想。好容易脱险，但见她泪眼盈盈，深情款款，余鱼同心肠登时软了，叹了口气，说道："你对我一片真心，我又不是蠢牛木马，那会不知？但你是官家小姐，我却是江湖上的亡命之徒，怎敢害了你的终身？"

李沅芷哭道："你这么突然一走，就算了吗？"余鱼同道："我也知对你不起。但我是苦命之人，心如槁木死灰……你，你还是回去吧。"李沅芷道："你为了救朋友，跟我爹爹作对，我并不怪你，你是为了义气。"沉吟了一下又道："似你这般文武双全，干么不好好做事，图个功名富贵？偏要在江湖上厮混，这多么没出息，只要你向好，我爹爹……"余鱼同怒道："我们红花会行侠仗义，个个是铁铮铮的汉子，怎能做满洲人的走狗？"

李沅芷知道说错了话，涨红了脸，过了一会道："人各有志，我也不敢勉强。只要你爱这样，我也会觉得好的。我答应听你的话，以后决不再去帮爹爹，我想我师父也会喜欢。"最后两句话说得声音响了些，多半窗外的陆菲青也听见了。余鱼同坐在桌边，只是不语。李沅芷低声道："你说我官家小姐不好，那我就不做官家小姐。你说你红花会好，那我也……我也跟着你做……做江湖上的亡命之徒……"这几句话用了极大的气力才说出口，说到最后，又羞又急，竟哭了出来。

余鱼同柔声道："我当初身受重伤，若非得你相救，千山万水的送到杭州你府上调养，这条性命早就没啦，按理说，那是粉身碎骨也报答不了。只是……唉，你的恩德，只好来生图报了。"

李沅芷霍地站起，说道："你是不是另有美貌贤慧的心上人，以致这样把我瞧得一钱不值?"在余鱼同，那确是"除却巫山不是云"，他始终对骆冰一往情深。李沅芷人品相貌并不在骆冰之下，但情有独钟，却是无可奈何，听她如此相询，不知怎生回答才是。

李沅芷道："你对她这样倾心，那她定是胜我十倍了，带我去见见成不成?"余鱼同给她缠得无法可施，忽然拉下脸上蒙着的手帕，说道："我已变成这么一个丑八怪，你瞧个清楚吧!"李沅芷蓦地见到他脸上凹凹凸凸，尽是焦黄的疮疤，烛光映照下可怖异常，不由得吓了一跳，倒退两步，低低惊呼一声。

余鱼同愤然道："我是不祥之人。我心地不好，对人不住，做了坏事，又是生来命苦……现今你好走了吧!"李沅芷骤然见到他这副模样，心惊胆战，不知如何是好。余鱼同哈哈大笑，说道："我这副丑怪样子，你见一眼也受不了。李小姐，你后悔今晚到这里来了吧？哈哈，哈哈!"他边说边笑，状若疯狂。李沅芷更是害怕，大叫一声，掩面奔出房去。余鱼同笑了一会，自悲身世，伏在桌上痛哭起来。

陆菲青坐在房外阶石之上，虽然不明详情，也已料到了七八成，心知这时对余鱼同劝慰开导都无用处，心想："沅芷夜来之事，虽然有关女孩子的名节，但如不说明谢罪，可对不起红花会众位朋友。”于是走到陈家洛房来。

陈家洛刚睡下。心砚听得陆菲青叫门，忙开房门，陈家洛起床披衣相迎。陆菲青道：“总舵主，我向你请罪来啦！”陈家洛惊道：“什么？十四弟怎么样？”只道余鱼同遭遇凶险。陆菲青道：“不是，他很好。你道今晚来捣乱的是谁？”陈家洛道：“不知。”陆菲青道：“那是我的小徒。我管教无方，纵得她任性胡为。今日是七爷大喜的日子，无礼打扰，惊动各位，实在是万分抱憾。”陈家洛默然不语。陆菲青道：“小徒已经走了，日后我定要找到她，向各位陪罪。现今我先行谢过。”说着站起来深深一揖。

陈家洛忙站起还礼，隔了一会，说道：“令徒武功得自前辈真传，身手确是不凡。”陆菲青只道陈家洛是指她今晚闯庄而言，哪知他两人曾在西湖交过手，说道：“这孩子少不更事，到处惹祸，得罪朋友，我有时真后悔收了这个不成器的徒儿。”陈家洛道：“前辈太客气了。令徒曾到过回部吧？”陆菲青道：“她从小在西北一带。”陈家洛道：“嗯，我见他和那位回人姑娘好似交情不错。”霍青桐和陈家洛离别之时，曾说过一句话：“那人是怎样的人，你可去问她师父。”陈家洛几次想问陆菲青，总觉太着痕迹，始终忍着不问，此刻陆菲青自己过来谈起，这才轻描淡写、似乎漠不关心的问了几句，其实心中已在怦怦暗跳，手心潜出汗水。

陆菲青道：“那是为了抢《可兰经》的事，才和她结识的。起初有过一点误会，霍青桐姑娘还和小徒交过两次手，后来我出来说明跟天山双鹰的交情，两人才结成朋友。年轻人一见如故，倒着实亲热得很呢。”说罢捻须微笑。陈家洛听着却满不是味儿。

陆菲青只道他早知李沅芷是女子，始终没提她女扮男装的事。陈家洛心中不快，脸上虽然没显出来，但语言之间不免稍露冷淡。陆菲青只道他心恼李沅芷无礼闯庄，红花会这许多英雄人物，居然没能扣住一个初出道的少女，未免很失面子，心下甚是歉然，哪猜得到他另有心事，当下又道歉几句，正要告退，忽然门外心砚叫道："少爷，十四爷来啦！"

门帘一掀，一名庄丁扶着余鱼同进来，他见陆菲青也在这里，不觉一愕。庄丁退了出去。陈家洛道："你有事对我说，我过来不是一样？你身上有伤，别多走动。"余鱼同道："总舵主，刚才有个人躲在我房里，你一定看出来了。你当时故作不知，给我面子，做兄弟的很感激你的好意。你虽然不问，我可不能不说。"陈家洛道："咱们情同骨肉，还有什么信不过的。"余鱼同道："这人全是冲着小弟一人而来，和大伙决无干系。只因这事说来和人名节有关……"陈家洛道："既然如此，那不必说了。好啦，这事以后咱们谁也别提，你回去休息。心砚，扶十四爷回去。"余鱼同以为陆菲青已将此事说过，陈家洛怕他不好意思，是以不愿再提，于是致谢回房，陆菲青也即作别。

次晨群雄齐下山来。各人互道珍重，分头进发。

陈家洛和周仲英一路本是同往西北，但周仲英说，他当年在嵩山少林寺学艺之时，便曾听师父及师伯叔们说起，南方莆田少林下院的武功与嵩山少林一脉相传，但数百年来莆田少林寺出了几位了不起的人物，于少林派武功颇有发扬，乘着此番南来，意欲就近前去探访，盼有机缘切磋求教。陈家洛道："南少林门人弟子遍于江南，声势浩大，周老前辈于切磋武功之余，盼多所结纳。日后咱们举事，要是少林寺肯助一臂之力，实是天下百姓之福。"周仲英道："谨当奉命。"于是带同妻子、徒弟孟健雄、安健刚，启程向南。

临别时周大奶奶对周绮再三叮嘱，现今做了媳妇，不可再闹小性子，争斗生事。周绮撅起嘴唇道："要是他欺侮我呢？"说着嘴唇向徐天宏背心一歪。周大奶奶道："好好的怎会欺侮你？"昨晚花烛之夜，李沅芷前来一闹，骆冰把他们的衣服搬了个地方，也不知那个法儿还灵不灵，周绮心中很是惦记，但不好意思再问骆冰，这时见父母远别，不禁掉下泪来。

周仲英嘱咐了女儿几句，对徐天宏道："你妹子性子直爽，很不懂事，宏儿你要多多担待。要是她冲撞于你，可别跟她一般见识，将来让我罚她。"周绮急道："爹爹你也帮他，难道定会是我不好?"周仲英一笑上马，向陈家洛和文泰来等抱拳作别，向南而去。

陈家洛、文泰来、骆冰、徐天宏、周绮、章进、余鱼同、心砚一行八人，向北经孝丰、安吉、溧阳，到了金陵。渡过长江后，文泰来伤势已然痊愈，余鱼同也已大好。一路往北，天时渐寒，草木枯黄，已是初冬景象。过开封后，余鱼同伤势痊可，便弃车乘马。

这一日出了开封西门，八骑马放开脚步，沿着大道奔去。朔风怒号，尘沙扑面。文泰来所乘白马脚程奇快，一骑马先冲了上去，一口气奔出五十里，来到一处镇甸，叫饭店杀鸡做饭，先行预备，等众人到时打尖。他坐在店口，泡了壶茶，拿着手巾抹脸，忽见东边店房中人影一晃，有人探头张望，一见到他便疾忙缩回。文泰来起了疑心，背转身喝茶。过了小半个时辰，陈家洛等也都赶上来了，文泰来悄悄和众人说知。徐天宏向东店房一看，只见窗纸舐湿，一颗乌溜溜的眼珠正向他们注视，见到徐天宏的眼光射来，立即避开。徐天宏低声笑道："那是初出道的雏儿，半点规矩也不懂，一下子就露出了马脚。"骆冰笑道："这样的人也出来混道儿，看来还在打咱们的主意呢。"

陈家洛向心砚道："你过去瞧瞧，要是他手头不便，就接济他一点。"心砚应声站起，走到那店房门口，高声吟道："天下万水俱同源，红花绿叶是一家。"这是红花会招呼同道的讯号。江湖上各帮会互通声气，患难相助，纵然不是红花会会友，只要知道讯号，回答一句："小弟是某某帮某某舵主属下，有求红花会大哥相助。"那么几两银子的接济是一定有的。心砚见房中寂然无声，又说了一遍，忽然房门呀的一声打开，一个黑衣人走了出来，那人一顶大帽遮住了半边脸，伸手递过一个纸团，道："给你们十四爷。"心砚接住了，正要询问，那人已奔出店门，上马疾驰而去。

心砚把纸团交给余鱼同，道：“十四爷，那人叫我给你的。”余鱼同接过打开，见纸上写着十六个细字：“情深意真，岂在丑俊？千山万水，苦随君行。”笔致娟秀，认得是李沅芷的字迹，不料她竟一路跟随而来，眉头一皱，把字条交给陈家洛。

陈家洛看了，料想是男女私情之事，不便多问，将字条还了给他。余鱼同道：“这人跟我纠缠不清，现下一定在前路等待。小弟想在此弃陆乘舟，避开这人，到潼关再和大家会齐。”章进怒道：“咱们这许多人在这里，又何必怕他？他本事再好，咱们也斗他一斗。”余鱼同道：“不是怕，我是不想见这个人。”章进道：“那么咱们教训教训他，教他不敢跟随就是了。这是什么人？这般不识好歹！”余鱼同好生为难，不便回答。

陈家洛知他有难言之隐，说道：“十四弟既要坐船，那也好，在船上可以多睡睡，没骑马那么劳顿。心砚，你跟着服侍十四爷。”心砚答应了，他小孩心性，嫌坐船气闷，虽然公子之命不敢违抗，不免怏怏。余鱼同看出了他的心意，坚称伤势已经痊愈，不必心砚随伴。于是众人来到黄河边上，包了一艘船，言明直放潼关。

陈家洛等送余鱼同上船，眼见那船张帆远去，才乘马又行。章进对余鱼同吞吞吐吐的神气很是不满，连骂：“酸秀才，不知搞什么鬼。”骆冰道：“十四弟烧坏脸后，心情很是不快，作事不免有点异常，咱们就顺着他点儿。”周绮道：“那次咱们在文光镇上，听说他和一个姑娘在一起，后来又不知怎样的到了杭州。”章进道：“他鬼鬼祟祟的，多半跟娘儿们有关，否则为什么怕人家找麻烦？”文泰来喝道：“十弟你别胡说。”

余鱼同坐船行了几日，见李沅芷不再跟来，才放下了心。这日遇上了逆风，天色已黑，离镇甸仍远，水势湍急，舟子不敢夜航，只得在荒野间泊了船。余鱼同中夜醒来，翻来覆去的尽睡不着，只见一轮圆月映在大河之上，浊流滚滚而下，气象雄伟，逸兴忽起，抽出金笛，悠悠扬扬的吹了起来。他感怀身世，满腔心事，都在这笛子中发泄出来，忽而激越，忽而凄楚，正自全神吹奏，忽听背后有人高声喝彩："好笛子！"微微一惊，收笛回头，月光下只见有三人沿河岸走来。

三人走近，其中一人说道："我们贪赶路程，错过了宿头，正自烦恼，听阁下笛声清亮，禁不住喝彩，还请勿怪。"余鱼同听他说得客气，忙站了起来，说道："荒野之间，小弟胡乱吹奏，聒噪扰耳，有辱清听。"那人听他说话文诌诌地，似是个读书人，缓缓走近。

余鱼同道："如蒙不弃，请下舟来小酌一番如何？"那人道："最好，最好！"三人走到岸边，纵身一跃，都轻飘飘的落在船头。余鱼同心中吃惊，暗忖："这三人武功不弱，不知是何等人物，倒要小心在意。"当下假作文弱胆怯，双手紧紧握住船边，只怕船侧而落下水去。

只见当先一人躯干魁伟，穿件茧绸面棉袍，似是个乡绅。第二人满腮浓须，整张脸只见黑漆一团。第三人却穿蒙古装束，一件羊羔皮袍翻出半截，身形举止，显得剽悍异常。这三人都背着包裹，带了兵刃。余鱼同知金笛惹眼，在三人上船之前早就收起。他叫醒舟子，命暖酒做饭，款待来客。舟子见深夜中忽然来了生人，甚是疑惧，但一路上余鱼同使钱十分豪爽，既是雇主吩咐，也就照办。

那身材魁梧的人道："深夜打扰，实在冒昧。"余鱼同道："四海之内，皆兄弟也，何冒昧之有？"那人听余鱼同说话爱掉文，说道："请教阁下尊姓大名？"余鱼同道："小弟姓于名通，金陵人氏，名字虽然叫通，可是实在不通之极，此番应举子业，竟尔名落孙山，回乡愧对父老，说来汗颜无地。"那人道："原来是一位秀才相公，失敬了。"余鱼同道："小弟乡试不捷，祸不单行，舍下复遭回禄。祝融肆虐，房屋固是片瓦无存，颜面亦是大毁，难以见人，无可奈何，只得想到甘肃去投亲，拟谋一席西宾，聊作鷦寄。唉，时也命也，生不逢辰，夫复何言？"这番话只把另外两人听得面面相觑，不知所云。那乡绅模样的人却读过一点书，说道："相公也不必灰心。"

余鱼同道："请教三位尊姓。"那人道："小弟姓滕。"指着那黑脸胡子道："这位姓顾。"指着那蒙古装束的人道："这位姓哈，是蒙古人。"余鱼同作揖，连说："久仰，久仰。萍水相逢，三生有幸。"那姓滕的见他酸气冲天，肚里暗笑。余鱼同听他说话是辽东口音，心想："这三人不知是敌是友，如是江湖好汉，倒可结交一番，日后举事，也可多一臂助。"说道："三位深夜赶路，那可危险得紧哪?"姓滕的道："不知有什么危险?"余鱼同摇头晃脑的道："道路不宁，萑苻遍地，险之甚矣，险之甚也。"那姓顾的一拉姓滕的袖子，问道："他说什么?"姓滕的道："他说道上盗贼很多。"姓顾的和姓哈的一听，都哈哈大笑。

这时舟子把酒菜拿了出来，那三个客人也不和余鱼同客气，大吃大喝起来。那姓滕的道："相公笛子吹得真好，请再吹一曲行么?"余鱼同怕金笛泄露了自己行藏，只是推辞，道："小弟生性怯场，一见有人，便手足无措。文战失利，亦缘于此。"那姓哈的道："我来吹一段。"从衣底摸出一只镶银的羊角，站直身子，呜呜呜的吹了起来。余鱼同听那角声悲壮激昂，宛然是"风吹草低见牛羊"的大漠风光，心中激赏，暗暗默记曲调。

三人喝完酒后，起来道谢告辞。余鱼同有心结纳，说道："如承不弃，就在舟上委屈一宵，天明再行如何?"那姓滕的道："那也好，只是打扰了。"余鱼同仍是睡在后舱，那三人也不脱衣，便在前舱卧下。不一会，余鱼同假装鼾声大作，凝神窃听三人说话。

只听那姓哈的道："这秀才虽然酸得讨厌，倒不小气。"姓顾的道："算他运气。"姓哈的道："明天能到洛阳么?"姓滕的道："过了河，找三匹马，赶一赶也许能行。"姓哈的道："我就担心韩大哥不在家，让咱们白跑一趟。"姓顾的道："要是见他不着，咱们就找到红花会的太湖老巢去，闹他个天翻地覆。"姓滕的忙道："悄声。"余鱼同大吃一惊，心想："原来这三人是红花会的仇人，他们到洛阳去找姓韩的，多半是找韩文冲了。”

那姓滕的道：“红花会好手很多，他们老当家虽然死了，听说新任的总舵主也是个厉害脚色。这里不比关东，老二你可别胡来。”姓顾的道：“咱们关东六魔横行关外，江湖上好汉提到咱们名头，哪个不忌惮几分？哪知老三和老五、老六忽然都不明不白的给红花会人害死了，这仇要是报不了，咱们也不用做人啦。”言下极是气愤。余鱼同心想：“原来是关东六魔中的人物，三魔焦文期是陆师叔杀的，五魔阎世魁、六魔阎世章死于回人之手，怎么这几笔帐都写在红花会头上？”

原来关东六魔中大魔滕一雷是辽东大豪，家资累万，开了不少参场、牧场和金矿。二魔顾金标是著名马贼。四魔哈合台本是蒙古牧人，流落关东，也做了盗贼。他们在辽东听说焦文期受托找寻一个被红花会拐去的贵公子。突然失踪，数年来音讯全无。最近接到焦文期的师弟韩文冲来信，才知这结义兄弟已在陕西遇害。三人怒不可遏，当即南下，要找红花会报仇。到北京后，得悉阎氏兄弟也给人害了，这事与红花会也有干系。三人更是惊怒，赶到洛阳来找韩文冲要问个清楚，却与余鱼同在黄河中相遇。

那三人谈了一会，就睡着了。余鱼同却满腹心事，直到天色将明才蒙眬入睡，只合眼了一会，忽听得人声嘈杂，吆喝叫嚷之声，响成一片。他从梦中惊醒，跳起身来，抽金笛在手，从船舱中望出去，只见河中数百艘大船连樯而来。当先一艘船上竖着一面大纛，写着：“定边大将军粮运”七个大字，原来是接济兆惠的军粮。大船过去，后面跟着数十艘小船，都是官兵沿河掳来载运私人物品的。

余鱼同那船的舟子见情势不对，正要趋避，已有六七名清兵手执刀枪跳上船来，不问情由，就打了舟子一个耳光，命他驾船跟随。余鱼同知道官兵欺压百姓已惯，难以理喻，也就顺其自然。哈合台十分恼怒，想出去和清兵拼斗，被滕一雷一把拉住。

清兵走到后舱，见余鱼同秀才打扮，态度稍和，喝问滕一雷等三人干什么的。滕一雷道："咱们上洛阳去探亲。"一名清兵喝道："都到前舱去，把后舱让出来。"哈合台怒目相向，便欲出手。滕一雷叫道："老四，你怎么啦？"哈合台忍住怒气。余鱼同便到前舱，低声道："秀才遇着兵，有理说不清。我索性不说，你兵大爷岂能奈何我秀才哉？"

几名清兵搭上跳板，从另一艘小船里接过几个人来。一名清兵道："言老爷，这艘船干净得多，你老人家瞧瞧中不中意？"那言老爷从后梢跨进舱来，瞧了一眼，道："就是这里吧！"大剌剌的坐了下去。余鱼同向那言老爷望得一眼，心中突突乱跳。原来这人便是曾去铁胆庄捉拿文泰来的言伯乾。他被余鱼同的短箭射瞎了一只眼睛后，才养好伤不久，带了一个师弟、两个徒弟，要到兆惠军中去效力立功。

言伯乾虽然只剩一目，眼光仍是十分敏锐，一见余鱼同身形，便即起疑，又见他脸上遮布，疑心更盛，假意走到前舱来，和滕一雷攀谈了几句，忽然身子一侧，似乎立脚不定，右手在空中乱抓几下，一把抓住余鱼同脸上的布巾，拉了下来。其时顾金标见他要摔向自己身上，自然而然的伸出左掌，向他肩头轻轻捺去。言伯乾猛然一缩，竟没让他捺到，这一来，两人都知道对方武功不弱，对瞧了一眼。

言伯乾先不理会顾金标，向余鱼同脸上一瞧，见他满脸疮疤，难看异常，与射瞎他的那个俊俏小伙子全不相同，说道："船晃了晃，没站稳，对不住啦。"把帕子还给了他。余鱼同接过，蒙在脸上，哈哈一笑，道："大火烧坏了脸，这副德性见不得人，没吓坏你吧？"

言伯乾听他口音，心中又是一动，但想到他的相貌，不再有丝毫疑心，转身对顾金标道："老兄原来是江湖同道，请进来坐吧。"滕一雷等三人也不客气，先问言伯乾的姓名，听说他是辰州言家拳的掌门人，江湖上说来也颇有名望，于是不加隐瞒，说了自己姓名。言伯乾的师弟名叫彭三春，是湖南岳阳人。双方谈些关外与三湘的武林轶事，倒也投契。这一来喧宾夺主，余鱼同反给冷落在前舱了。

余鱼同见两路仇人会合，自己孤身一人，实是凶险异常，他本来心灰意懒，这时大敌当前，敌忾之气一生，反而打起了精神，独自在前舱吟哦从前考秀才时的制艺八股，什么“先王之道，圣人之心”，什么“刑不上大夫，礼不下庶人”，越读声音越响，得意非常，一面却在用心窃听他们谈话。言伯乾听了他的背书之声，只觉有些讨厌，更加没有疑心。吃晚饭时，余鱼同拿酒出来款客。言伯乾温言和他敷衍了几句。余鱼同只是之乎者也的掉文，四人听了既然不懂，自是腻烦之极，都不去理他，自行高谈阔论。

言伯乾探问三人进关来有什么事，滕一雷只说到洛阳访友，后来谈到南方的武林帮会，哈合台忽然提到了红花会。言伯乾倏然变色，连问他们识得红花会中何人。滕一雷不动声色，只推不认识，也不提报仇之事。双方兜来兜去的试探，都怕对方与红花会有什么渊源。这一来相互有了顾忌，你防我，我防你，说话就没先前爽快了。

这天逆风仍劲，整天只驶出二十几里，还没到孟津，粮船队便都停泊了。晚饭过后，滕一雷等三人和余鱼同自在前舱安息。余鱼同睡入被窝，不敢脱衣，把金笛藏在被内，二更时分，忽然隔船传来两声惨厉的叫喊，静夜听来，令人毛骨悚然。接着一个女人声音大叫：“救命哪，救命！”余鱼同料知邻船官兵在干伤天害理之事，本应就去救援，但一来官兵势大，二来身旁强敌环伺，只要自己身份一露，立时便是杀身大祸，正要用被头蒙住耳朵不听，那女人叫得更惨了：“总爷，你行行好事，饶了我们吧！”又听得一个孩子哭叫：“妈妈，妈妈！”

余鱼同忍耐不住，坐起身来，侧耳细听，听得又有另一个女子的哭声。一名清兵粗声喝道：“你不肯，老子先杀了你的儿子。”在女人惨叫与哀告声中，夹着几名官兵的狂笑，接着听得两个女人呜呜呜的叫不出声，嘴巴已被人按住。

余鱼同气愤填膺，再也顾不得自己生死安危，走到船舷边，听得哈合台道：“咱们去瞧瞧。”滕一雷道：“老四你莫管闲事，那姓言的师兄弟很有点门道，倘若他们与红花会是一路，咱们可先露了……”余鱼同不等他说完话，脚下使劲，已纵到邻船后梢。关东三魔见这秀才居然一身轻功，甚是了得，都吃了一惊，一打手势，跟了过去。这时言伯乾和彭三春也已惊醒，见余鱼同等先后跃过船去，便各取兵刃，站在船舷上观看。

余鱼同见后梢无人，在船舷上缩身向舱内张去，只见舱里蜡烛点得明晃晃地，七八名清兵拉住两个女子，正要施行强暴。一个女人跪在舱板上不住哭求，另一个女人死命搂住一个幼儿，吓得只是发抖。舱板上有几个男子的尸首，几只衣箱打开着，到处散满了衣物银两。看情形显是清兵借运粮为名，沿河强拉民船，夜中杀死客商，谋财劫色。

余鱼同怒火上冲，正要跳进舱去，忽听得背后哈合台道：“老大，这事我非管不可。”滕一雷道：“不行！”就在这时，一名清兵从那女人怀中夺过幼儿，狠命在舱板上一摔，掷得脑浆迸裂。那女人一呆，登时晕了过去。两名清兵哈哈大笑，将她按倒在地，撕她衣服。

余鱼同心中默祝：“红花老祖在上，弟子余鱼同今日舍命救人，求你保佑。”他不抽金笛，大喝一声，空手跳进船舱，左脚踢出，右手一拳，将按住女子的两名清兵打翻，跟着揪住一名清兵头颈一扭，那兵痛得大叫，他随手夺过了刀，砍断一名清兵右脚。其余清兵纷抽兵刃抵敌，余鱼同使刀虽不熟手，但只斗数合，又砍翻两名清兵。余下清兵纷向船头逃去，只听扑通、扑通数声，都被哈合台踢下河去。

余鱼同拉起两个女子，说道：“快上岸逃命。”两个女子吓得呆了，这时邻船的兵士听得格斗叫喊之声，已有人点了火把，站在船头喝问。哈合台走进舱来，说道：“好秀才，佩服佩服。”余鱼同挟住一个女子，跳上岸去，接着哈合台也带了一个女子上来。顾金标抽出背上的短柄猎虎叉，站在河边断后。滕一雷双手抓住船舷，喝一声："起！"双臂用力，把那艘船翻了转来，船底朝天，死尸杂物，纷纷落水。余鱼同暗惊："这人好大力气！"四人乘着清兵乱哄哄查看翻船，在黑暗中带了两个女人走了。

余鱼同尽拣树木茂密之地奔去，见清兵没有追来，停步问那女人："你怎么会落在他们手里？"那女人惊魂未定，跪在地下不住磕头，一句话也说不出来。余鱼同道："眼下你已脱险，躲在这里别动，等明天兵船开了再出去。"他提高嗓音，向后面三人叫道："三位大哥，多谢相助，小弟告辞了。"不等他们回答，转身就走。

刚跨出三步，只听得前面黑暗中一人阴恻恻的道："余十四爷，且请留步。"余鱼同退后一步，那人从黑影中走了出来，正是死对头言伯乾，后面还跟着他的师弟彭三春。彭三春双手握三节棍往右边一站，隐然监视，防余鱼同逃走。这时滕一雷等三人也带了那个女子赶到，见言伯乾忽然出现，颇感讶异。

余鱼同一拱手，说道："后会有期。"向滕一雷与顾金标两人之间窜了过去。彭三春右膝略弯，当啷一声，三节棍出手，向余鱼同下盘横扫过来。余鱼同一个"鲤跃龙门"，跳过三节棍，左脚在地上一点，跃出寻丈。彭三春一击不中，三节棍余势甚大，将要扫到顾金标腿上，忙向外一抖，向前送出，三节棍笔直的向余鱼同背心点来。余鱼同向前一扑，待三节棍在头顶掠过，仍不还手，乘隙脱逃，忽然金刃劈风，黑暗中白光闪动，两柄单刀迎面砍来，原来是言伯乾的两个徒弟宋天保、覃天丞赶到。

余鱼同三面受敌，避无可避，右手在左边衣袖中抽出金笛，当当两声，架开双刀。彭三春正要上前夹击，在旁观看的哈合台怒道："喂，三个打一个，算什么好汉？"彭三春一怔，哈合台出手奇快，已抓住三节棍尾梢向外一夺。彭三春疾忙回夺，两人都没脱手。

彭三春欺进一步，左手在三节棍中截一搭，右手棍端突然离手，弯过来打向哈合台左肩，这是他三节棍的救命变招，叫做

“毒蛇摆尾”。哈合台猝不及防，黑暗中只觉棍端砸来，忙向右避让，棍端已扫中他肩头，砰的一声，甚是疼痛。哈合台大怒，松手撒棍，一把抓住彭三春腰带，大叫一声：“呼！”将他肥肥一个身躯举过头顶，摔在地下。哈合台擅于蒙古人摔跤之技，这一下把彭三春摔得头昏脑胀，眼前金星乱冒。

滕一雷见哈合台取胜，叫道：“别惹祸，快走！”言伯乾叫道：“好哇，关东六魔原来投降了红花会。”顾金标转头怒道：“你说什么？”言伯乾道：“你们不投降红花会，干么要帮这红花会的头目？”滕一雷奇道：“他是红花会的？”

言伯乾见两个徒弟被余鱼同逼得手忙脚乱，形势危急，不暇回答，从长衫底下掏出一对钢环，呛啷啷一抖，左环向余鱼同背心砸去。余鱼同金笛回转，向他“期门穴”点到。两人搭上手拆了数招。滕一雷连叫住手，言伯乾只是不听，想起伤目之恨，双环如狂风骤雨般向仇人要害打去。滕一雷从背上卸下独脚铜人，纵近身去，向下一压，只听得当的一声猛响，两件兵器都被震了开去。余鱼同和言伯乾手臂发麻，暗暗心惊。

滕一雷道：“且莫混战，听兄弟一言。”转头问余鱼同道：“阁下是红花会的么？”余鱼同心想，今日之事，走为上着，也不回答，突然向黑暗处跃去。宋天保站得最近，挺刀追来，余鱼同回身持笛一吹，飕的一声，一支短箭钉上了宋天保面颊，痛得他哇哇大叫。滕一雷和言伯乾随后追来，黑暗中看不清楚，又怕余鱼同吹箭厉害，不敢十分迫近。滕一雷和言伯乾对答了几句话，言伯乾说明了余鱼同的身份来历，各人四散找寻。

余鱼同越逃越远，慢慢挨向河边，心想：还是混到清兵粮船上最为太平，明天开船，就不妨事了。他在树丛中倾听追兵声音，伏在地上慢慢爬行，忽听前面两声女人惊叫，夹着清兵的怒骂之声，原来救出来的那两个女人又给清兵找着了。

他这时自身难保，顾不得旁人，缩身不动，但叫声越来越惨厉，忍不住探头出去一张，只见一个清兵双手各拖一个女人向河岸走去。两个女人不肯走，大声哭叫，却被清兵在地上横拖倒曳而去。余鱼同心道："贪生忘义，非丈夫也！"金笛对准清兵后脑，用力一吹，短箭飞去，没入脑中，清兵狂叫一声，登时毙命。余鱼同一箭吹出，随即向岸上疾奔。

这一箭终于泄露了行藏，他奔出数丈，顾金标斜刺里挺猎虎叉前来拦住。余鱼同展开柔云剑术，想打倒了他逃命，岂料数招过后，只觉对方身手迅捷，竟是劲敌。顾金标一面打，一面连连呼哨。余鱼同见远处黑影掩袭而来，不敢恋战，以进为退，和身向前扑去，左手双指直点敌人胸前要穴。顾金标虎叉横胸。余鱼同倒退跃开，但彭三春的三节棍已打了过来。同时滕一雷和言伯乾、覃天丞也均赶到，四面合围。

滕一雷叫道："抛下兵器！"余鱼同不理，使笛如风，混战中挺脚把覃天丞踹倒。滕一雷手挥铜人，呼的一声当头砸了下来。余鱼同知道他力大异常，不敢挡架，纵身闪过。

滕一雷兵刃笨重，但因膂力奇大，使用之际仍十分灵活，一砸不中，随即收势，"横扫千军"，向余鱼同腰里挥击过来。余鱼同一低头，铜人在头顶飞过，立时猱身直进，欺到滕一雷怀里，金笛向他"气俞穴"点去。滕一雷铜人竖起，欲待震飞金笛。余鱼同忽然拔起，跃过宋天保头顶，落下时顺势挺膝盖在他背心一顶。宋天保站脚不住，向滕一雷的铜人上撞去。言伯乾斜刺里急抄挽住，骂道："送死么？"滕一雷赞了句余鱼同："好俊身手！"这边彭三春和顾金标又已截住去路。

哈合台在旁观战，见众人兵刃齐下，眼见余鱼同要血溅当地，心中敬他救援妇孺的侠义心肠，忽地纵入战圈，叫道："老大、老二退开。"滕一雷和顾金标齐齐跃出。余鱼同力敌数人，已累得浑身是汗，笛子打出去全然不成章法，滕顾两人刚跃开，言伯乾右手钢环已套住笛端，左手钢环猛力砸向笛身，当的一声，金笛脱手飞出，钢环顺势又向余鱼同太阳穴砸到。哈合台把余鱼同向后一拉，避开这一击，同时使出蒙古摔跤之法，右脚一勾，左手在他肩头一扳，余鱼同站立不稳，跌倒在地，被哈合台按住擒牢。金笛从空中落下，顾金标伸手接住，插入腰里。

宋天保和覃天丞吃过余鱼同的苦头，奔过来要打。哈合台道："且慢!"撕下余鱼同长衫衣襟把他反手缚住，拉起来站定，说道："朋友，我知你是好汉子，有话好好说，我们决不难为你。"余鱼同哼了一声，并不言语。

滕一雷道："朋友，你是红花会的么?"余鱼同道："我姓余名鱼同，江湖上人称金笛秀才，在红花会坐的是第十四把交椅。"滕一雷点头道："这就是了，我也听到过你的名头，我向你打听几个人。"余鱼同道："你要问焦文期和阎氏兄弟的下落，我老实告诉你，那不是我们红花会杀的。"

言伯乾在一旁冷冷的道："现今你当然不认啦!"余鱼同泼口大骂："你这瞎眼贼，我又不是跟你说话，你的眼是我射瞎的，怎么样？老子怕了你不是好汉。"宋天保大怒，举刀砍来。哈合台把搁在余鱼同腿边的右脚一松，余鱼同双足顿得自由，向左一偏头，让过这一刀，右腿飞起，踢在宋天保左腿"伏兔穴"上。宋天保单刀脱手，登时软麻在地。覃天丞忙抢过来扶起。

彭三春见师侄丢脸，举拳扑将过来。哈合台道："要打架？我放了他和你一对一打个痛快如何?"彭三春怒道："我先和你比划比划也可以。"呛啷啷一抖三节棍。哈合台道："想再摔一交么?"

言伯乾忙把彭三春往身后一拉，静观滕一雷如何处置。滕一雷又问余鱼同道："江湖上多说我们三个兄弟是红花会所害，冤有头，债有主，只要你老实说一句，这件事是何人指使、何人动手，我们自会去找他算帐，你不必畏惧隐瞒。难道我们还能把红花会几万人斩尽杀绝不成?"余鱼同道："今日落在你们手里，要杀便杀，何必多说。你以为红花会怕你们这几个人，那真是在做梦了。"哈合台道："你是好汉子，我是很佩服的，我只请问，我们三兄弟到底是谁害的。"余鱼同道："老实说，这三人是谁杀死的，我知道得清清楚楚，不过决不是红花会。"顾金标道："那么你说出来，我们马上放你。”余鱼同道：“余某虽是无名小辈，既然身属红花会，岂能让人威迫？杀死那三人的是谁，本来跟你们说了也不相干，他也不会怕你们去寻仇。但你们如此逼迫，我偏偏不说。”顾金标猎虎叉一抖，叉杆上三个铁环当啷啷一阵响，喝道：“你说不说？”

余鱼同昂头也喝：“不说怎样？你有种就在胸口上给我一叉。我们红花会兄弟给我报起仇来，可不会像你这么脓包，到今天连仇人是谁也不知道。”顾金标气得只是抖叉，连连咒骂。哈合台道：“你如认为我这朋友还可交交，那么请你告诉我。”余鱼同见这几人中只有哈合台对他有友善之意，便道：“你们干么不去问韩文冲？不过他不在洛阳，现下和威震河朔王维扬一起在杭州。”滕一雷道：“当真？”余鱼同喝道：“我几时说过假话？”

哈合台见他虽然被擒，反而越来越强项，对他更是敬佩，把滕一雷和顾金标拉在一边，道：“再逼也无用，放了他吧。”顾金标道：“咱们放他，江湖上还道关东六魔不敢惹红花会，依我说，毙了算啦。”滕一雷道：“毙了也没好处，咱们就奔杭州去找韩文冲，把他带着，在路上慢慢套问，总要问个水落石出，再杀不迟。”顾金标道：“好，就是这样。”

滕一雷回来对余鱼同道：“我们把你带到杭州去和韩大哥对质。要是你说的不错，我们就放你。”余鱼同心想：“这很好，一路上不遇救援，也总有脱身之策。”于是点头答允。滕一雷向言伯乾一举手，说道：“后会有期。”转身要走。

言伯乾纵上一步道：“慢来，慢来。这人是咱们一起擒住的，就这样便宜的让你带走？”哈合台怒道：“你要怎样？”言伯乾自忖，己方虽有四人，但对方三人武功高强，自己虽然还可对付，师弟和徒弟就不行了，用强不得取胜，说道：“他射瞎了我一只眼，我便剜他两只眼抵帐，人就让你们带走。”

滕一雷和顾金标心想，擒拿余鱼同，他确是也有功劳，他是官府中人，何必得罪了他，而且余鱼同没了眼睛，带他上路时反而方便，不怕他逃走，当下并不阻拦。言伯乾右手食中两指“双龙抢珠”，向余鱼同双目截了过来。余鱼同退后一步想避，顾金标执住他身子向前一推，使他动弹不得。

陈家洛等一行沿黄河西上，只见遍地沙砾污泥，尽是大水过后的遗迹，黄沙之中偶然还见到骷髅白骨，想像当日波涛自天而降，众百姓挣扎逃命、终于葬身泽国的惨状，都不禁恻然。陈家洛吟道：“安得禹复生，为唐水官伯，手提倚天剑，重来亲指画！”心想：“白乐天这几句诗忧国忧民，真是气魄非凡。我们红花会现今提剑只是杀贼，哪一日提剑指画而治水，才是我们的心愿。”

不一日来到潼关，徐天宏和章进两人分头到各处街头墙角查看，不见有余鱼同留下的记号，知他尚未到达，便在一家客店中住了下来，等了三日，始终不见他到来。徐天宏和章进到水陆两路码头查问，都说不见有这么一位秀才相公。到第四日上，大家一计议，都觉事有蹊跷，只怕中途出了乱子。

潼关一带占码头的帮会是龙门帮，红花会和他们素无交往，生怕余鱼同着了他们的道儿，于是徐天宏拿了自己名帖，去拜访龙门帮的龙头大哥上官毅山。

上官毅山听得徐天宏来访，知他是红花会七当家、江湖上有名的武诸葛，忙迎接出来。徐天宏说明来意。上官毅山道：“久慕贵会仁义包天，只是贵会一向在江南开山立柜，无缘结交。要是早知贵会十四当家在黄河中坐船，一定好好接待。我马上派人去查问。”当着徐天宏的面，立即派出八名弟兄出去，叫四人到河中查询，四人沿黄河两岸迎接下去，一见到余十四当家，马上接待到潼关来。

徐天宏见他着力办事，十分义气，不住道谢。上官毅山留他在家中居住，徐天宏一定不肯。下午上官毅山前来回拜。陈家洛怕惊动了人，都回避不见，只徐天宏一人接待。

上官毅山当晚大排筵席，给徐天宏接风，遍邀当地武林豪杰作陪。潼关武林人士识得周仲英的人很多，听说徐天宏是名震西北的铁胆周之婿，更是倾心结纳。有些人私下议论，武诸葛名闻江湖，哪知竟是如此瘦弱矮小，真是人不可以貌相。众人见他谈吐豪爽，很够朋友，都生敬仰之心。

次日上午，上官毅山又到客店拜访，说手下人并未找到余鱼同，但得了一点线索："据水路上弟兄报知，这几日征西大军赶运军粮，黄河中封船，只怕余十四爷给粮运阻住了。"徐天宏稍觉放心，道了劳。

到得晚间，上官毅山又亲来通知，说陆上弟兄报知，孟津大街的醉仙楼上，十天前曾有一个相貌怕人的秀才和人打架，把酒楼打得一塌胡涂。徐天宏惊道："那就是余十四弟，后来怎样？"上官毅山道："兄弟派去查访的人还没回来，这是他叫人带来的消息，详细情形不大清楚。"徐天宏道："上官大哥如此尽心，真是感激万分，兄弟给你引见几位朋友。"于是到隔壁房里把陈家洛、文泰来、骆冰、章进、周绮都请过来和他相见。

上官毅山欣喜异常，双方互道仰慕。陈家洛道："十四弟为人精细，决不会使酒闹事，他既与人打架，定是遇上了仇家，咱们快去孟津。"文泰来道："对，立刻就走。"

上官毅山道："各位来到潼关，兄弟本应稍尽地主之谊，现今既有急事，兄弟随伴各位同走一遭。"陈家洛见他重义，也不客气推辞。上官毅山带了两名副手，众人乘马急奔孟津而去。

文泰来骑了白马，越众当先。众人离孟津还有六十多里，文泰来已回头迎上，说道："我去醉仙楼打听。酒保说确有这回事。和十四弟打架的是本地一个大绅士，叫什么孙大善人，还有几个衙门里的捕快。"上官毅山奇道："孙大善人今年已六十多岁，不会武功，一向对人客客气气，怎会和他打架？"陈家洛道："后来怎样？"文泰来道："后来的事那酒保吞吞吐吐的说不明白。"陈家洛道："好，咱们快去。"

众人催马前行，到孟津后上官毅山到醉仙楼去找老板。那老板见是龙门帮的龙头大哥，忙不迭的摆酒招待，丝毫不敢隐瞒，但所说也和文泰来打听到的差不了多少。那老板指着栏干和板壁上兵刃所砍痕迹，说是那天打斗留下来的。

那日言伯乾要剜余鱼同双目，眼见他手指便将戳到，哈合台忽地伸手抓住言伯乾后心，猛力一拉，把他拉得退后了数尺。言伯乾大怒，左拳向后撩出，拍的一声，击在哈合台右腕之上。哈合台吃痛，疾忙放手。两人各自纵出一步，拉开架式便要放对。滕一雷抢到两人之间，铜人一摆，说道："咱们好朋友莫伤了和气。"

哈合台对言伯乾道："你要报仇，等我们的事了结之后，你再去找他，我们谁也不帮。这时候你要胡来，那可不行。"滕一雷知道哈合台性情梗直，说过了的话决不轻易变更，虽然这么办不甚妥当，但在外人面前，自己兄弟间不能争辩，免得给人笑话，当下不作一声。言伯乾情知用武不能取胜，气忿忿的收了双环，说道："终有一日我取了他的双眼给你瞧瞧。"哈合台道："那很好，再见啦。"关东三魔押了余鱼同便走。言伯乾给徒弟解开腿上被点穴道，心头很不服气，远远跟在后面。

巳牌时分，滕一雷等到了孟津，上酒楼吃饭。那酒楼叫做"醉仙酒楼"。滕一雷要了酒菜，与余鱼同同席而坐。刚吃了几杯酒，只听楼梯上脚步响，上来七八名捕快和一个衣饰考究的老人。那老人叫下不少酒菜，宴请捕快。捕快和酒保都叫他"孙老爷"，言下很是恭敬，看来这人是当地有面子的缙绅。

过了一会，又上来四人，哈合台倏然变色，原来言伯乾师徒竟也跟着到了。余鱼同装作不见，神色自若的饮酒。滕一雷对哈合台道："老四，咱们到关内来是给老三报仇，你怎么反而尽护着仇家，老三他们在九泉之下怕要怪你呢。"哈合台道："我怎么护着仇家？我不过见他是条汉子，不许别人胡乱作贱。倘若查明他真是仇家，我首先就取他性命。"顾金标道："这里到杭州路远着呢，他们……"说着向言伯乾等嘴一努："又不死心，阴魂不散，让他们剜了他眼睛就是，否则路上必出乱子。”哈合台只是不依，三人吵嚷了起来。

哈合台势孤，一向又是听大魔滕一雷指挥惯了的，拗不过他们，气忿忿的站起，道：“老大、老二，我先走一步，在杭州等你们。这个人的事我不管啦！”饭也不吃，大踏步下楼去了。顾金标伸手拉他，被他一摔手，险险跌了一交。哈合台自幼熟习蒙古摔跤之技，随手一摔，都是劲道十足。

滕一雷道：“老二，莫理他，他是牛脾气。你看住这个人。”顾金标拔出匕首，翻转藏在腕底，低声对余鱼同道：“你要逃走，我先给你几个透明窟窿。”余鱼同置之不理。滕一雷走到言伯乾桌边去打招呼、套交情。

余鱼同见哈合台一去，知道祸在眉睫，望见言伯乾脸有喜色，自是滕一雷跟他说了，让他剜出自己眼珠，一时焦急无计。这时酒保端上一大碗热腾腾的黄河鲤鱼羹，顾金标喝了一口，叫道：“老大，鱼羹很鲜，快来喝吧。”余鱼同伸出羹匙，也去舀羹，手伸近时突然在碗底一抄，把一碗热羹劈面倒在顾金标脸上。

顾金标正在喜尝鱼羹美味，哪知变起俄顷，一碗热羹突然飞来，眼上鼻上全是羹汤，痛得哇哇乱叫。余鱼同不等他定神，掀起桌子，碗筷菜肴全倒在他身上。顾金标睁不开眼，哪能避让。滕一雷和言伯乾等忙纵过救援。余鱼同又掀翻一张桌子，阻住敌人来路，暗忖此时虽可脱逃，但逃不多远，势必又会给追上了，唯有觅地躲避，以待外援，闹市之中，最稳妥的躲避处莫过于官家监狱。

酒楼上登时大乱，酒客纷向楼下奔跑。余鱼同纵到那孙老爷面前，拍的一声，结结实实打了他个巴掌。那孙老爷只觉眼前金星乱冒，坐倒在地。余鱼同扯住他胡子，提了起来，紧紧扭住。众捕快大惊，奔上救护。余鱼同抱住孙老爷不放，向滕一雷等招手道：“老大老二快来啊，我得手啦，你们快来把鹰爪孙赶开。”众捕快听得土匪要绑架孙大善人，抽出铁链铁尺，连叫：“好大的胆子！”向滕一雷等奔来。

这几名捕快哪在滕一雷心上，但孟津是大地方，和捕快衙役一争斗，官兵马上就到。滕一雷暗骂余鱼同狡猾，踢倒一名捕快，拉了顾金标飞身下楼。言伯乾大叫："咱们是官兵，来捉强盗的啊！"但混乱中又怎听得清楚？转眼间彭三春已打倒了一名捕快，其余的连连呼哨，招集同伴，远处当当当铜锣响起，看来大队援兵便要赶到。言伯乾喝道："彭师弟，快走！"师徒四人冲下楼去，众捕快怎拦得住，只用铁链锁住了余鱼同一人。

言伯乾等一行四人逃出孟津，找了个荒僻地方休息。彭三春大骂余鱼同诡计多端。言伯乾阴沉沉的道："谅这小小孟津衙门，也不能庇护了他，咱们今晚就去劫狱，把这恶贼劫出来痛痛快快的折磨。"彭三春怕官，听说要劫狱，很是踌躇，可是师兄的话又不敢违拗。到得三更，各人蒙起了脸，向孟津衙门奔来，彭三春落在后面，很不起劲。言伯乾知他甚是勉强，也不点破。将近官衙，忽见前面人影一晃，有人一掠而过。言伯乾见这人身手甚快，向徒弟叮嘱："小心！"忽然身后有人低呼："是言兄么？"言伯乾转过身来，见是滕一雷和顾金标。滕一雷道："大伙儿齐心来干，那更好啦。"顾金标道："咱们不能让这臭贼痛痛快快的吃一刀就算，先得让他多受点儿罪。"他脸上给烫起了无数热泡，对余鱼同可恨入了骨。当下六人越墙入内。

陈家洛和上官毅山细问醉仙楼的老板，再也问不出什么了，只知那秀才后来给捕快锁了去。陈家洛听说余鱼同被捕，便放了心，就算犯了死罪，官府公文来往，也得耽搁好久才会处决，于是和上官毅山去拜访孙大善人。

孙大善人是当地首富，田庄、当铺不计其数。他见上官毅山和一个自称姓陆的公子来访，心中吓了一跳，打好了主意，如果龙门帮要钱，只好舍财消灾。哪知上官毅山寒暄了几句之后，口风转到那天在酒楼闹事的秀才身上，孙大善人更是吃惊，连称："兄弟年纪这么一大把，素来不敢得罪什么人，要是江湖上朋友们手头不便，兄弟一向量力而为，决不敢小气。”上官毅山道：“那位秀才相公和小弟有点渊源，不知为什么和孙老爷打了起来。”孙大善人道：“我实在不知，看他们神色，似乎要绑架兄弟。”于是说了当时情形。

陈家洛暗忖：“十四弟怎会约人来绑架他，中间一定另有隐情。孟津几名捕快，又怎能把十四弟逮去，难道此地另有能人？”于是对上官毅山道：“那么请孙老爷引我们去监狱探探这个秀才。”孙大善人忙道：“这秀才当晚就给人劫出狱去，难道你们不知？”陈家洛更是奇怪，向上官毅山使个眼色，告辞出来，只见许多公差捕快乔装改扮了，在孙宅前后保护。

上官毅山和陈家洛等来到孟津龙门帮头目家里，派人到衙门打听，果然那秀才当晚便给人劫出，还伤了好几名牢头禁子。陈家洛双眉深皱，和徐天宏琢磨了半天，丝毫没有头绪。

晚饭后众人到监狱附近踏勘，骆冰忽然一指墙脚，道：“瞧！”众人一看，喜形于色。上官毅山却莫名其妙。徐天宏道：“这是十四弟留下的记号，他说给仇人追逼，迫得向西逃避。”章进道：“什么仇人？定是缠着他的那个少年。”徐天宏道：“这少年的武功不及十四弟，局面不致如此紧急，料来另有别情。”文泰来道：“咱们快去。”

众人向西寻去，到了郊外，在一株大树脚边记号又现，但见画得潦草异常，显得处境十分危急。众人加紧脚步，在一条通到山中的岔路边又见到了记号。

文泰来和章进当先奔驰入山，沿途只见所画的记号愈来愈不成模样，有时只是随手一钩一画。转了几个弯，章进忽然咦的一声，纵上前去，在一株小树上拔下一枝竹箭。文泰来和徐天宏同时叫了出来。他二人久历江湖，见多识广，认得这是湖南辰州言家拳的独门暗器。文泰来怒道：“原来追逼十四弟的是言伯乾这奸贼。”这时骆冰又从树丛中发现了几枝竹箭。周绮忽然惊呼一声，指着地下。众人看时，见是点点血迹。沿着血点追寻过去，拨开树丛，忽见黑黝黝的一个山洞。山洞浅小，仅足容身，洞旁竹箭、钢镖、飞锥、小钢叉等落了一大堆，想见余鱼同那日受人围攻时打得十分激烈。众人十分担忧，不知他性命如何。

徐天宏和文泰来捡起各种暗器细看，钢镖和飞锥武林常见，瞧不出用者身份，发小钢叉的人却极少，不知是何等人物。从诸般暗器看来，围攻余鱼同的至少也有四五人。

那天滕一雷、顾金标、言伯乾等六人越墙入狱，想找狱卒逼问监禁余鱼同的所在。宋天保忽然脚下一绊，险些跌了一交，俯身看时，见一人给反背绑在地下，忙提他起来，晃亮火折，见是个身穿号衣的狱卒，口中塞着什么东西，眼睛骨碌碌的乱转，说不出话来。言伯乾右手扠住他喉咙，左手挖出他口中之物，却是两块绣花手帕。言伯乾低喝："今天抓来的秀才关在哪里？快说！你一叫就扠死你。"那狱卒吓得不住发抖，说道："在……在那边第三……第三间牢房。"言伯乾懒得再绑他，手下使劲，狱卒顿时闭气而死。滕一雷道："快去，怕已有人先来劫狱。"

众人赶到牢房，果然听得有锉物之声。顾金标晃亮火折，见一个黑衣人蹲在余鱼同身边，显是他朋友前来救人。余鱼同见到火光，叫道："有人来。"黑衣人并不理会，锉得更紧。滕一雷低喝："是谁？"黑衣人突然跃起，回身一剑，这一剑又快又准，寒光闪处，剑锋已及面门。滕一雷身子虽胖，动作却极迅捷，右手铜人疾向剑刃压下。黑衣人手上剧震，虎口发痛，知道对方力大异常，不敢恋战，回剑向覃天丞刺去。覃天丞一让，黑衣人已跳出牢房。言伯乾道："别追，劫人要紧！"这么一交手，满牢狱卒都已惊醒，知道有人劫狱，登时大乱。滕一雷在牢门口一站，喝道："你们快锉，我在这里抵挡。"言伯乾和顾金标各自拿出铁锉，同时使力，不一刻已把锁住余鱼同手脚的铁链锉断。

言伯乾扣住余鱼同脉门，和彭三春两人合力抬出牢房。衙役军士涌上来拦截，都被滕一雷挥铜人打伤。众人见他猛恶，不敢近前，只在远处呐喊。顾金标当先开路，宋天保、覃天丞断后，拥着余鱼同越墙而出。哪知监狱外已有大队军士守候，刀枪并举，围了上来。顾金标、言伯乾、彭三春分头迎敌，砍伤了几名，但官兵人众，呐喊杀上。

混战中突然墙角一条黑影飞出，奔到余鱼同身边。覃天丞过来拦阻，那人手一扬，覃天丞只感到胸口剧痛，已中了什么暗器，支持不住，蹲下地去。宋天保一呆，那人已拉了余鱼同逃走。宋天保大叫："师父，那……那人逃啦！"

余鱼同却并不急退，蹲在地下匆匆画了些记号。言伯乾扑将过去，斜刺里突然一剑刺到。言伯乾举环一锁，那人剑法奇快，早已变招，拆不两招，余鱼同把一名军官拉下马来，跃上马背，纵马驰近，大叫一声，向言伯乾迎面冲来。言伯乾向旁跃开，余鱼同拉住使剑人的手，将那人提上马背，两人一骑，向西奔去。

这时滕一雷已翻出墙外，见余鱼同逃走，暗骂言伯乾师徒无用，大叫："快追！"彭三春和宋天保左右夹住了覃天丞，向余鱼同马后赶去。他们脚下甚快，奔出数里，已把官差抛在后面。众官差眼见追不上，便收兵回去了。

滕一雷等赶了一阵，功夫便即分出高下，滕一雷遥遥在前，顾金标和他相距不远，言伯乾却已被抛在后面，彭三春等是更加落后了。滕一雷在辽东虽然养尊处优，功夫却没搁下，轻功着实了得。山路驰马不便，余鱼同的马上骑了两人，那马又非良马，追逐了一会，滕一雷越赶越近。黑暗中那马突然踏入山道中一个小坑，左足跪了下去，头一低，把余鱼同抛下马来。

余鱼同一个筋斗，轻轻落下。马上那人一提缰绳，那马哀嘶一声，竟没站起，原来左腿胫骨已经折断。那人见滕一雷追近，飞身下马，和余鱼同穿入树丛。行不数步，见前面有个山洞，两人躲了进去。

余鱼同叹道："李师妹，又是你来救我。"

那黑衣人便是李沅芷。她跟随红花会人众，忽然不见了余鱼同，略一凝思，猜到他必是改走水路，便沿着黄河上溯寻访。到得孟津，在茶馆酒楼中听得到处都在谈论丑脸秀才绑架孙大善人不遂之事，于是半夜里前来劫狱，那名狱卒就是被她绑住的。

李沅芷救出了余鱼同，芳心喜慰，教余鱼同躺下养神，自己在洞口守御。余鱼同坐在地上，望着她俏生生的背影，感慨万千，一阵寒风吹来，只见她微微一颤，便脱下长袍，给她披在身上。李沅芷自识得这位师哥以来，这是他第一次对自己稍示怜惜之情，不由得回头嫣然一笑，身上心头，温暖异常。

正要说话，忽然前面飕的一声，一枝竹箭射了过来。余鱼同见她没察觉暗器袭到，忙伸手将她一推，左手接住竹箭，叫道："留神暗器！"

话声未毕，外面又掷了一块飞蝗石进来。李沅芷闪身接住，只听得外面喝骂："奸贼，快滚出来，免得大爷动手。"同时几个黑影迫近洞口。余鱼同提起竹箭箭尾，用打甩手箭手法向黑影掷去，一人呼痛跳开，却是彭三春胯上中箭。

滕一雷等以敌暗我明，不敢过份迫近，诸般暗器纷纷向洞里掷去。余鱼同和李沅芷缩在一边，捡起落在洞内的飞镖小叉，在敌人攻近时就还敬一枝。李沅芷靠在余鱼同身上，虽然情势危急，反觉实是生平未历之佳境，山洞寒冷黑脏，洞外强敌环攻，然而提督府中的绣楼香闺却无此温馨。

余鱼同低声问道："咱们怎生出去？"李沅芷笑道："何必出去？反正他们又攻不进来。"余鱼同急道："天明了怎么办？"李沅芷听他语气焦急，笑道："好，我想法子……喂，暗器来啦！"余鱼同向后急缩，又是一柄小钢叉钉在脚边地上。顾金标气愤之极，两柄小叉发出，使动钢叉护住门面，抢到洞口。

李沅芷扬手发出三枚芙蓉金针。暗器细小，又在黑暗之中，本难闪避，但她发针手法未臻化境，顾金标总算及时发觉，猛一缩头，两针落空，只一针刺进头发，刺伤了头皮。他头顶刺痛，想到这类细微暗器多半带有剧毒，心中一骇，疾忙跳开，拔下金针，亮火折看时，见针尖之血并非黑色，知道无毒，这才放心。

滕一雷接过金针一看，气得哇哇大叫，说道：“老三头骨上钉的，不就是这种金针？原来害死他的就是这奸贼。”

那日焦文期被陆菲青以金针射瞎双目，尸首过了几年才给人在山谷中发现，其时面目早已腐坏，只从他兵器和衣饰上才认了出来，脸上肌肉烂去，露出几枚金针牢牢的钉在头骨之上。当日陆菲青以一把金针掷在焦文期脸上，大部分拔回，但深入肉里的几枚却未起出。韩文冲信中曾详述此事和金针形状。岂知当时杀焦文期的固然不是余鱼同，而今日射伤顾金标的也并不是这金笛秀才。

滕顾两人愤怒异常，攻得更紧，但害怕金针厉害，不敢再窜近洞口。

李沅芷眼望洞外御敌，说道：“你干么避开我？难道你见到我就讨厌吗？”余鱼同道：“李师妹，你干么现下说这些话？咱们脱了险之后再说行不行？”李沅芷默然不语，过了一会，说道：“那时候你又要避开我了。”余鱼同听她语气凄楚，心中一动，颇感歉仄。突然蓬的一声，一个火把掷在洞口，余鱼同一呆，火把中只见她俏脸含怨，泪珠莹然，一张雪白的脸被火光一迫，更觉娇艳。

李沅芷叫道：“他们要用烟薰。”她纵身出去想踏灭火把，敌人暗器纷纷攒击，只得退回。不出她所料，言伯乾和宋天保果然割了不少草来，掷在火把上，浓烟升起，顺风涌进山洞，把两人薰得不住咳嗽。不久火把渐熄，烟却越来越浓。

李沅芷知道在洞中无法再呆，说道：“你守住洞口。”把剑交给余鱼同，退到他身后。余鱼同听到背后衣衫抖动之声，不知她在干什么，回头一望。李沅芷忙叫：“回过头去！”余鱼同大为奇怪，原来烟雾中见她在解外衣。这时他双目被浓烟薰得不住流泪，强自撑住。

李沅芷走上前来，接过长剑，把一件长衣掷在他身上，说道：“快穿上。”余鱼同想问。李沅芷连催：“快穿，快穿。”见他穿了，又把剑交给了他。

这时浓烟渐弱，又是一个火把掷了过来，这次的火把更旺，照得一片明亮。李沅芷道："咱们分头走，你千万不可跟我。"不等余鱼同回答，已空手纵出洞去。余鱼同大惊，伸手急拉，却没拉住。

陈家洛走回湖边，只见红花树下坐着一个白衣如雪的少女，长发垂肩，正自慢慢梳理。她赤了双脚，脸上发上都是水珠，心道："天下哪有这样的美女？"

第十三回　吐气扬眉雷掌疾
惊才绝艳雪莲馨

陈家洛等一行在山洞附近察看，又发现了烟薰火焚的痕迹，可是余鱼同性命如何，去了何方，却无丝毫端倪。文泰来忧心如焚，把几枝竹箭在手中折成寸断。骆冰道："十四弟机警得很，打不过人家定会逃走，咱们烦上官大哥多派弟兄在附近寻访，必有头绪。"上官毅山道："文四奶奶说得对，咱们马上回去。"

众人回到孟津，上官毅山把当地龙门帮得力的弟兄都派了出去，叮嘱如发现可疑眼生之人，立即回报。挨到初更时分，众人劝文泰来安睡。徐天宏道："四哥，你不吃饭，不睡觉，要是须得立即出去相救十四弟，怎有精神对敌？"文泰来皱眉道："我如何睡得着？"又等了一会，上官毅山走进房来，摇头道："没消息。"徐天宏道："这几天中可有什么特异事情？"上官毅山沉吟道："只曾听人说，西郊宝相寺这几日有人去啰唆吵闹，还说要放火烧寺。我想这事和十四爷一定没有关系。"众人心想，和尚与流氓争闹事属寻常，无论如何牵扯不到余鱼同身上。当下言定第二日分头再访。

文泰来在床上翻来覆去，想起余鱼同几次舍命相救的义气，热血上涌，怎能入梦？见身旁骆冰睡得甚沉，于是悄悄起身，开窗跳出房去，心想："我到处瞎闯一番，也好过在房中睡觉。"展开轻功疾奔，不到半个时辰，已在孟津东南西北各处溜了一遍，郁积稍舒，忽见黑影闪动，一个人影向西奔了下去。他精神一振，提气疾追。

那人影奔跑一阵，轻轻拍掌，远处有数人拍掌相应。文泰来见对方人众，悄悄跟踪。那人一路向西，不一刻已到郊外。四周地势空旷，文泰来怕他发觉，远离相随，行了七八里，那人向一座山岗上走去，于是跟着上山，望见山顶有座屋宇，知道那人定是向屋走去，于是不再跟随，在树丛中一躲，抬头望时，不禁大失所望，原来那屋宇是座古庙，庙额匾上三个大字，于朦胧微光中隐约可辨："宝相寺"。

文泰来低呼："倒霉!"跟了半天，跟的却是要跟寺中和尚为难的流氓。转念一想，既然来了，便瞧瞧到底谁是谁非，要是有人恃强凌弱，不妨伸手打个抱不平，聊泄数日来胸中恶气，于是溜到庙边，越墙入内，从东边窗内向大殿望去，见一个和尚跪在蒲团上虔诚礼佛。过了一会，那和尚慢慢起来，回过头来，文泰来眼见之下，不由得惊喜交集。

滕一雷等见火光中一人穿着长衫、蒙了脸从洞中窜出，忙上前兜截。那人喝道："金笛秀才在此，你们敢追来么?"滕、顾、言三人对他都欲得之而甘心，不再去理会洞中那黑衣人，一齐急步追赶。滕一雷脚步最快，转眼间已扑到那人身后，独脚铜人前送，一招"毒龙出洞"，直向他后心点去。那人纵出一步，回手一扬，滕一雷急忙倒退，怕他金针厉害。那人其实是李沅芷，她披了余鱼同的长衫，要引开敌人，好让余鱼同脱逃，手中扣了金针，敌人追近时便发针抵挡。滕一雷武功虽高，可是在黑暗之中，实在惧怕这无声无影的细微暗器，只得远远跟住，却也毫不放松，直追到孟津市上。相持了半夜，其时天色已明。李沅芷见一家客店正打开门板，便闯了进去。

店伴吓了一跳，张口要问，李沅芷掏出一块银子往他手里一塞，说道："给我找一间房。"店伴手里一掂，银子总有三四两重，便不多问，引她到了东厢一间空房里。李沅芷道："外面有几个债主追着要债，你别说我在这里。我只住一晚，多下来的钱都给你。”店伴大喜，笑道：“你老放心，打发债主，小的可是大行家。”

店伴刚带上房门出去，滕一雷等已闯进店来，连问：“刚才进来的那个秀才住在哪里？咱们找他有事。”店伴道：“什么秀才？”言伯乾道：“刚才进来的那个。”店伴道：“大清早有什么人进来？你老人家眼花了吧。秀才是没有，状元、宰相倒有几个在此。”

顾金标大怒，伸手便要打人，滕一雷忙把他拉开，悄声道：“咱们昨晚刚劫了狱，这时风声一定很紧，快别多事。”言伯乾对店伴道：“好，我们一间间房挨着瞧去，搜出来要你的好看。”店伴道：“啊哟，瞧你这副凶相，难道是皇亲国戚？”这时掌柜的也过来查问了。顾金标不去理他，一把推开，闯到北边上房门前，砰的一声，踢开房门。房内一个大胖子吃了一惊，赤条条的从被窝中跳了出来。顾金标一见不对，又去推第二间房的门。那大胖子满口粗言秽语，顾金标的十八代祖宗自然是倒上了霉。

客店中正自大乱，忽然东厢房门呀的一声开了，一个美貌少女走了出来。言伯乾回头一望，只觉这少女美秀异常，却也不以为意，仍是挨房寻查。李沅芷换了女装，笑吟吟的走出房外，刚到街上，只见一队捕快公差蜂拥而来，原来得到客店掌柜的禀报，前来拿人了。

余鱼同见劲敌已被引开，持剑出洞。彭三春和宋天保、覃天丞上前夹攻。余鱼同展开柔云剑术，三四招一攻，又把本已受伤的覃天丞左臂刺伤，乘空窜出。彭三春三节棍着地横扫，余鱼同身子纵起，三节棍从脚下掠过，忽然“啊哟”一声，向前摔倒。彭三春和宋天保大喜，双双扑来，满拟生擒活捉，不料想他突然回身，左手一扬，一大把灰土飞了过来，彭宋二人登时满脸满眼尽是尘沙。彭三春着地滚出数步，宋天保却仍然站在当地，双手在脸上乱擦。余鱼同挺剑刺进他的左腿，转身便走。这些灰土就是他们烧草薰洞时留下来的。

彭三春擦去眼中灰土，只见两个师侄一个哼，一个哈，痛得蹲在地下，敌人却已不知去向。彭三春又是气恼，又是惭愧，给两人包扎了伤口，叫他们在山洞中暂时休息，自己再出去追踪，沿山道走了七八里路，却遇见了言伯乾、滕一雷等人。哈合台又和他们在一起了，还多了一个不相识的，这人四十上下年纪，背着个铁琵琶，脚步矫健，看来武功甚精。

言伯乾见师弟在路上东张西望，神态狼狈，忙上前相问。彭三春含羞带愧的说了，幸好滕一雷等三人也是一无所获，大家半斤八两。

回到山洞，言伯乾给彭三春引见了，那背负铁琵琶之人便是韩文冲。他在杭州给红花会摆布得哭笑不得，心灰意懒，王维扬要他回镇远镖局任事，他无论如何不肯，反劝总镖头及早收山。王维扬和张召重在狮子峰一战，死里逃生，心想此后帮红花会固然不行，跟他们作对也是不妥，事在两难，听韩文冲一说，连声道："对，对！"便即北上，去收束镖局。韩文冲自回洛阳，满拟从此闭门家居，封刀退出武林，哪知却在道上遇见了正要上杭州去找他的哈合台。他不愿再见武林朋友，低头假装不见，但他的铁琵琶极是起眼，终于躲不开，给哈合台认了出来。

两人在客店中一谈，韩文冲把焦阎三魔送命的经过详细说了，哈合台才知金笛秀才和红花会果然不是他们仇人，他对余鱼同很有好感，忙约韩文冲赶去解救。韩文冲不想再混入是非圈子，但哈合台说，只有他去解释，滕顾两人才不致跟余鱼同为难，否则伤了此人，日后红花会追究寻仇，他焉能置身事外？韩文冲一想不错。两人赶到孟津，正逢滕一雷等从客店中打退公差奔出。五人会合在一处，回头来找山洞中的黑衣人。

余鱼同逃离险地，心想仇人中三个好手都追李沅芷去了，她一个少年女子，如何抵挡，心中甚是忧急，一路寻找，不见影踪，寻到孟津郊外，知道公门中识得自己的人多，不敢寻将下去，挨到晚上，闯到一家小客店歇了。这一晚又哪里睡得着？心下自责无情，李沅芷两次相救，然而眼前心上，仍然尽是骆冰的声音笑靥，远远听得“的笃、的笃、镗镗”的打更声，却是已交二更天了。

正要朦胧合眼，忽然隔房“东弄”一响，有人轻弹琵琶。他雅好音律，侧耳倾听，琵琶声轻柔宛转，荡人心魄，跟着一个女人声音低低的唱起曲来：“多才惹得多愁，多情便有多忧，不重不轻证候，甘心消受，谁教你会风流？”

他心中思量着“多情便有多忧”这一句，不由得痴了。过了一会，歌声隐约，隔房听不清楚，只听得几句：“……美人皓如玉，转眼归黄土……”出神半晌，不由得怔怔的流下泪来，突然大叫一声，越窗而出。

他在荒郊中狂奔一阵，渐渐的缓下了脚步，适才听到的“美人皓如玉，转眼归黄土”那两句，尽在耳边萦绕不去，想起骆冰、李沅芷等人，这当儿固然是星眼流波，皓齿排玉，明艳非常，然而百年之后，岂不同是化为骷髅？现今为她们忧急伤心，再过一百年想来，真是可笑之至了。想到这里，不禁心灰意懒，低头乱走，见前面山脚下一棵大树亭亭如盖，过去坐在树下休息一阵。连日惊恐奔波，这时已疲累非凡，靠在树上，朦朦胧胧的便睡着了。

睡梦中忽听得钟声镗镗，一惊而醒，一抽身边金笛没抽到，想起早已被顾金标抢去，不觉哑然。这时天已黎明，钟声悠长清越，隐隐传来。他睡了半夜，精神已复，心想：“暮鼓晨钟，真是发人深省。”信步随着钟声走去，原来是山岗上一所寺院中所发。依着山道上岗，见庙宇已颇残破，匾额上写着“宝相寺”三字。

走进大殿，见殿上一尊佛像，垂头低眉，似怜世人愁苦无尽，心下感慨，只见四壁绘满了壁画，正待观看，一个老和尚迎了出来，打个问讯，道：“居士光降小寺，可有事么？”余鱼同一怔，道：“在下到处游山玩水，见宝刹十分清幽，想借住数日，纳还香金，不知会打扰么？”那老僧道：“小寺本为十方所舍，居士要住，请进来吧。”命知客僧接待到客房里，素面相待。

余鱼同吃过面后，又睡了两个时辰。睡醒起来，红日满窗，已是正午，佛殿上传来木鱼之声。出得房来，想下岗去找李沅芷，经过殿堂时见到壁画，驻足略观，见画的是八位高僧出家的经过，一幅画中题词说道，这位高僧在酒楼上听到一句曲词，因而大彻大悟。余鱼同不即往下看去，闭目凝思，那是一句什么曲词，能有偌大力量？睁开眼来，见题词中写着七字："你既无心我便休"。这七个字犹如当头棒喝，耳中嗡嗡作响，登时便呆住了。

痴痴呆呆的回到客房，反来覆去的念着"你既无心我便休"七字，一时似乎悟了，一时又迷糊起来。当日不饮不食，如癫如狂。知客僧来看了几次，只道他病了，劝他早睡。余鱼同睡在床上，听寺外风声如啸、松涛似海，心中也像波浪般起伏不定，二十三年来往事，一幕幕涌上心头，中秀才、杀仇人、走江湖、行侠仗义，不知经历了多少危险，却一直无忧无虑，逍遥自在，哪知在太湖总舵中有一日斗然遇见了这个前生冤孽，从此丢不开，放不下，苦恼万分。回想骆冰对待自己，何曾有过一丝一毫情意？你既无心，我应便休，然而岂能便休？岂能割舍？心绪烦躁，坐起来点亮了灯，见桌上有一部经书，乃是从天竺最早传到中国的《四十二章经》。

随手一翻，翻到了经中"树下一宿"的故事，叙述天神献了一个美丽异常的玉女给佛，佛说："革囊众秽，尔来何为？"看到这里，胸口犹似受了重重一击，登时神智全失，过了良久，才醒觉过来，心想："佛见玉女，说她不过是皮囊中包了一堆污血污骨，我何以又如此沉迷执着？"当下再不多想，冲出去叫醒老僧，求他剃度。

那老僧劝之再三，余鱼同心意愈坚。老僧拗他不过，次日早晨只得集合僧众，在佛前和他剃度了，授以戒律，法名空色。

余鱼同礼佛诵经，过了几天清静日子。这一日跪在佛前做早课，默念我佛慈悲，普渡众生，心头清凉明净，真似一尘不染。忽然背后一人用江湖黑话说道："孟津周围都找遍了，这合字在这里又没垛子窑，能扯到哪里去呢？”余鱼同一惊：“这声音好熟。”又听得另一人阴森森的道：“就是把孟津翻个身，也要找到这小贼。”余鱼同一咬牙，心道：“好，你们终究寻来了。”原来这时滕一雷和言伯乾等人已站在他的身后。

他一动不动，听哈合台和顾金标在他背后激烈争辩。哈合台力主即刻动身，到回部去找霍青桐报仇，顾金标不依，定要先找余鱼同。不久听得言伯乾询问住持，有没有一个丑脸秀才到寺里来过。住持一呆，支吾其词。言伯乾起了疑心，闯到后院各房中去搜查，在僧房中找到了李沅芷那件黑衫。

言伯乾立即变色，回出来严词质问。住持说：“那秀才相公早已不在了，你们永远找不到这秀才了。”余鱼同站起身来，敲着木鱼，慢慢走向后殿。言伯乾起了疑心，向宋天保一努嘴。宋天保会意，直跟进去，叫道：“喂，你那和尚，我有话说。”余鱼同不理，脚下加快。宋天保追上去伸手抓他后心。余鱼同身子一侧，僧袍左袖挥起，拂向他脸。宋天保疾忙后退，只觉胁下奇痛，原来已被木鱼槌重重戳了一记，叫道：“哎唷，好痛！”蹲下地来。余鱼同念道：“阿弥陀佛，痛是不痛，不痛是痛！”敲着木鱼，走向后院去了。

言伯乾等听木鱼笃笃之声渐远，却不见宋天保出来，忙撇下住持抢到后殿，见他坐在地上，愁眉苦脸的按住胁下。彭三春喝道：“坐在这里干什么？那和尚呢？”宋天保说不出话，满头大汗，向后面一指。彭三春和顾金标向后追去，除了厨下有个火工，此外不见有人。言伯乾拉起宋天保，看他胁下伤处，只见乌青了一块，伤势竟自不轻，忙问：“那和尚伤的？”宋天保点点头。言伯乾又问：“那和尚是怎样一个人？”宋天保张口结舌，说不出话来，他始终没见到和尚一面。

这时滕一雷已把住持抓了进来，觉他手脚软弱无力，知他不会武功，喝问：“刚才那和尚是哪里来的？”住持推说是外地来的挂单和尚，不知来历。滕一雷等虽然疑心，但问了半天，问不出结果，只得罢了。言伯乾说要放火烧寺，那住持很有骨气，并不畏惧。

滕一雷一使眼色，众人退出寺去。滕一雷道："这庙里有点古怪，咱们晚上来探。"众人到附近乡村中买些面食吃了，晚上越墙进寺，窥探了一个多时辰，毫无动静。第二天哈合台嚷着要到回部找霍青桐，顾金标不死心，记着泼羹之恨，又到寺里和住持争执了一回，对哈合台道："今晚如再找不到那恶和尚，明天一早就依你动身。"文泰来夜中所见到的黑影，便是滕一雷和言伯乾那批人。

文泰来见那和尚回过头来，满脸伤疤，竟是十四弟余鱼同，又惊又喜："他怎么躲在此地，做了和尚？"心下大疑，且不招呼，缩在一旁观看动静。就在此时，蓬的一声，殿门推倒，七八个人闯了进来，文泰来只识得言伯乾一人，想起这人在铁胆庄捉拿自己，后来在凉州又对自己肆意侮辱，仇人一见，怒火上冲，暗道："菩萨有灵，教这贼子今日撞在我手里！"

滕一雷等奔进大殿，各举兵刃，在余鱼同身周围住。哪知他跪在佛像面前，对敌人毫不理会，双手合十祷告："弟子罪孽深重，招引邪魔外道，滋扰清净佛地，我佛慈悲。"众人见他如此，颇为讶异。言伯乾一把抓住他右臂，喝道："捣什么鬼，走吧！"

寺中住持和僧众闻声起来，见这干人手执明晃晃的兵器，犹似凶神恶煞一般，都躲在殿后，不敢出来。余鱼同并不抵抗，跟着言伯乾便走。覃天丞抢到前面，拉开殿门。

大门开处，只见一人默不作声的挡在门口。众人出其不意，都退后了一步，只见这个人身穿灰布衫裤，腰中扎了一条布带，圆睁双眼，虎虎生威。

言伯乾认得他是文泰来，这一惊非同小可，此人越狱之事，他还未知晓，喝道："你……你是奔雷……"话未说完，文泰来右掌已向他手腕击下，这一招快得异乎寻常，言伯乾不及招架退缩，急忙松手，手腕已被拂中，余鱼同也被他扯了过去。言伯乾跳出两步，才觉到手腕上一阵剧痛，似乎骨头都已断了几根。

滕一雷等七人都未见过文泰来，但见他手法快得出奇，不免心惊。滕一雷一摆铜人，站在门口，心想己方共有八人，有五人是江湖上一等一的好手，对方再厉害，也敌不过人多，抢在门口截拦，以防敌人逃走。

文泰来把余鱼同拉过，一齐跃到殿左。余鱼同叫道："四哥，你……"文泰来道："受伤了吗？"余鱼同道："没有。"文泰来道："好，咱哥俩今日打个痛快。"余鱼同还想说话，宋天保和覃天丞已各挺兵刃扑了上来。

文泰来一见二人身法，知是辰州言家拳一派中人，他本就嫉恶如仇，这几个月来又遭到生平从所未有的屈辱，这时下手再不容情，身子一晃，已窜到了宋覃两人背后。两人兵刃尚未砸下，敌人忽已不见，正要收招转身，后领已被抓住。彭三春站得最近，三节棍"毒蛇出洞"，向文泰来后心点来。文泰来双手抓住两人，陡然转身，把两人提着打了个圈子，大喝一声，犹如晴空打了个霹雳。彭三春一惊，三节棍呛啷啷一声掉在地下。大喝声中，文泰来双臂平举，用力合拢，覃宋两人头盖碰头盖，砰的一声，撞得血肉模糊，脑浆迸裂。

文泰来毫不停手，提起两具尸体向敌人掷去，顾金标等跃开避过。言伯乾毕竟师徒关心，伸手接住了覃天丞，却没余裕想到是具尸体。这只是刹那间之事，彭三春吓得胡涂了，手足无措，既不拾棍，也不逃开。文泰来踏上一步，左手反手一拳，彭三春举臂挡格，喀喇一声，臂骨早断。文泰来左手已顺势抓住他胸衣。彭三春情急拼命，飞起鸳鸯连环腿，向他胸口踢来。文泰来右手如风，一把抓住他左脚，左手推下，右手上举，把他倒提起来。顾金标和言伯乾双双来救。文泰来又是猛喝一声，双手用力向地下打桩般一锤，彭三春头盖撞在佛殿的青石板上，焉得不碎？这两招迅速已极，彭三春本来是连环双腿，左脚踢出，右脚随上，哪知头盖撞破之后，右脚方才踢出。

奔雷手大展神威，顷刻间连毙三敌，眼见顾金标和言伯乾左右攻来，知道这两人乃是劲敌，迥非适才三人可比，忽地退后一步，顺手举起供桌上的一只大香炉，向顾金标猛掷过去。这香炉重达七八十斤，加上这急掷之势，顾金标哪里敢接，忙斜身闪避。香炉急掷之势不停，直向滕一雷飞去。滕一雷被顾金标遮住目光，等他跃开时，香炉已到眼前。哈合台急叫："老大，留神！"滕一雷不及避让，提起独脚铜人猛力一击，只听砰的一声大响，石香炉被击成数块，石屑香灰四处乱飞。

这时言伯乾和文泰来已交上了手。余鱼同抢起一个鼓槌，站在文泰来身后卫护。滕顾两人脸上都被石屑擦伤数处。顾金标挺叉上前，正要加入战团，文泰来身法如风，在言伯乾脸前虚晃一掌，倏地抢到了哈合台身边。他观看情势，虽然已毙三人，仍是敌众我寡，而且其余五人武功似乎均非泛泛，必须出其不意再伤数人，才能取胜。他见哈合台与韩文冲两人站得较远，突然纵身过去，发掌打向哈合台后心。

哈合台一矮身，让开了这掌，反手勾拿敌腕。文泰来见他手法快捷，"噫"了一声，左掌横过他面门，斜击对方项颈。哈合台又是一低头，伸手抓他手腕。文泰来见他每招出手都是擒拿手，可是手法甚怪，颇感惊奇。

哈合台和文泰来拆了两招，两次都没勾住他手腕，这本是他百不失一的绝技，心中一惊，蓬的一声，背上已中了一掌。文泰来见这一掌居然没能将他打倒，更是惊奇，却不知哈合台虽在辽东多年，仍是依照蒙古人习俗，穿着牛皮背心。

这一掌如中败革，文泰来还道他练有奇特功夫，哈合台却也一直痛到了前心，突往地下一坐，伸臂来抓文泰来腰侧。文泰来右掌翻过，"电母照镜"，横击对方脸颊。哈合台一侧头，已抓住他右腕，抬手把他甩起，正要掷向地下，忽然手腕一麻，半身酸软。

余鱼同见文泰来遭危，大惊上来抢救，刚纵出一步，忽见文泰来落在地上，已把哈合台夹在腋下，原来文泰来顺手点中了他的穴道，反手擒住，双手一送，将他直掼了出去。余鱼同急叫："四哥，那是朋友！"哈合台头前脚下，平平向巨钟撞去。滕一雷和顾金标站在门口，抢来相救已然不及。

文泰来听余鱼同一叫，倏然如箭般扑上去，去势竟比哈合台飞身撞出更快，便在千钧一发之际，伸手抓住他右足皮靴，硬生生的抓了回来，左掌在他"肩井穴"一拍一揉，拉起站住，说道："啊，是朋友，对不住。"哈合台死里逃生，怔怔的站在当地。滕一雷和顾金标突见文泰来救了盟弟性命，本来双双扑上拼命，忽地收住，滕一雷把哈合台扶在一旁。

余鱼同叫道："小心后面！"文泰来猛觉脑后风生，回身一个扫堂腿，不避不让，先踢敌人。言伯乾双手钢环叮当一碰，和身跃起，右环护身，左环平伸，扫向文泰来腰骨，将要扫到，忽地收住，右环斗然发了出去。文泰来大喝一声，伸手夺环。

这次仇人相见，不见死活不收手，佛殿中灯火黯淡，如来佛俯首低眉，望着座前两人狠恶拼斗。余鱼同靠在佛像一旁，滕一雷、顾金标、哈合台、韩文冲四人站在门口，面向殿里。大殿上横着三具尸首，都是头盖破裂，血肉模糊。言伯乾见滕一雷等居然并不上前相助，心中愤怒异常，把双环使得呼呼风响。

他拳法上固有独得之秘，在这对双环上也是下了数十年苦功。文泰来和他拆了十余招，见他攻守严密，动作迅捷，颇有法度，猛喝一声，双掌翻飞，拳法已变。每一拳掌之出都是猛喝一声，或先呼喝而掌随至，或拳先出而声后发，或拳声齐作，或有声无拳，喝声和掌法拳招搓揉一起，身法愈快，喝声愈响，神威逼人，言伯乾渐见不支。

文泰来这路"霹雳掌"的掌风喝声之中，隐隐蓄有风雷之势。言伯乾支撑到此刻，已是全身大汗淋漓，双臂发麻，双环交叉，退后一步，他知文泰来必定抢攻，果然对方毫不放松，踏步发掌。言伯乾双环"白燕剪尾"，右环本来在左，左环本来在右，这时蓦地向两旁豁开，眼见敌人一条前臂便要被双环砸断。哪知文泰来将计就计，伸掌直按向他胸前。言伯乾知道这一掌如被按上了不死也伤，只得回过左环，挡在胸前，右环反砸敌肩。文泰来大喝一声，五指一弯，已抓住钢环，跟着飞快绕到敌人身后。言伯乾呆得一呆，右环也已被抓住。文泰来用力扳转，言伯乾双手弯了过来，如不放手，双手立断，只得松了十指，一对钢环已落入对方手中，疾忙向前纵出三步，方才回身。

文泰来喝道："还你的!"双环向他掷去。这一下劲道大得出奇，言伯乾虽见兵刃飞回，然而耳听风声劲急，眼见钢环来势凌厉，若是伸手去接，手指非折断不可，忙向右闪避，当当两声大响，双环嵌入了巨钟。滕一雷、顾金标等不自禁的同声喝彩。

言伯乾忽然两目上翻，双臂平举，僵直了身子，一跳一跳的纵跃过来，行动俨如僵尸。这是言家拳中的一路奇门武功，混合了辰州祝由科的慑心术而成。他双目如电，勾魂慑魄的射向敌人，两臂直上直下的乱打，膝头虽不弯曲，纵跳却极灵便。文泰来和他目光一接，机伶伶的打个冷战，心中一震，急忙转头，展开霹雳掌，接战他这江湖上罕见的"僵尸拳"，又拆了十余招，一声猛喝，突然跳开。

言伯乾两眼发直，如同醉酒，身子不住摇晃，忽然流下泪来。众人正感奇怪，他"哇"的一声，一股鲜血从口中直喷而出，身子僵直，站着不再动了。

众人见他如此阴森可怖，均觉有一阵寒气迫人而来。文泰来见他流泪吐血，也就不再追迫。余鱼同道："祸福无门，惟人自召，你去吧!"言伯乾双目直视，丝毫不动。

韩文冲道："言大哥，咱们走吧!"见他不动，拉他一把，不料言伯乾应手而倒，摸他身子，早已气绝多时了。他前脑后背连接被文泰来击中两掌，已然震死。

韩文冲叹了一口气，向文泰来拱手道："这位是奔雷手文四爷?"文泰来点了点头。韩文冲道："兄弟韩文冲。"文泰来知道他是镇远镖局的人，又点了点头。以前率人到铁胆庄来拿他的，是镇远镖局的童兆和，可是这次在杭州狮子峰斗张召重，他镖局又和红花会联手，因此这人可说是介于友敌之间。韩文冲指着滕一雷等三人，说了姓名，相互点了点头，都不说话。韩文冲道："他们三位过去对红花会有点误会，现今已由兄弟说明。"他见文泰来冷冷的，知他心中对镇远镖局尚有余怒，说道："告辞了。"拱手为礼，转身出寺。关东三魔也跟着走出殿去。

文泰来见顾金标转过身来，背后腰里插着余鱼同那枝金笛，走上两步，叫道："顾老哥，把我兄弟的兵器留下吧。"顾金标停步转身，怒道："好，他有本事，自己来取。"他武功颇非泛泛，十余年来纵横辽东，杀人越货，罕逢敌手，除了对老大滕一雷稍有忌惮外，谁都没放在眼里，对余鱼同的沸羹泼面之辱，更是恨得牙痒痒地，适才见了文泰来的神威，自知非敌，不敢生事，但他既惹到自己头上，却也不肯示弱，就此将金笛乖乖的送上，当下一抖虎叉，准备迎敌。文泰来伸手就来夺他虎叉。

两人正要厮拼，余鱼同突然跃出，说道："四哥，小弟已经出家，这笛子用不着了，让顾大哥带去吧。"文泰来见他这么说，倒也不便再代他出头，哼了一声，让开了两步。顾金标收起虎叉，跃出殿外。

滕一雷心想："这姓文的好横，你武功虽好，难道我们就惧怕于你？不如显上一手，也好教你知道厉害。"这时三人已走到外殿，见韦护手执降魔宝杵，站在正中，神像前点着油灯，四大金刚坐在两旁。滕一雷跃上神座，运起功力，把每个神像都摇晃了一会，喝道："走吧！"

文泰来和余鱼同听得殿外格格声响，奔出来看，猛见五个神像似乎活了一般，一一扑将下来。这时回身已然不及，文泰来暗叫："不好！"抓住余鱼同左臂，使开"瞬息千里"轻身功夫，跃出山门。脚未落地，已听得殿里蓬蓬蓬几声巨响，烟雾弥漫，尘土飞扬，几尊神像跌得粉碎。四大金刚又大又重，跌下来声势十分猛恶。文泰来大怒，拔步追出。余鱼同道："四哥，今晚杀了四人，已经够啦！”文泰来一怔停步，问道：“你怎么做了和尚？”

滕一雷弄倒神像，却也怕文泰来赶来寻衅，和顾金标等疾向山下奔去。顾金标忽觉后腰一动，伸手一摸，金笛已然不见，大骇之下，“咦”的一声惊呼。滕一雷等停步询问。顾金标又惊又怒，骂道：“操他奶奶雄，这姓文的像鬼一样，把金笛偷去啦。”四人明明瞧见文泰来和余鱼同从殿里奔出，相距甚远，怎么转眼之间便能赶上来抢回金笛，身法之快，令人不寒而栗。哈合台道：“老二，别骂啦，要是他不拿金笛，给你背上一掌，你还有命吗？”顾金标心想文泰来确是手下留情，也就不言语了。

四人商量着到回部去找霍青桐，给辽东三魔报仇。韩文冲一定不肯同去，三人不便勉强，到了孟津就此分手。韩文冲回到洛阳隐居，闭门弹琵琶，再不出山，终于得享天年。

余鱼同听文泰来问他出家原因，叹了一口气，说道：“四哥，我对你不住，你肯原谅我吗？”文泰来道：“咱们是好兄弟，别说你没什么对我不起，就是有，那也是无心之过，我怎会介意？”余鱼同道：“这不是无心之故，乃是有意的忘恩负义。”文泰来微微一笑，道：“你舍命救我，非止一次，若说对我无义，有谁能信？”月光下见他身披袈裟，面目毁伤，又怎是昔日那个英俊少年，不由得一阵心酸，说道：“十四弟，咱们是生死骨肉的交情。便有天大的难事，四哥也一力为你担当，为何如此心灰意懒？”

余鱼同自从父母被害，流落江湖，以往红花会众兄弟间虽然交情都好，但从没人如此真如亲哥哥般对他说话，不觉动情，但转念一想，我既已出家，一切情丝俗缘都要斩断，于是硬起心肠，冷冷的道：“四哥，你请回去吧。以后咱们不一定有再见之日。我叫空色，你别再叫我十四弟啦。”说罢突然转身进寺。

文泰来呆了半晌，看他神情，知道再劝也是无用，虽然掌毙强敌，得报深仇，然见余鱼同如此，甚是郁郁，不由得长叹一声，悄回孟津。

余鱼同回入寺中，只见满殿佛像碎片，四具尸体横卧就地。他跪在残破的佛像之前，深切忏悔，忽听得轻轻的当啷一响，抬起头来，自己那枝金笛竟便在面前闪闪生光。他吃了一惊，回过头来，只见李沅芷站在身后。这时她穿了女装，灯光下越显妩媚，只是满脸幽怨。余鱼同合十打了一躬，并不作声。李沅芷见他如此忍心，欲言又止，再也忍不住，坐在地下掩面哭了出来。

文泰来回到客店，骆冰已穿好衣服，带了兵刃，正要出外寻他，见他回来，心中大喜，怪道："怎么悄悄一个人出去，也不叫人家一声。"文泰来道："谁叫你睡得这样沉？哪一天让人绑了去，怕还睡得不知道呢。"骆冰笑道："那最好，也好让你尝尝着急的滋味。"见丈夫神色凄然，忙问："怎么啦？"文泰来道："我见到了十四弟，他做了和尚。"骆冰一怔。文泰来道："咱们见总舵主去。"叫醒了陈家洛、徐天宏等人，述说经过，章进第一个忍不住，跳起身来。众人忙奔宝相寺而去。

到得寺中，只见空荡荡的已无一人，想是寺僧见众人恶斗凶杀，吓得逃走了还没敢回来。骆冰见佛像前供桌上压着一张字条，取在手中，众人围拢来看，见字条上写道：

"总舵主暨各位哥哥英鉴：小弟罪孽深重，出家忏悔，以了尘缘，望各位努力大事，以成不世功业，小弟日夕在佛前为此祷告。小弟现出外募化，重修佛像金身，或数月之后，方能归也。关东三魔已首途回部，寻翠羽黄衫去矣，务请设法拦阻为要。

小弟鱼同顿首再拜"

众人看了都很伤感，骆冰心中更是说不出的滋味。章进怒道："出什么屁家？咱们把这庙放火烧了，瞧他还做不做成和尚？"说着拿了烛台，就要去放火，骆冰连忙喝止。

徐天宏道："我看十四弟凡心未断，未必能做一辈子和尚。"文泰来忙问："何以见得？"徐天宏道："第一、他还挂念咱们的大事。第二、他要募化重修佛像，但他素来心高气傲，不屑求人，要他募化，哪能成功？我瞧他势必仍用老法子，要去劫盗为富不仁的大户。”说到这里，众人都笑了起来。陈家洛笑道：“哪还像什么和尚？”徐天宏道：“他连翠羽黄衫都还放心不下，只怕做和尚很难。这字条上署的是他本名，不写和尚法名。看来他对自己的和尚身份也不怎么在乎。”众人听他一说，都觉有理，也就宽怀。

文泰来道：“这关东三魔武功很强，不知那翠羽黄衫能敌得住吗？”徐天宏道：“我们曾见霍青桐姑娘和六魔阎世章相斗，霍姑娘稍胜他一筹。不过若非总舵主出手相救，只怕也已遭了他的毒手。”文泰来道：“那不成，这大魔滕一雷力气大得异乎寻常，十分厉害。”徐天宏道：“那么咱们赶快动身去回部，路上把三魔截住。等咱们办完正事，再回来劝十四弟吧。”众人都说不错。

众人回到孟津，天已发白，便到酒楼去吃面喝酒。

徐天宏道：“三魔既已动身，咱们最好有人骑四嫂的白马赶过头去。眼下回部军情紧迫，木卓伦老英雄他们正忙于应付，别让翠羽黄衫冷不防的给三魔打个措手不及。”陈家洛心想此言甚是，皱眉不语。

章进道：“那我先去吧，你们随后来。”徐天宏道：“你性子急，别途中惹事，误了大事。”章进道：“我不惹事就是。”骆冰明白徐天宏的意思，说道：“你不懂回语，途中好生不便，目下到处有战事，别让回人们起了误会。”座中只有陈家洛和心砚两人在回疆住过十年之久，精通回语，骆冰这句话明明是要他们去了。陈家洛仍是不语。心砚道：“少爷，那么我先走吧。”徐天宏道：“总舵主，我瞧你还是先走最妥。你懂回语，功夫又好，关东三魔和你没朝过相，就是狭路相逢，动手不动手都不打紧。你赶到之后，要是兆惠仍不停手，你还可以帮他们出些主意。”陈家洛沉吟半晌，说道：“好吧！”吃过面后，谢了上官毅山，和众人作别，跨上骆冰的白马，向西驰去。

陈家洛得知关东三魔要去找霍青桐报仇，甚是关切，翠羽黄衫的背影在大漠尘沙中逐渐隐没的情景，当即袭上心头，但想到那姓李少年和她亲密异常的模样，以及陆菲青所说他徒儿与她两相爱悦的言语，又觉自己未免自作多情，徒寻烦恼，然而要将心头的思念置之度外，却又不能。

那白马脚程好快，只觉耳旁风生，山岗树木如飞般在身旁掠过。到得午间，已奔出二百多里，自必早把关东三魔远远抛在后面。打过尖后，纵马又驰，心想今日奔跑一日，关东三魔永远别想再赶得上，晚间在客店中歇宿时，已全然放心。

不一日已到肃州，登上嘉峪关头，倚楼纵目，只见长城环抱，控扼大荒，蜿蜒如线，俯视城方如斗，心中颇为感慨，出得关来，也照例取石向城投掷。关外风沙险恶，旅途艰危，相传出关时取石投城，便可生还关内。行不数里，但见烟尘滚滚，日色昏黄，只听得骆驼背上有人唱道："一过嘉峪关，两眼泪不干，前边是戈壁，后面是沙滩。"歌声苍凉，远播四野。

一路晓行夜宿，过玉门、安西后，沙漠由浅黄逐渐变为深黄，再由深黄渐转灰黑，便近戈壁边缘了。这一带更无人烟，一望无垠，广漠无际，那白马到了用武之地，精神振奋，发力奔跑，不久远处出现了一抹岗峦。

转眼之间，石壁越来越近，一字排开，直伸出去，山石间云雾弥漫，似乎其中别有天地，再奔近时，忽觉峭壁中间露出一条缝来，白马沿山道直奔了进去，那便是甘肃和回疆之间的交通孔道星星峡。

峡内两旁石壁峨然笔立，有如用刀削成，抬头望天，只觉天色又蓝又亮，宛如潜在海底仰望一般。峡内岩石全系深黑，乌光发亮。道路弯来弯去，曲折异常。这时已入冬季，峡内初有积雪，黑白相映，蔚为奇观，心想："这峡内形势如此险峻，真是用兵佳地。"

过了星星峡，在一所小屋中借宿一晚。次日又行，两旁仍是绵亘的黑色山岗。奔驰了几个时辰，已到大戈壁上。戈壁平坦如镜，和沙漠上的沙丘起伏全然不同，凝眸远眺，只觉天地相接，万籁无声，宇宙间似乎唯有他一人一骑。他虽武艺高强，身当此境，不禁也生栗栗之感，顿觉大千无限，一己渺小异常。

到哈密城后，心想军情紧急，对外来旅客盘查必严，于是绕过城市，径到城西的二堡。次日起来，寻思一过二堡向西，就要打听霍青桐的所在了，自己是汉人，只怕回人疑心自己是奸细，如何取得他们信任，倒要费一番周折，还是换了回人装束较好，于是在二堡买了回人戴的绣花小帽、皮靴和条纹衣衫，到旷野中换了，把原来衣服埋在沙中。临溪一照，宛然是个回族少年，自觉有趣，不禁失笑。

但一路之上，竟没遇到一个回人。沿途回人聚居的村落市集都已烧成白地，自是兆惠大军干的好事，所有回人必定都已逃入沙漠腹地。不由得着急起来，在这无边无际的大漠之上，却到哪里去找霍青桐？心想如沿大路寻访，只怕再也找不到一人，于是折而向南，尽往偏僻山地中乱走。回疆本就荒凉，不循大路，更是难遇人烟，向南走了三天，干粮吃完，幸好不久便打死了一只黄羊。

又走了两日，途中见到几个牧人，一问之下，却都是哈萨克族人。他们只知满清大军来了之后，回部大队人众都往西退走，却不知退往何处。

彷徨无计，只得纵马向西，信蹄所之，不加控驭，每天奔驰三四百里。如此走了四日，眼见皆是黄沙，天色蒙暗，不知尽头。

这日天气忽然热了起来，大漠之中气候变化剧烈，往往一日之内数历寒暑。本来水囊中的水都结了薄冰，这时却越走越热，烈日当空，人马身上都是汗水，他想找个阴凉所在休息，四顾茫茫，尽是沙丘，只得驰到一个大沙丘的背日处，打开水袋喝了三口，也让白马喝了三口，虽然奇渴难当，却不敢多喝，只怕附近找不到水源，喝完了水那可是死路一条。

人马休息了一个时辰，上马又行。正走得昏昏沉沉、人困马乏之时，忽然白马仰起头来，向天空嗅了几嗅，振鬣长嘶，转过身来，向南奔驰，陈家洛知道此马颇具灵性，便也由它。奔不多时，沙丘间忽然出现了稀稀落落的铁草，再奔一阵，地下青草渐多。陈家洛知道前面必有水源，心中大喜。那白马这时精神大振，四蹄如飞。不一会，已听得淙淙水声。

转眼之间，面前出现一条小溪，白马奔到溪边，陈家洛跳下马来，见水清见底，抚摸马背，笑道："多亏你找到这条小溪，咱们一起喝吧！"俯身溪边，掬了一口水喝下，只觉一阵清凉，直透心肺。那水甘美之中还带有微微香气，想必出自一处绝佳的泉水。溪水中无数小块碎冰互相撞击，发出清脆声音，丁丁东东，宛如仙乐。那马喝了几口水后，长嘶一声，跳跃了数下，也是说不出的欢喜。

陈家洛饮足溪水，心旷神怡，胸襟爽朗，回顾身上满是沙尘，于是卷起裤脚，踏入水中，把头脸手脚洗了个干净，再把马牵过，给它洗刷一遍。然后在两只皮袋中装满了水。冰块闪耀之中，忽见夹杂有花瓣飘流，溪水芳香，当是上游有花之故，心想："沿溪上溯，或许遇得到人，能问到霍青桐的行踪。"于是骑上了马，沿溪水向上游行去。

渐行溪流渐大。沙漠中的河流大都上游水大，到下游时水流逐渐被沙漠吸干，终于消失。他久住回疆，也不以为奇，但见溪旁树木也渐渐多了。纵马急驰了一阵，溪水转弯绕过一块高地，忽然眼前一片银瀑，水声轰轰不绝，匹练有如自天而降，飞珠溅玉，顿成奇观。

在这荒凉的大漠之中突然见此美景，不觉身神俱爽，好奇心起，想看看瀑布之上更有什么景色，牵马从西面绕道而上。转了几个弯，从一排参天青松中穿了出去，登时惊得呆了。

眼前一片大湖，湖的南端又是一条大瀑布，水花四溅，日光映照，现出一条彩虹，湖周花树参差，杂花红白相间，倒映在碧绿的湖水之中，奇丽莫名。远处是大片青草平原，无边无际的延伸出去，与天相接，草地上几百只白羊在奔跑吃草。草原西端一座高山参天而起，耸入云霄，从山腰起全是皑皑白雪，山腰以下却生满苍翠树木。

他一时口呆目瞪，心摇神驰。只听树上小鸟鸣啾，湖中冰块撞击，与瀑布声交织成一片乐音。呆望湖面，忽见湖水中微微起了一点漪涟，一只洁白如玉的手臂从湖中伸了上来，接着一个湿淋淋的头从水中钻出，一转头，看见了他，一声惊叫，又钻入水中。

就在这一刹那，陈家洛已看清楚是个明艳绝伦的少女，心中一惊："难道真有山精水怪不成？"摸出三粒围棋子扣在手中。

只见湖面一条水线向东伸去，忽喇一声，那少女的头在花树丛中钻了起来，青翠的树木空隙之间，露出皓如白雪的肌肤，漆黑的长发散在湖面，一双像天上星星那么亮的眼睛凝望过来。这时他哪里还当她是妖精，心想凡人必无如此之美，不是水神，便是天仙了，只听一个清脆的声音说道："你是谁？到这里来干么？"

说的是回语，陈家洛虽然听见，却似乎不懂，怔怔的没作声，一时缥缈恍惚，如梦如醉。那声音又道："你走开，让我穿衣服！"陈家洛脸上一阵发烧，疾忙转身，窜入林中。

他坐在地下，心中突突发跳，暗想："难道这只是个寻常的回人少女？她裸着身子在湖中洗澡，我居然看见了还不避开，咳，真是不该。"他十分不好意思，就想马上逃开，但想好容易见到了人，怎不问问她霍青桐的信息，一时委决不下。忽然湖那边传来了娇柔清亮的歌声：

"过路的大哥你回来，
为什么逃得快？口不开？
人家洗澡你来偷看，
我问你哟，
这样的大胆该不该？"

歌声轻快活泼，想见唱歌的人颊边含有笑意。

陈家洛听她歌中含意嘲弄多于责怪，于是慢慢走回湖边，缓缓抬头，只见湖边红花树下，坐着一个全身白衣如雪的少女，长发垂肩，正拿着一把梳子慢慢梳理。她赤了双脚，脸上发上都是水珠。

陈家洛一见她的脸，一颗心又是怦怦而跳，暗想：“天下哪有这般美女？”只见她舒雅自在的坐在湖边，明艳圣洁，仪态不可方物，白衣倒映水中，落花一瓣一瓣的掉在她头上、衣上、影子上。他平时潇洒自如，这时竟呐呐的说不出话来。

那少女向他嫣然一笑，招手要他走近。陈家洛用回语说道：“在下路过此地，天热口渴，忽然遇到这条清凉的溪水，找到了这里。不料无意冲撞了姑娘，实是无心之过，还请原谅。”说着行了一礼。那少女见他说得斯文，又是一笑，唱了起来：

“过路的大哥哪里来？
你过了多少沙漠多少山？
你是大草原上牧牛羊？
还是赶了驼马做买卖？”

陈家洛知道回人喜爱唱歌，平时说话对答，常以歌唱代替，出口成韵，风致天然，自己虽在大漠多年，但每日勤练武功，却没学到这项本事。他不知这少女的来历，不愿把自己的事据实以告，说道：“我从东边来，原是在关内赶骆驼做生意的，现今有件要事，要找一个人，要向姑娘打听。”

那少女见他不会唱歌，微微一笑，也就不唱了，问道：“你叫什么名字？”陈家洛道：“我叫阿密特。”那是回人最常用的男人名字。那少女笑道：“好吧，那么我叫爱西翰。”那也是回人女子中最多用的名字，有如汉人的芬芳贞淑之类。

那少女又道：“你要找谁？”陈家洛道：“我要找木卓伦老英雄。”那少女微微一怔，说道：“你识得他么？找他有什么事？”陈家洛道：“我识得他。我还识得他的儿子霍阿伊和女儿霍青桐。”

那少女道：“你在哪里见过他们？”陈家洛道：“他们到中原去夺还圣经，我刚巧遇着。”那少女道：“这就是了，你坐下吧，我去拿点东西给你吃。”她赤着双脚，奔进树丛中，不一会拿来一个碧绿的哈密瓜，一大碗马乳酒，递给了他。陈家洛谢了，先喝一口马乳酒，甚觉甘美。那少女又递给他一把小银刀，剖开瓜来，瓜肉如黄色缎子一般，咬了一口，香甜爽脆，汁液胜蜜。

那少女问道："你找木卓伦老爷子有什么事？"陈家洛听她语气，对木卓伦很是尊敬，问道："木卓伦老英雄是姑娘一族的么？"那少女点点头。陈家洛道："他们在夺还圣经时杀了几名镖师，现今镖师的朋友要来报仇。我得知讯息，赶来报信，好教他们防备。"

那少女本来一直笑口吟吟，听了这话，登现关怀之色，忙问："来报仇的人很厉害么？人很多么？"陈家洛道："人倒不多，不过武艺很好。但咱们只要事先有备，也不必怕。"那少女放了心，笑道："那么我马上领你去，路上得走好几天呢。"她一面梳发结辫，一面道："满清大军无缘无故的来打咱们，男人都打仗去啦，我和姊妹们在这里瞧着牲口。天气热，我下湖洗澡，哪想到这里还有你这个男人躲着。"陈家洛见她说话时天真烂漫，毫无机心，而玉容丽色，生平连做梦也想像不到，此情此境，非复人间，一时不由得痴了。

那少女梳完了头，拿起一只牛角来呜呜的吹了几下，便有几个回族女子骑马从草原上奔来。那少女迎上去，和她们说了一阵，想来总是说要领他到木卓伦那里，要她们帮同照料牲口之意。那几个女子不住打量陈家洛，甚感好奇。

那少女回到林中帐篷，拿了干粮和使用物品，牵了一匹红马过来。这马全身上下如火炭般红，并无半根杂毛，腿长膘肥，也是匹良驹。陈家洛去牵了白马。那少女道："你这匹马很好。咱们走吧！"一跃上马，体态轻盈。她当先领路，沿着溪流径往南行。

那少女道："你到了汉人的地方，汉人对你好不好呀？"陈家洛道："有的好，有的坏，不过好的多。"这时本想说明自己乃是汉人，但见她毫无猜疑的神情，一时倒说不出口。那少女问起汉人地方的风土人情，陈家洛拣有趣的说了一些，她听得憨憨的出了神。

这天将到傍晚，行到了一座大山之侧，那少女一抬头，忽然惊叫起来。陈家洛依着她目光望去，只见半山腰里峭壁之上，生着两朵海碗般大的奇花，花瓣碧绿，四周都是积雪，白中映碧，加上夕阳金光映照，娇艳华美，奇丽万状。

那少女道："这是最难遇上的雪中莲啊，你闻闻那香气。"陈家洛果然闻到幽幽甜香，从峭壁上飘将下来，那花离地约有二十余丈，仍然如此芬芳馥郁，足见花香之浓。那少女望着那两朵花，恋恋不舍的不愿便走。

陈家洛知她心中爱极，说道："你想要么？"那少女叹了一口气，道："走吧，咱们今日见到了雪中莲，闻到了花香，那也是很大福气了。"陈家洛微微一笑，忽然纵身离鞍，向峭壁上跃去。那少女惊叫起来："喂，你干么啊？"

陈家洛这时凝神屏气，全神贯注，已听不到她的叫声。他丹田中一股内息提在胸腹之间，以自己轻功是否能上得峭壁，实无把握，但这时浑没计及生死，手脚并用，缓缓的攀上了十多丈，再向上时，峭壁上积雪都结了冰，滑溜不堪，几次失足，都是以轻功借势旁窜，才没落下。爬到离花还有丈许之地，峭壁忽然整块凸出，在下面看来并不明显，要爬上去却绝无可能。心想："难道到了这里，仍然功亏一篑？"灵机一动，从怀里取出珠索，看准花旁一块凸出的山石，抛了上去缠住了。这时剑盾已拿在左手，右手拉着珠索一使劲，凌空跃起，看准地点，落在雪中莲之旁，左手剑盾牢牢按在坚冰之中，这才长长吁了口气，只觉幽香中人欲醉，于是轻轻把两朵大花折下，交在左手，以剑盾护住。

下去时看似艰险，于身有武功之人却甚容易，他沿着峭壁直溜下去，溜得太快时剑盾便在山石上一按，稍阻下堕之势，到离地三四丈时，双脚在峭壁上一撑，如一只大鸟般扑下来，轻飘飘的落在少女马前，抛下剑盾珠索，微微一笑，双手将两朵莲花捧到她面前。

那少女伸出一双纤纤素手来接住了。陈家洛见她的手微微颤动，抬头望她脸时，只见珍珠般的眼泪滚了下来，有几滴泪水落在花上，轻轻抖动，明澈如朝露。陈家洛不明白她为什么流泪，却也不问。

两人默默无言的上马走了一阵，陈家洛心想：“我今日真如傻了一般，也不知为什么，她想要那花，我就不顾性命的去给她取来。”回头瞧那峭壁，但见峨然耸立，气象森严，自己也不禁心惊。忽觉全身一片冰凉，原来攀上峭壁时大汗淋漓，湿透衣衫，这时汗水冷了，手足也隐隐酸软。那少女的至美之中，似乎蕴蓄着一股极大的力量，教人为她粉身碎骨，死而无悔。

天色将黑时，两人在河旁的一块大石下歇宿。那少女生了火，把带着的干黄羊烤熟，切开了与他共吃。她一直不说话，陈家洛也不敢开口，好似一说话便亵渎了这圣洁的情景。那少女默默望了他一眼，忽然奔出数十步，俯伏在地，向神祷祝。火光熊熊，映着她背影，四下寂静，只有雪中莲的香气暗暗浮动。

那少女站起身来时，笑容满脸，走回来说道：“你不怕摔死吗？”陈家洛道：“那时没想到会不会摔死，就怕摘不到你心爱的那两朵花。”那少女微微一笑，分了一朵雪中莲给他，道：“这朵给你。”

陈家洛本想推辞，但她温婉柔和的一句话，却似是最严峻的命令一般，教人无法违抗，便接了过来，暗忖：“要是红花会众兄弟见到，他们总舵主竟这般乖乖的听一个女孩子的话，不知会怎样想？”

那少女问道：“你学过武功是不是？怎么能爬到那样高的山崖上去？”陈家洛听她语气，知她全不会武，因此竟没看出自己一身上乘的轻身功夫，说道：“其实也不怎样难的，只要胆子大一些，也就成了。”那少女不知这是谦辞，想了一会，赞叹道：“啊，你真勇敢！”

她随即告诉他，自己从小在草原上牧羊，最爱花草。她说：“有许多许多好看的花，开在草地上。你一眼望出去，鲜花一直开到天边。我宁可不吃羊肉，也要吃花。”陈家洛奇道：“花也可吃么？”那少女道：“当然啦，我从小吃到现在。爸爸和哥哥本来不许，可是我一个人出来牧羊，他们又管我不着。后来见我吃了没事，也就不管啦!”陈家洛本来想说：“怪不得你像花一样好看。”可是这句话冲到口边，又缩了回去。

坐在那少女身旁，只觉得一阵阵淡淡幽香从她身上渗出，明明不是雪中莲的花香，也不是世间任何花香，只觉淡雅清幽，甜美难言，心想：“不见她搽什么脂粉，怎么这般香？而世上脂粉之中，又哪有如此优雅的香气?”正自神魂颠倒，突然一惊，想到礼法之防，不由得稍稍坐开了些。

那少女觉察到了他辨别香气的神态，嫣然一笑，说道：“想是因为我爱吃花，所以自幼儿身上就有股气味，你不喜欢吗?”陈家洛给她问得面红过耳，呐呐的说不出话来，转念一想：“这姑娘天真烂漫，心地坦白，我如再以世俗之见相待，反不够光明磊落了。”这么一想，登觉心中光风霁月，再无蝎蝎螫螫之态，和她畅谈起来。

那少女说的尽是草原上牧羊、采花、看星、觅草，以及女孩子们的游戏闹玩。陈家洛自离家之后，一直与刀枪拳脚为伍，这些婴婴宛宛之事早已忘得干净，此时听她娓娓说来，真有不知人间何世之感。那少女说了一阵，抬头望天，只见耿耿银河横列天际，牛女双星，夹河相对。

陈家洛指着织女星道：“这是一个女子。”又指着牵牛星道：“这是一个男人。”那少女很感兴味，道：“你讲这故事给我听。”于是陈家洛把牛郎织女的故事说给她听了。那少女仰望银河，见双星隔河相望，不能相会，登感郁郁，说道：“从前瞧见喜鹊，觉得黑黑的挺不好看，向来不喜欢，哪知道它们这么好，会造桥给牛郎织女相会。以后我一定多喂些东西给它们吃。”

陈家洛道：“天上两个仙人虽然一年只会一次，可是他们千千万万年都能相会，比凡人数十年就要死去，又好得多了。”那少女点点头。陈家洛道：“汉人有个诗人，做了一个歌儿，讲这件事的。”于是把秦观那阕《鹊桥仙》的词译成了回语。

那少女听到“金风玉露一相逢，便胜却人间无数”，以及“柔情似水，佳期如梦”，“两情若是久长时，又岂在朝朝暮暮”这几句时，眼中又有了晶莹的泪珠，默默不语，望着火光，过了一会，悄悄说：“汉人真聪明，会编出这样好的歌儿来。”

大漠上一到夜晚，气候便即奇冷，陈家洛找了些枯草树枝，生旺了火，两人裹着毯子，各自睡了。两人睡处相隔很远，然而陈家洛在梦中似乎尽闻到那少女身上的幽香。

次晨又行，向西走了四日，已到塔里木河边。这天下午，忽然南面山边出现了两名回人的骑兵。那少女迎上去和他们讲了几句话，回人行礼退开。

那少女回来对陈家洛道：“满洲兵已占了阿克苏和乌什，木卓伦老英雄他们已退到了叶尔羌，这里去还有十多天路程呢。”陈家洛听得清兵得胜，甚是忧虑。那少女道：“刚才那两个大哥说，满洲兵人多，咱们只好一路西退，叫他们粮草接济不上，在这大戈壁里饿得要命，没力气打仗。”

陈家洛本来担心霍青桐的安危，听了此言，心想回人大队西退，谅来清兵一时也奈何他们不得，只要乾隆停战的敕命一到，兆惠自会退兵。现下霍青桐离中土万里，又是在大军环拥之中，决不怕滕一雷等区区三人寻仇，这么一想，便即宽慰。

两人晓行夜宿，言笑不禁，日益融洽。陈家洛内心似乎隐隐盼望：“最好这条路永远走不到尽头，就这样走一辈子。”但这个念头却想也不敢去想，心头一现此意，向那纯洁无邪的少女望了一眼，登感自惭形秽，但觉自己一介凡夫俗子，能陪得她同行数日，已是非份之福，岂可更有他求？

这天傍晚，眼见太阳将要在天边草原隐没，突然忽喇一声，一只小鹿从树丛中跳了出来。那少女吓了一跳，随即拍手嘻笑，叫道：“一只小鹿，一只小鹿！”那小鹿生下不久，稚弱异常，咩咩的叫了两声，又跳回树丛。

那少女跟过去瞧，突然退了回来，轻声道：“那边有人！”陈家洛凑到树丛边一望，只见五名清兵正围着在剥切一头大鹿。小鹿在他们身边绕来绕去，不住悲鸣，那头被打死的大鹿定是它母亲了。一名清兵骂道：“他妈的，连你一起吃了！”站起身来，弯弓搭箭，对准小鹿要射。小鹿不知奔逃，反越走越近。

那少女惊呼一声，从树丛中奔了出来，挡在小鹿面前，叫道：“别射，别射！”那清兵一惊，待看清楚时，见那少女光艳不可逼视，不由得退了一步。其余四名清兵也都站了起来。这时陈家洛也早跃出，站在少女身旁相护。那少女俯身抱起小鹿，摸着它柔软的皮毛，柔声说道：“你妈妈给人打死了，真可怜。”侧着头亲亲它，恨恨的望了清兵一眼，转过身走出树丛。

五名清兵议论了几句，忽然齐声发喊，挺刀追来。那少女也发足奔跑，要跑到马边。清兵的一名把总呼喝口令，五人分散了包抄上来。

陈家洛拉住少女的手，说道：“别害怕，我打死这些坏人，给小鹿的妈妈报仇。”那少女这时对他已全心全意的信任，虽想一个人要抵敌对方五人只怕不易，但他既然说了，就没丝毫怀疑，抱着小鹿，靠在他身边。陈家洛伸手轻抚小鹿。

五名清兵追到，四面围拢。那把总打着半生不熟的回语喊道：“干么的？过来。”那少女抬头望着陈家洛，陈家洛向她微微一笑，那少女也报之一笑，登时宽怀，心想他是在微笑，那么这些清兵也决不会伤害他们了。

那把总叫道：“拿下来！”四名清兵抛下兵刃，扑了上来。说也奇怪，这些兵士平素最喜凌辱妇女，但见了那少女的容光，竟然不敢亵渎，都是扑向陈家洛。那少女惊叫起来，叫声未毕，忽然呼蓬、呼蓬数响，四名清兵一齐飞出，跌倒在地，哼哼唧唧的爬不起来，原来都给点了穴道。那把总见势头不对，转身飞奔。陈家洛叫道：“回来！”珠索飞出，套住他的脖子，向后一扯，那把总接连两个筋斗，翻了过来。

那少女拍手嘻笑，眼露敬慕之色，望着陈家洛。他牵了她手，在身旁大石上坐下，用回语问那把总道："你们到这里来干么？"

那把总楞楞的爬起身来，见四名下属都躺在当地，动弹不得，知道今日遇上了克星，不敢倔强，说道："我们，兆惠将军，部下小兵，上司差去，哪里，我们，哪里。"陈家洛心想这话倒也不错，问道："你们五个人要到哪里？你不说实话，我就不放人，不给救治，让你们在这大沙漠中饿死渴死。"把总听了这话，身子发抖，忙道："我不骗，上司差去，星星峡，接人。"他说回语结结巴巴的说不清楚，陈家洛改用汉语问他："去接谁？"把总也用汉语说道："接骁骑营一位佐领。"陈家洛道："他叫什么名字？你把公文拿给我看。"那把总迟疑半晌，从怀里掏出一件公文来。陈家洛一瞥之下，吃了一惊，原来公文封皮上写着："呈张佐领召重大人勋启"几个大字。

陈家洛心想："那日杭州狮子峰一战，张召重已由他师兄马真带去管教，怎地又到回疆来？"随手撕开公文。那把总忙要拦阻，陈家洛理也不理，抽出公文看时，见文中道：得知张大人奉旨前来回疆，甚是欣慰，现特派人前来迎接，下面署名的是兆惠。陈家洛心想："张召重奉旨而来，似是下达收兵的敕命，倒是不应阻拦。"把公文还给了把总，解开四名兵士身上穴道，更不多说，与那少女上马而去。

那少女笑道："你真能干。像你这样的人，在咱们族里一定很出名，怎么我以前没听说过呀？"

陈家洛微微一笑，说道："小鹿一定饿啦，你给它什么吃的？"那少女道："不错，不错！"从皮袋里倒了些马奶在掌，让小鹿舐吃。她手掌白中透红，就像一只小小的羊脂白玉碗中盛了马奶。小鹿吃了几口，咩咩的叫几声。少女道："它是在叫妈妈呀！"

陈家洛等向东边佯攻。心砚乘了骆冰的白马，冒险出去求救。白马放开四蹄，冲风冒雪，向西疾驰而去。清兵疏疏落落的射了几箭，并不出力阻拦。

第十四回　密意柔情锦带舞
长枪大戟铁弓鸣

两人又行了六天，第七日黎明行不多时，忽然望见远处一阵云雾腾空而起。陈家洛道："怕要刮风吧？"那少女仔细一看，说道："这不是乌云，是地下的尘沙。"陈家洛道："怎么这样多？"那少女道："我也不知道。咱们过去瞧瞧！"两人纵马疾驰，跑了一阵，前面尘沙扬得更高，更听得隐隐传来金鼓之声。陈家洛一怔，急忙勒马，说道："是军队，你听这声音。"蓦地里号声大作，战鼓雷鸣。

陈家洛惊道："双方大军开战，咱们快避开了。"两人勒马向东，走不多时，前面尘头大起，一彪军马直冲过来。只听得铁甲铿锵，尘雾中一面大旗飞出，写着斗大一个"兆"字。陈家洛在黄河渡口曾与兆惠的铁甲军交过手，知道厉害，一打手势，又折向南奔。幸好两人坐骑脚程奇快，奔了一会，和铁甲军离得远了。

那少女面现忧色，说道："不知咱们的队伍敌不敌得住。"陈家洛正要出言安慰，忽然前面号角齐鸣，一排排步兵列成队伍踏步而前，又听得左侧战鼓急擂，大地震动，数万只马蹄敲打地面，漫山遍野的骑兵涌了过来。陈家洛左手一抄，把那少女抱到自己马上，拿出剑盾，护在她胸口，柔声道："别害怕。"那少女回头一笑，点点头，说道："你说不怕，我就不怕。"她说话时吹气如兰，陈家洛和她相隔既近，幽香更是中人欲醉，虽然身入重围，心头反生缠绵之意。

眼见东北南三面都有敌兵，于是纵马向西驰去。那少女抱了小鹿，红马跟在后面。跑了一阵，忽见前面也出现清兵，队伍来去，正自布阵，四处已无路可走。

陈家洛暗暗心惊，纵马驰上一个高坡，想看清战场形势，再找空隙冲出去。一瞧之下，登时呆了，只见西首密密层层的排着一队队满清步兵，两翼则是骑兵。对面远处是身穿条纹衣服的回族战士，长枪如林，弯刀似草，声势也极浩大。双方射住阵脚，转眼便要交锋。原来陈家洛和那少女已陷在清兵阵里。只见阵中将校往来奔驰指挥，千军肃静无声。这时清军已发现了两人，有数名兵丁奉命前来查问。

陈家洛心想："今日鬼使神差，陷入清兵大军阵里，看来这条性命要送在这里了。"想到得与怀里的姑娘同死，心中一甜，脸露微笑，右手一挥珠索，左手提缰，喝一声："快跑!"双腿一夹，那白马如箭离弦，一溜烟般直冲出去。清兵待要喝问，白马早已奔过身边。那马奔驰奇速，一晃眼奔过三队清兵。

陈家洛心中正自暗喜，白马突然收蹄停步，却是前面铁甲军排得紧密，难以逾越。陈家洛凝神屏气，兜转马头，绕过铁甲军队伍，只见弓箭手弯弓搭箭，长矛手斜挺铁矛，一个间着一个，一眼望去，不计其数。只消清兵将官一声令下，他和怀中少女身上立时千矛丛集，万矢齐至，纵有通天本领也逃不过去，索性勒紧马缰，缓缓而行，挺直了身子，目光向清兵望也不望，傲然走过。

其时朝阳初升，两人迎着日光，控辔徐行。那少女头发上、脸上、手上、衣上都是淡淡的阳光。清军官兵数万对眼光凝望着那少女出神，每个人的心忽然都剧烈跳动起来，不论军官兵士，都沉醉在这绝世丽容的光照之下。两军数万人马箭拔弩张，本来血战一触即发，突然之间，便似中邪昏迷一般，人人都呆住了。

只听得当啷一声，一名清兵手中长矛掉在地下，接着，无数长矛都掉下地来，弓箭手的弓矢也收了回来。军官们忘了喝止，望着两人的背影渐渐远去。

兆惠在阵前亲自督师，呆呆的瞧着那白衣少女远去，眼前兀自萦绕着她的影子，但觉心中柔和宁静，不想厮杀，回头一望，见手下一众都统、副都统、参领、佐领和亲兵，人人神色和平，收刀入鞘，在等大帅下令收兵。

兆惠不由自主叫道："收兵回营！"将令下达，数万步兵骑兵翻翻滚滚的退了下来，退出数十里地，在黑水河旁扎下大营。

陈家洛脱离险境，已是浑身冷汗淋漓，双手微微发抖，那少女却神色自若，竟是全然不知适才经历了九死一生的大险。她微微一笑，纵身跃到红马背上，笑道："前面是咱们的队伍。"陈家洛收起剑盾，两人跃马向回人队伍奔去。

一小队回人骑兵迎了上来，大声欢呼，驰到跟前，都跳下马来向那少女致敬。那少女说了几句话。骑兵队长也上来对陈家洛行礼，说道："兄弟，辛苦啦，愿真主安拉保佑你。"陈家洛回礼致谢。那少女不再等他，纵马直向队伍中驰去。她在回人中似乎颇有威势，红马到处，人人欢呼让道。

骑兵队长招待陈家洛到营房中休息吃饭。陈家洛要见木卓伦。队长道："族长出去察看敌阵去啦，待他回来，马上给你通报。"陈家洛旅途劳顿，适才经历奇险，死里逃生，已是心力交疲，于是在营中睡了一觉。

过了晌午，那骑兵队长说木卓伦要到晚上方能回来。陈家洛问他白衣少女是谁。队长笑道："除了她，还有谁能这样美？今儿晚上咱们有偎郎大会，兄弟你也来吧，在会上准能见到族长。"陈家洛心下纳闷，不便多问。到得傍晚，只见营中青年战士忙忙碌碌，加意修饰，个个容光焕发，衣履鲜洁。

大漠上暮色渐浓，一钩眉毛月从天边升起。忽听得营外鼓乐之声大作，那骑兵队长走进帐来，拉了陈家洛的手，说道："新月出来啦，兄弟，走吧。"

两人来到营外，只见平地上烧了一大堆火，回人青年战士正从四面八方走来，围在火旁。四周有的人在烤牛羊、做抓饭，有的在弹琴奏乐，一片喜乐景象。

只听号角吹起，一队人从中间大帐走了出来，当先一人正是木卓伦，他儿子霍阿伊跟随在后。陈家洛心想："等他们办完正事之后，我再上去相认。"于是把袷袢衣襟翻起，遮住了半边脸。

木卓伦向众人一挥手，大家跪了下来，向真神安拉祷告。陈家洛也随众俯伏。祷告完毕，木卓伦叫道："已有妻室的弟兄们，今日你们辛苦一点，在外面守御，让你们的年青兄弟高兴一晚。"号角响起，三队战士列队而出，各人左手牵马，右手执着长刀。霍阿伊跨上战马，向坐在地下的年青战士叫道："真神保佑，让你们今晚和心爱的姑娘欢叙。"年青的战士们欢呼叫喊："真神保佑，多谢你们辛苦抵挡敌人。"霍阿伊长刀虚劈，率领三队战士出外守御去了。陈家洛见众回人调度有方，军容甚盛，暗暗欣慰。他久在回疆，知道回人婚配虽也由父母之命，须受财产地位等诸样羁绊，但究比汉人的礼法要宽得多。偎郎大会是回人自古相传的习俗，青年未婚男女在大会中定情订婚，所谓"偎郎"，是少女去偎情郎，锦带绕颈，一舞而定终身，自来发端于女方，却是凰求凤，而不是凤求凰了。

不久乐声忽变，曲调转柔，帐门开处，涌出大群回人少女，衣衫鲜艳，头上小帽金丝银丝闪闪发亮，载歌载舞的向火堆走来。陈家洛倏地一震，只见两个少女并肩走到木卓伦身旁，一个穿黄，一个穿白。穿白的就是与他同来的美丽少女，穿黄的帽上插了一根翠羽，正是霍青桐。月光下看来，窈窕婀娜，一如当日。两人一左一右，在木卓伦身旁坐下。

陈家洛忽然想起："这白衣姑娘难道就是霍青桐的妹子？怪不得总觉她相貌有些熟悉，原来在玉瓶上见过她画像。只是肖像画得虽好，哪有真人美丽之万一？"他脸上发红，手心出汗，一颗心突突乱跳。自那日与霍青桐一见，不由得情苗暗茁，但见她与陆菲青的徒弟神态亲热，自以为她已有爱侣，只得努力克制相思之念。这几日与一位绝代佳人朝夕相聚，满腔情思，不自禁的早转到白衣少女身上了。此刻并见双姝，不由得一阵迷惘，一阵恍惚。

乐声一停，木卓伦朗声说道："穆圣在《可兰经》上教导咱们，第二章第一百九十节说：'你们当为主道，抵抗进攻你们的人。'第廿二章第三十九节说：'被攻击的人，已得抗战的许可，因为他们已受亏枉了。安拉援助他们，确是全能的。'咱们受人欺侮，安拉一定眷顾佑护。"众回人轰然欢呼。木卓伦叫道："各位兄弟姊妹们，尽量高兴吧！"

马头琴声中，歌声四起，欢笑处处。司炊事的回人把抓饭、烤肉、蜜瓜、葡萄干、马奶酒等分给众人。每人手中拿着一个盐岩雕成的小碗，将烤肉在盐碗中一擦，便吃了起来。过了一会，新月在天，欢乐更炽。许多少女在火旁跳起舞来，跳到意中人身旁，就解下腰间锦带，套在他项颈之中，于是男男女女，成双成对的载歌载舞。

陈家洛出身于严守礼法的世家，从来没遇到过这般幕天席地、欢乐不禁的场面，歌声在耳，情醉于心，几杯马奶酒一下肚，脸上微红，甚是欢畅。

突然之间，乐声一停，随即奏得更紧，正在歌舞的男女纷纷手携手散开，脸上均露诧异之色，向木卓伦等一群人凝望。陈家洛随着他们眼光看去，只见那白衣少女已站起身来，正轻飘飘的走向火堆。众回人大为兴奋，窃窃私议。陈家洛听得身旁的骑兵队长道："咱们香香公主也有意中人啦，谁能配得上她呢？"

木卓伦见爱女忽然也去偎郎，大出意外，很是高兴，眼中含着泪光，全神注视。霍青桐从不知妹子已有情郎，也是又惊又喜。原来她妹子喀丝丽虽只十八岁，但美名播于天山南北，她身有天然幽香，大家叫她香香公主。回族青年男子见到她的绝世容光，一眼也不敢多看，从来没人想到敢去做她的情郎，此时忽见她下座歌舞，那真是天下的大事。

香香公主轻轻的转了几个身，慢慢沿着圈子走去，双手拿着一条灿烂华美的锦带，轻轻唱道："谁给我采了雪中莲，你快出来啊！谁救了我的小鹿，我在找你啊！"

陈家洛一听，耳中嗡的一声，登时迷迷糊糊的出了神，忽然一只纤纤素手轻轻搭上了他肩头，那条锦带套到了他头颈之中，轻轻向上拉扯。陈家洛怔怔的跟她站了起来。众回人一阵欢呼，高声唱起歌来。男男女女拥了上去，向两人道喜。

朦胧月光之下，木卓伦和霍青桐都没看清楚陈家洛的面貌，以为只是个寻常回人，正要挤进人丛去相会，突然远处号角嘟嘟嘟的吹了三声。那是有紧急军情的讯号，众人一听，立时散开。木卓伦与霍青桐也即归座。

香香公主牵了陈家洛的手，坐在众人身后。陈家洛觉得她娇软的身躯偎倚着自己，淡淡幽香传入鼻端，神魂飘荡，真不知是身在梦境，还是到了天上。

众人齐向号角声处凝望，男子抄起兵刃，预备迎战。两骑马驰近，两名回人翻身下马，报道："清军兆惠将军派使者求见。"木卓伦道："好，领他来吧。"两人乘马奔出。不一会，两骑在前，后面跟着五骑，向人群驰来。离人群约十余丈时，各人下马走来。

那满清使者身材魁梧，步履矫健，后面跟着四名随从，却是吓人一跳。那四人都是七尺以上身材，比常人足足要高两个头，身子粗壮结实，实是罕见的巨人。

那使者走到木卓伦跟前，点了点头，说道："你是族长么?"神态十分倨傲。清兵无故入侵回部，杀人放火，回人早已恨之刺骨，这时见那使者如此无礼，几个回人少年更是忍耐不住，刷刷数声，白光闪动，长刀出鞘。

那使者毫不在意，朗声说道："我奉兆惠大将军之命，来下战书。要是你们识得时务，及早投降，大将军说可以饶你们性命，否则两军后天清晨决战，那时全体诛灭，你们可不要后悔。"他说的是回语，众回人一听，都跳了起来。

木卓伦见群情汹涌，双手连挥，命大家坐下，凛然对使者道：“你们无缘无故来杀害我们百姓，抢掠我们财物，真神在上，定会惩罚你们的不义行为。要战就战，我们只剩一人，也决不投降。”众回人举刀大呼：“要战就战，我们只剩一人，也决不投降。”月色下刀光如雪，人人神态悲壮。众人均知清兵势大，决战胜多败少，但他们世代虔诚奉信伊斯兰教，宝爱自由，决不做人奴隶。

那使者见此情形，嘴唇一扁，说道：“好，到后天教你们个个都死！”一口唾沫，狠狠的吐在地上，这是严重侮辱对方之意。早有三个回人少年跳出人群，喝道：“今日你是使者，我们敬重宾客，让你好好回去，后天在战场上相见，那时再不客气。”那使者嘴一努，四名随从巨人抢将上来，推开三名回人少年，团团站在使者四周。使者叫道：“呸，你们这种人有什么用？今日让你们瞧瞧我们满洲人的手段。”手掌一拍，说道：“来吧！”

一名巨人四下一望，见有几匹骆驼系在一株白杨树上，便大步走到树旁，双手抱住白杨树，用力摇撼几下，猛喝一声：“起！”竟把那株白杨树拔了起来。众人见此神力，尽皆骇然。那人轻轻一拉，已把一头大骆驼的缰绳扯断，在骆驼后臀踢了一脚。骆驼受痛，直奔出去。骆驼平日走路慢条斯理，可是发起性来，比奔马还快得多，等它跑出十多丈，第二个巨人突然发脚追去。那巨人身躯虽大，行动竟然迅捷异常，一下子已赶及骆驼，捉住四脚，提了起来，把一只几百斤的大骆驼负在肩上，大踏步奔回，奔到火堆之旁放下，傲然站立。第三个巨人哼了一声，伸出大掌，砰的一声，对准骆驼头上就是一拳。骆驼如此庞大的身躯竟尔站立不稳，摇晃几下，扑地倒了。第四个巨人抓住骆驼两腿，高举过顶，在空中打了两个圈，一声叫喊，掷出六七丈之外。

这四个巨人是同胞兄弟，名叫忽伦大虎、忽伦二虎、忽伦三虎、忽伦四虎，是辽东宁古塔人氏。四兄弟一胎所生。他们母亲生育这四个巨婴时过于辛苦，勉强挨到生下忽伦四虎，就此失血而死。他们父亲是个穷猎户，死了妻子，没有母乳如何养育这四个孩子，正在彷徨烦恼之际，忽听得林中吼声连连，却是一只母虎失足陷在捕兽阱内。他和同伴把母虎捆住，见它身边还有三头刚生下的小虎，灵机一动，把小虎杀了，却把母虎养在家里，每日猎些野兽喂它，挤虎乳把四个孩子养大。四兄弟自幼便力大无比，长大后更是身材魁伟，神力惊人，只是有些傻里傻气。出猎时不用器械，见到野兽，奔过去抓住头颈，往山石上一掷，野兽登时毙命。四兄弟食量奇大，靠打猎为生总是不能吃饱。有一日兆惠到长白山中围猎，遇见四人，见他们生具异相，便收为亲兵，让他们日日饱餐，这次要他们随同使者前来，乘机一显威风，好叫回人见之畏服。

众回人见四个巨人露了这么一手，都是暗暗吃惊，但在敌人面前那肯示弱，纷纷呼喝："好好一头骆驼，为什么弄死了？你们有人性么?"那使者反唇相稽。众回人更是忿怒，七张八嘴，吵了起来，眼见便要群殴。那使者叫道："你们想倚多为胜，欺辱使者么?"

木卓伦喝止众人，说道："你是使者，却命随从弄死我们牲口，实是无礼已极，你若不是宾客，决计容你不得。你快走吧。"那使者傲然道："我们堂堂满洲人，难道会怕你们这种没用的东西？你有回信，就交我带去，谅你们也没人敢去见兆惠将军。"此言一出，众回人又都叫嚷呼叱。

霍青桐突然站起，说道："你说我们不敢去见兆惠将军，哼，我们这里个个人都敢去，别说男人，女人也敢去。"那使者一怔，仰天大笑，叫道："女人？女人见到我们大军不吓死才怪呢!"霍青桐怒道："你别小觑了人，我们马上派人和你同去。像你这样的人哪，我们这里个个比你都强。由你来挑吧，挑着谁，谁就去。让你瞧瞧我们穆罕默德信徒的气概。"众回人齐声欢呼，男男女女都叫了起来："你来挑吧，挑着谁，谁就去。"

那使者冷冷的道："好。"他要找一个最娇弱无用的女子，吓得她当场号哭，好教众回人脸上无光，大大出丑。他眼珠乱转，在人丛中东张西望，突然眼睛一亮，走到香香公主面前，指着她道：

“那么让她去吧!”

香香公主向他望了一眼，缓缓站起，朗声说道：“为了全族父老兄弟姊妹，我到哪里都不怕，真神必定佑我。”

那使者见她气宇轩昂，神态凛然，已全不是刚才那副娇弱羞涩的模样，更见到她的丽色容光，不由得低下头去，心感后悔，觉得这个少女实在也殊不可侮。木卓伦、霍青桐和众回人见他指中香香公主，而她竟绝不示弱，虽然佩服她的勇气，但都不免暗暗担忧。霍青桐更是懊悔，她们姊妹之情素笃，妹子不会武艺，以娇弱之躯而投虎狼之域，危险不可言喻，说道：“她是我妹子，我代她去好了。”

那使者笑道：“我早知女子之言，全不可靠。你们不敢，何必派人？是战是降，由我带信去好了。”霍青桐怒道：“你如此无礼，后日在战场上相会，可别逃走，叫你见见我们女子有没有用。”那使者笑道：“似你这样的美人，我自会手下留情。”众回人听他口舌轻薄，个个咬牙切齿。

香香公主对霍青桐道：“姊姊，我去好啦，我不怕。”俯身牵了陈家洛的手站起，说道：“他会陪我去的。”

火光照映之下，霍青桐斗然见到陈家洛的脸，一震之下，登时呆了，说不出话来。

陈家洛向她微微摇了摇手，示意暂不相认，转身对那使者道：“我们男子女子，说话一样作数，我孤身一人，随她到你们军中去见兆惠将军便是，何必像你这样，要四条大汉保护？其实，你这四个大汉又抵得什么用?”香香公主道：“骆驼负千斤，人只负百斤。然而是人骑骆驼呢，还是骆驼骑人?”众人听了这比喻，都大笑起来。

忽伦大虎问使者道：“他们笑什么?”使者道：“他们笑你们身材虽巨，力气虽大，可是并不中用。”忽伦大虎大怒，双拳捶胸，厉声喝道：“谁敢来和我比武?”使者对陈家洛道：“你又有什么用？像你这样的瘦小子，十个加起来，也不及他的力气大。”

陈家洛心想今日如不挫折这使者的气焰，可让满洲人把众回人瞧得小了，当下走上三步，说道："我是回人中最没用的人，可是比你们满洲人还中用一点。你叫这四个大家伙上来吧！"

这时木卓伦也已看清楚陈家洛的面貌，又惊又喜，叫道："青儿，你瞧他是谁。"霍青桐不答。木卓伦侧过头来，只见女儿眼中含泪，嘴唇颤动，登时会意，心中一阵难过：两个女儿都是自己所疼爱的，怎么忽然同时爱上了他？又不知他怎么会和小女儿相识？一时无数不解之事都涌上心头，见他要和四个巨人比武，又是惊心担忧。

众回人见陈家洛生得文弱，面目如画，站在那使者身旁，还比他矮了半个头，和那四个巨人相较，那是小孩与大人一般的了。他是香香公主的意中人，为了香香公主被对方使者选中，不得不挺身应战，以免失了本族威风，这番志气勇敢，自是可敬可佩，但强弱悬殊，如何是巨人的敌手？众回人敌忾同仇，早有几个族中知名的大力士站出身来，要代他决斗。陈家洛举手道谢，说道："各位哥哥，这几个满洲人不中用得很，何劳你们动手？先让最不济的小弟弟来试试吧。"语气之中，对四个巨人十分轻蔑。

那使者把他的话传译了。四个巨人大怒，一齐奔上，伸手要抓。陈家洛站着不动，微微而笑。那使者忙伸手拦住四人，对木卓伦道："这位既要和我随从比武，如有损伤，可怪不得谁，而且只能一个对一个，旁人不可相助。"他想忽伦四虎虽然神力惊人，但好汉敌不过人多，如打死了陈家洛，对方群起而攻，终究抵挡不住。

木卓伦哼了一声。陈家洛道："一对一有何趣味？你叫四个大家伙同时上来。"那使者道："那么你们出几个人？"陈家洛道："几个人？当然就是我一人。"众人一听，尽皆耸动，都觉他未免过分。

那使者冷笑道："哼，你们回人这么厉害？大虎，你先上。"忽伦大虎应声上前。使者对陈家洛道："你是要文比还是武比？"

陈家洛道："文比怎样？武比怎样？"使者道："文比是你打他一拳，他打你一拳，大家不许招架退让，谁先跌倒算输。武比就是任意出拳。"陈家洛道："一个不够我打，要打就四条大汉一起来。"那使者心想："瞧这人似乎不是疯子，多半别有诡计。"说道："你只要能打败这人，他们四人自然会一拥而上，有得你够受的，何必性急？"陈家洛淡淡一笑，道："好吧，文比武比都是一样。"使者道："咱们只在比力气、斗功夫，武比伤了和气，还是文比吧。"看陈家洛身材，料想灵活便捷，如一味躲闪，忽伦大虎或许打他不着，是以要文比，心想："这么你可躲不过了。"

忽伦大虎听使者说了，虎吼一声，脱去上身衣服。众人见他身上肌肉盘根错节，就如老树树根一般，两个拳头都有大碗的碗口大小，一拳打出，大骆驼都经受不起，何况这么一个文秀青年？

木卓伦和霍青桐离座走近。霍青桐向妹妹偷望一眼，见她容光焕发，凝望着陈家洛，眼光中流露着千般仰慕，万种柔情，竟无丝毫担心害怕，不由得暗暗叹了口气，转头望陈家洛时，见他神定气闲，泰然自若。两人目光相接，陈家洛温然微笑。霍青桐脸上一阵晕红，转开了头。

那使者道："谁先打，咱们来拈阄。"陈家洛道："你们是客，让他先打吧！"霍青桐抢着说："不必跟他客气，还是拈阄的好。"她知陈家洛武功甚精，若比拳术兵刃，即或不胜，也决不会输给这巨人，但如此你一拳我一拳的蛮打，又不许躲闪避让，他究是血肉之躯，本领再好，也受不起这大铁槌似的巨拳之一击，如能让他先打，或能出奇制胜。

陈家洛又向霍青桐一笑，意示感激，向忽伦大虎走上两步，挺胸说道："你打吧！"那使者对霍青桐说："请你过来，咱们两人一齐瞧着，要是谁脚步移动，用手招架，或是弯腰侧身，闪避躲让，都算输了。"

霍青桐走到陈家洛身边，低声道："别比吧，咱们另想法子胜他。"陈家洛低声道："你放心。"霍青桐无奈，只得和那使者站在两侧作证。

陈家洛与忽伦大虎相向而立，相距不到一臂。众人凝神注视，数千人悄无声息。

那使者高声叫道："满洲好汉打第一拳，回族好汉打第二拳，如果大家没事，那么满洲好汉打第三拳，回族好汉再打第四拳。"霍青桐抗声说道："第一回合你方先打，第二回合就得由我方先打，第三回合再让你方先打。依次轮流，方得公平。"那使者还未回答，陈家洛道："他们是客，咱们就一路让到底吧。"那使者微微一笑，说道："你倒慷慨大方。"提高声音，叫道："好啦，满洲好汉打第一拳！"

一片寂静之中，只听得忽伦大虎呼呼喘气，全身骨节格格作响，运气提劲，突然右胸凸起，右臂粗涨了几乎一倍。陈家洛双脚不丁不八，身子微微前倾，笑道："发拳吧！"

几名回族青年见了忽伦大虎的威势，生怕陈家洛被他一拳打得直飞出去，跌下来撞破头骨，站在陈家洛身后，摆好马步，以便他飞跌出来时接住。木卓伦和霍青桐默祷真神护佑。香香公主却是一派天真，心想既然我的郎君说过不怕，那就一定不怕。

忽伦大虎双腿微蹲，劲贯右臂，呼的一声，铁拳夹着一股疾风，向陈家洛胸上猛击过去，突觉对方胸部顺着拳势向后一缩。陈家洛胸部内吸之势，和他这当胸一击配合得若合符节，丝丝入扣，快慢尺寸，实无厘毫之差。旁人只见这一拳把他胸部打得凹了进去，可是说也奇怪，竟无半点声息发出。

忽伦大虎一拳打到了底，明知再向前伸出半寸，便可结结实实的打在他胸上，然而就是差了这半寸，拳面不过在他衣襟上轻轻一擦。他一呆之下，拳头一时没缩回去。陈家洛笑道："够了么?"忽伦大虎脸上一红，这才缩回右拳。

众人见这一拳明明是打中了，可是便如全然打在空处，无不惊奇。只有木卓伦和霍青桐看了出来，原来陈家洛内功精深，胸肌借势消势，登时又是佩服，又是欣慰。霍青桐笑靥如花，长长吁了口气。那使者精通武功，也看出了这点，甚是惊疑。

陈家洛微微一笑，说道："我要打了!"忽伦大虎大叫道："打!"凝气挺胸，胸口黑毛根根竖了起来。陈家洛手臂也不向后作势，随手一伸，轻飘飘一拳打出，波的一声，在忽伦大虎胸前一推，使的是重手法中"大力金钢杵"之劲。忽伦大虎觉得胸口虽不疼痛，然而有一股极大力量把他向后推去，知道脚步稍一移动，就是输了，忙运全力，和身向前猛撞，抗拒对方这一推。这只是一刹那之事，哪知陈家洛这一拳发得快，收得更快，劲未使足，倏然收回。忽伦大虎千斤之力都在向前猛挺，前面忽然失了凭依，要想收势，哪里还来得及？只见陈家洛身子微偏，砰蓬一声，尘土飞扬，忽伦大虎一个巨大的身躯已扑翻在地。

众人都是一呆，这才拍手大笑起来。陈家洛一拳把这巨人打倒已经大奇，更奇的他不是仰面向天跌倒，而是俯伏在地。那使者忙伸手把他拉起，只见他满口鲜血，哇哇大叫，原来已撞下了两颗门牙。

忽伦三兄弟见大哥受伤，连声怪叫，同时向陈家洛扑来。忽伦大虎一定神，狂吼一声，也扑上厮拼。众回人见状，纷纷抢前救援，混乱中两个人影从众人头顶上跃过，人群中不见了陈家洛与霍青桐两人。忽伦四兄弟突然找不到敌人，楞在当地。霍青桐叫道："大家退下。"众回人素听她号令，一齐退开。

陈家洛缓步上前，笑道："我早说要你们四人齐上。这就来吧。"大虎怒极，挥拳当头猛击。陈家洛晃身绕到三虎背后，双手"闭窗推月"，在他背上一推。三虎一个踉跄，险险撞在二虎身上。四虎左肘向陈家洛头上撞到。陈家洛矮身从他胁下钻过，随手在他臂窝里掏了两把。四虎大痒，身子缩成一团，乱颤乱动，呵呵大笑起来。

众人见这么一个粗蛮大汉居然和少女般妩媚怕痒，憨态可掬，俱都哄笑。香香公主叫道："喂，你再呵他。"陈家洛依言纵近，又在他腰里搔了几下。四虎笑得蹲在地下，双拳乱舞，却哪里打得着人？

霍青桐惊叫：“小心后面！”陈家洛已觉到背后有拳风来袭，倏地纵身，跃起丈余，二虎一拳便打了个空。四虎笑声未歇，扭腰回身，右拳猛击而出，正好打在二虎拳上。两人一震，各自退出三步，连连怒吼，转身来捉。

陈家洛在四人中间如穿花蝴蝶般往来游走，存心戏弄，也不出手还击，八个巨拳此起彼落，往他身上猛敲猛打，始终连衣衫也没能碰到。众人初见陈家洛趋避之际，往往间不容发，俱都为他担心，但时候一长，都看出四个巨人定然奈何他不得。四巨人连连大吼声中，突然嗤的一声，二虎的褂子被撕下了一大片，众回人又是一阵轰笑。那使者早看出陈家洛是武术高手，非四虎所能敌，连声叫道：“住手，不必打啦！”忽伦四兄弟打发了性，却哪里止得住？大虎唿哨一声，倏然跃起，如一头猛鹰般向陈家洛扑了下来，同时二虎、三虎、四虎一齐站到他身后，张开六条手臂，截他退路。这是他四兄弟猎兽时常用之法，纵然猛如虎豹，捷如猿猴，也是难以逃脱。众回人一见大惊，许多少女齐声尖叫。

陈家洛见大虎扑来，正想后退，火光下见三个巨大的影子映在地下，张开手臂，犹如鬼魅要搏人而噬。他身子微蹲，不再退避，待大虎扑到，左臂快如闪电，突然长起，在大虎左胁下一拦，用力向外推出，大虎登时在空中被他转了小半个圈子，这时他右掌也已搭上大虎左腿，黏着一送，一半借劲，一半使力，大虎一个巨大的身躯向前直飞出去，蓬的一声，头下脚上，倒插在一个坑里。这土坑正是他适才拔起白杨树所留下。树大坑深，泥土直没到腰间，双脚在空中乱踢，哪里挣扎得出？

四虎猛吼追来。陈家洛跟他兜了半个圈子，看准方位，突然站住。四虎飞起右脚，当胸踢到。陈家洛抢到右侧，右手抓住他裤子，左手抓住他背心，顺着他一踢之势向外力甩，四虎就如腾云驾雾般飞了出去，在空中手足乱舞，嘴里怪叫，心里害怕，只怕这一下要摔个半死，哪知波的一声跌下来，身子软软的一弹，忙翻身坐起，原来恰好压在那头死骆驼身上。陈家洛刚才见他手掷大骆驼，即以其人之道，还治其人之身。陈家洛力气其实远不及他，一则四虎身子虽巨，究竟没骆驼重；二则他这一脚踢出使劲极大，借势推掷，大半还是用了他自身力道。

四虎还在半空，二虎三虎已从两侧同时抢到。二虎弯腰挺头，向前猛冲，要一头把敌人撞倒，三虎举起双臂，朝陈家洛头顶狠狠砸下。

陈家洛立定不动，等两人势若疯虎般攻到、相距不到四尺之际，右脚突然使劲，身子如箭离弦，呼的一声，斜飞而出。他挨到最后一刻方才避开，要使这两个巨人收势不及。果然二虎一头撞中三虎肚子，三虎双拳也击中了二虎背心。只听得蓬蓬连声，两条大汉如宝塔般倒了下来。陈家洛不等他们爬起，纵身过去，乘着两人头晕眼花，抄起两人辫子，牢牢的打了两个死结，这才长笑一声，走到香香公主身旁。香香公主乐得眉开眼笑，拍手叫好，众回人更是呐喊欢呼。

四虎爬起身来，忙把大哥从树坑中拔出。二虎三虎不知辫子打结，拼命挣扎，滚作一团。那使者忙去给他们拆解。只因两人用力拉扯，辫结扯得极紧，使者解了半天方才解开。

忽伦四兄弟呆呆的望着陈家洛，非但不恨，反而齐生敬仰之心。大虎先走上来，大拇指一竖，说道："你好本事，我大虎服了。"说着拜了下去。二虎等三兄弟也过来拜倒。陈家洛忙跪下还礼，见这四人质朴天真，对刚才如此戏弄倒着实有点后悔。五人站起身来，陈家洛不住道歉，四兄弟很是高兴。

忽伦四虎突然奔出去，把那头死骆驼掮了回来。三虎把他们的四匹坐骑牵到木卓伦面前，说道："我打死了你们的骆驼，很是不该，这四匹马赔给你们吧。"木卓伦执意不要。

那使者见此情形，十分尴尬，对忽伦四兄弟喝道："走吧！"跳上了马背，心中仍不服气，对香香公主道："你真的敢去？"

香香公主答道："有什么不敢？"走到木卓伦面前，说道：

"爹，你写回信，我给你送去吧。"木卓伦心下踌躇，这满洲使者一再相激，非要他这小女儿去不可，不去是失了全族面子，让她去吧，可实在放心不下，便向陈家洛招招手。陈家洛走了过来，木卓伦离座相迎，携了他的手走到帐中。霍青桐与香香公主姊妹随后跟了进去。

木卓伦一进营帐，立即抱住陈家洛，说道："陈总舵主，哪一阵好风把你吹到这里来?"陈家洛道："我有事到天山北路来，途中得到消息，因此赶着来见你，想不到竟会遇见你的二小姐。"香香公主听父亲叫他"陈总舵主"，呆了一呆。

陈家洛虽与木卓伦讲话，一直留神着她两姊妹，见香香公主脸露惶惑之色，忙转头道："有一件事很对你不起，我没跟你说我是汉人。"木卓伦接着道："这位陈总舵主是我族大恩人，咱们的圣经就是他给夺回来的。他救过你姊姊性命，最近又散了兆惠的军粮，清兵不敢迅速深入，咱们才能调集人马抵挡。他对咱们的好处，真是说也说不尽。"陈家洛连声逊谢。香香公主嫣然一笑，说道："你不说自己是汉人，原来是不肯提到你对我们的恩惠，我自然不会怪你。"

木卓伦道："那满洲使者如此狂傲无礼，幸得总舵主仗义出手，挫折了他的骄气。他激喀丝丽去做使者，总舵主你瞧去得么?"陈家洛心想："他们族中大事，旁人不便代出主意，我只能从旁尽力相助。"说道："我从内地远来，这里的情形完全不知，木老英雄如说可去，在下自当尽力护送。要是觉得不去的好，那么咱们另想法子回绝他。"

香香公主凛然说道："爹，你与姊姊天天为了族里的事操心，还在战场上跟他们性命相拼。我只恨自己没用，不能出一点儿力。我去做一趟使者，又不是什么大事，要是不去，可让满洲人取笑咱们。"霍青桐道："妹妹，我只怕满洲人要难为你。"香香公主道："你每次出战，也总是冒着性命危险，我冒一次险也是应该的。他本事这样好，我跟他去一点也不怕，姊姊，我真的不怕。"

霍青桐见妹子对陈家洛一往情深，心中一股说不出的滋味，对木卓伦道："爹，那就让妹子去吧。"木卓伦道："好，陈总舵主，那么我这小女托给你啦。"陈家洛脸上一红。香香公主一双明如秋水的眼睛向他溜了一溜。霍青桐却把头转向一边。

木卓伦写了回书，只有几个大字："抗暴应战，神必佑我。"陈家洛见这寥寥数字辞气悲壮，连连点头说好。木卓伦把信交给香香公主，吻吻她的面颊，给她祝福。

霍青桐道："妹妹，真神佑你，愿你早去早回。"香香公主抱住了姊姊，笑着称谢。

四人走到帐外，木卓伦下令设宴，款待使者和他的随从。席上那使者方通姓名，叫作和尔大。食毕，鼓乐手奏乐欢送宾客。和尔大一举手，一马当先，绝尘而去。香香公主等骑了马跟随在后。霍青桐望着七人背影在黑暗中隐没，胸中只觉空荡荡地，似乎一颗心也随着七匹马的蹄声，消失在无边无际的大漠之中。

木卓伦道："青儿，你妹子真勇敢。"霍青桐点点头，忽然掩面奔进营帐。

香香公主和陈家洛跟着使者奔驰半夜，黎明时到了清军营中。和尔大请他们在一座营帐中休息，自行去见兆惠。向兆惠行礼毕，见他身旁坐着一名军官，身穿皇帝亲军骁骑营汉军佐领服色，向他微一点头，对兆惠道："禀告大将军，小将已将战书送去。回子很是横蛮，不肯投降，还派人送了战书来。"兆惠哼了一声，道："真是至死不悟。"对身畔的亲兵道："传令升帐。"

命令下去，号角齐鸣，鼓声蓬蓬，各营正副都统、参领、佐领，齐在大帐伺候。兆惠步到帐中，众军官躬身施礼。兆惠命在将位左侧设一位子，请奉旨到来的骁骑营军官坐下，再命三百名铁甲军亲兵手执兵刃，排成两列，兵卫森严，然后传回人使者入见。

香香公主在前，陈家洛跟在身后。香香公主脸露微笑，毫无畏惧之色。众人见回人使者便是昨日阵上所见的青年男女，都感惊异。兆惠本想临之以威，哪知从刀枪丛中进来的竟是这美貌少女，一时倒呆住了。香香公主向兆惠行了礼，取出父亲的覆书，双手呈上。

兆惠的亲兵过来接信，走到她跟前，忽然闻到一阵甜甜的幽香，忙低下了头，不敢直视，正要伸手接信，突然眼前一亮，只见一双洁白无瑕的纤纤玉手，指如柔葱，肌若凝脂，灿然莹光，心头一阵迷糊，顿时茫然失措。兆惠喝道："把信拿上来!"那亲兵吃了一惊，一个踉跄，险险跌倒。香香公主把信放在他手里，微微一笑。那亲兵漠然相视。香香公主向兆惠一指，轻轻推他一下。那亲兵这才把信放到兆惠案上。

兆惠见他如此神魂颠倒，心中大怒，喝道："拉出去砍了!"几名军士拥上来，把那亲兵拉到帐外，接着一颗血肉模糊的首级托在盘中，献了上来。

兆惠喝道："首级示众!"士兵正要拿下，香香公主见他如此残暴，想到那亲兵为她而死，很是伤心，从军士手上接过盘子，望着亲兵的头，眼泪一滴一滴的落下。

帐下诸将见到她的容光，本已心神俱醉，这时都愿为她粉身碎骨，心想："只要我的首级能给她一哭，虽死何憾?"兆惠见诸将神情浮动，正要斥骂，那斩杀亲兵的军士见她愈哭愈哀，不禁心碎，叫道："我杀错了，你别哭啦!"拔出佩刀在颈上一勒，倒地而死。

香香公主更是难过。陈家洛心想："这孩子哭个不了，怎是使者的样子。"伸手轻轻扶住，低声慰抚。

兆惠素性残忍鸷刻，但被她一哭，心肠竟也软了，对左右道："把这两人好好葬了。"打开回信一看，见了那几个字，哼了一声，道："好，后天决战，你们回去吧!"坐在他身旁的军官忽道："将军，皇上要的只怕就是这个女子。"

陈家洛本来全心都在香香公主身上，对帐中诸将视若无睹，听得这话，抬起头来，只见坐在兆惠身旁的竟然便是大对头张召重。

这时张召重也认出了陈家洛，见他穿着回人服装，更是讶异。两人四目相视，谁都想不到对方竟会在此处现身。

陈家洛牵了香香公主的手，转身而出。张召重忽地从座上跃起，不等落地，掌风已及陈家洛身后。陈家洛左手揽住香香公主的腰，右手反击一掌，脚下毫不停留，抢出帐去。张召重身法奇快，直追出来。众将对香香公主都有好感，心想大将军已让他们回去，何以这骁骑营军官要多管闲事，心下不满，均不相助拦阻。

陈家洛揽着香香公主奔向自己坐骑，只窜出两步，张召重已绕到前面，冷笑道："陈总舵主，幸会幸会！"陈家洛暗暗心惊，怀中掏出六枚围棋子，一把向他上中下三路打去，对香香公主道："我缠住这人，你快上马逃走！"香香公主道："不，等你打倒他，咱们一起走。"陈家洛哪有余裕对她说明这人武功比自己高强，明知棋子打他不中，乘他躲避闪让，抱起香香公主放上红马鞍子。

张召重双手各接住两枚棋子，低头纵跃，向陈家洛扑来，避开了余下的两枚棋子，这一跃既避暗器，又追敌人，守中带攻，不让对方有丝毫缓手之机。陈家洛不敢恋战，身子一挫，钻入了白马腹底。张召重一掌堪堪击到马臀，倏地收劲，改击为按，单掌按住马身，人未落地，飞脚向陈家洛踢去。

陈家洛处身马底，转身不便，敌人这一脚又来如闪电，人急智生，忽地伸手在马腹上一举，白马受惊，双腿向后倒踢。张召重单掌使劲，倏地跃出丈余。陈家洛翻身上马，叫道："快走！"香香公主提缰纵马，张召重又已跃上，飞身向她扑去。陈家洛大惊，双脚力踹马蹬，和身纵起，向张召重扑去。陈家洛知道功力不如对方，正面碰撞必定吃亏，堪堪碰到，右手已拔短剑刺出。张召重左手急翻，勾住他握剑的手腕，两人一齐落地。张召重右手随手一掌，陈家洛施展师门绝艺"反腕勾锁"，左手晃处，已拿住他的右掌。两人在地下纠缠拼斗，贴身而搏，谁都不敢放手。

众将拥出帐来观看。忽伦四兄弟心想："我们到回人那里送信，他们客气相待。怎地人家过来送信，我们便这般不讲道理？"

他们对陈家洛俱都敬服，见他身遭危难，四人一样心思，也不商量，一齐奔上。

陈家洛和张召重各运内力相拼，初时尚势均力敌，时候稍长，渐感不支，又见四名巨人奔到，心道："罢了，罢了，这次糟啦。"哪知忽伦四兄弟伸出八只巨掌齐把张召重按住，叫道："你快走。"张召重武功虽高，但正与陈家洛僵持，四人按来，当下既无招架之力，又无回避之地，被四虎数千斤之力压住，动弹不得，手一松，陈家洛跳了起来，说道："这时杀你，不是大丈夫行径，再饶你一次！"说罢收剑上马。张召重空有一身武艺，背上却如压着四座小山一般，眼睁睁望着两人并辔而去。

两人马匹脚程奇快，倏忽已冲过大军哨岗，待兆惠集兵来追，早去得远了。陈家洛适才一阵剧斗，为时虽暂，但死拼硬搏，实已心力交瘁，奔驰一阵，渐渐支撑不住。香香公主见他困怠，又见他右腕被捏得青一块紫一块，心生怜惜，说道："他们追不上啦，下马休息一会吧。"陈家洛摇摇晃晃的跨下马来，仰卧在地，喘息一阵。香香公主从皮囊中倒出些羊乳，给他在手腕上涂抹。陈家洛缓过气来，正要上马，忽听身后蹄声急促，喊声大振，数十骑急驰追来。两人不及收拾皮囊，跃上马背，向前急奔。忽见前面尘土飞扬，又有一彪军马冲来。

陈家洛暗暗叫苦，双腿一夹，那白马如箭离弦，飞驰出去，抢过香香公主身边。陈家洛叫道："跟着我冲！"白马向前飞奔，跑了一段路，见前面只七八乘马，心中一喜，勒定马等候，待香香公主奔到，对面各骑也已驰近。陈家洛取出点穴珠索，上马迎敌，却觉手臂酸软，眼前金星乱舞，一凝神间，忽见对面当先一人翻鞍下马，大叫："总舵主，是你吗？"滚滚沙尘中狼牙棒上尖刺闪耀，那人身矮背驼，陈家洛这一下喜出望外，叫道："十哥，快来！"语声未毕，后面清兵羽箭已飕飕射到。

章进跃上马背。陈家洛忙叫道："有敌兵追来，给我抵挡一阵。”章进叫道：“好极了！”拍马而前，刚驰到陈家洛身边，对面一人纵马如飞，倏忽抢在章进之前，转瞬杀入清兵队里。那人生龙活虎般勇不可当，不是九命锦豹子卫春华是谁？陈家洛更觉诧异，只见文泰来、骆冰、徐天宏、周绮四人飞骑而来，经过身旁时都大呼一声：“总舵主你好！”便冲向清兵。随后心砚奔到，下马向陈家洛叩头，站起来喜孜孜的道：“少爷，我们来啦。”陈家洛问：“怎么九哥也来了？”心砚未及回答，又有一人掠过身旁，冲入敌人队伍。陈家洛见那人灰衣蒙面，光头僧袍，手持金笛，心下诧异，叫道：“十四弟么？”余鱼同遥遥答应：“总舵主你好！”

待余鱼同冲到，文泰来等已把追骑的先头部队杀散，但见后面尘头大起，又有大军赶来。众人驰回，奔到陈家洛身边。文泰来道：“咱们向哪里退？”陈家洛见追兵声势极盛，心想：“回人大军在西，我们如向西退，追兵跟到，他们猝不及防，只怕要受损折。”叫道：“向南！”手一指，十骑马向南奔去。众人不意相遇，都欣喜异常。各人所乘都是好马，和追兵越离越远，只是大漠上一望无际，毫没隐蔽，距离虽远，仍是举目可见。陈家洛见兆惠点了大军追赶他们两人，未免小题大做，正暗笑他这般没见识，如何能做大将，猛然想起张召重对兆惠轻声所说的那句话：“皇上要的只怕就是这个女子。”一怔之下，心中琢磨这句话的意思，忽见又有一队追兵从南包抄上来。

众人一惊，当刻勒马。徐天宏道：“咱们快做掩蔽，守到夜里再走。”陈家洛道：“不错，在大漠上白天走不了。”众人下马，有的用兵刃，有的便用双手，在沙上挖了个大坑。骆冰对香香公主道：“妹妹，你先躲进去。”香香公主不懂汉语，微微一笑，却没有动。

清兵渐近，骆冰抱住香香公主，首先跳进坑里，众人跟着跳入。文泰来、章进、徐天宏、余鱼同四人这次来到回部，身上都带备弓箭，弯弓搭箭，登时射倒了十几名官兵。文、徐、余三人箭无虚发。章进弓箭却不擅长，连射七八箭没一箭射中，怒火冲天，抛下弓箭，提了狼牙棒要上去厮杀。周绮一把抓住他手臂，骂道："去送死吗?"骆冰见她居然已能审察敌我情势，不再一味蛮打，自是徐天宏陶冶之功，不由得嗤的一笑。周绮横了她一眼道："我说得不对吗?"骆冰笑道："很是，很是。"

卫春华捡起章进抛下的弓箭，连珠箭射倒六名清兵。心砚连连拍手大赞："好箭法!"呐喊声中，一队清兵冲到坑口。文泰来一箭射出，在一名领队的把总胸口对穿而过，箭枝带血，又飞出数丈，这才落地。众兵见这一箭如此手劲，吓得魂飞魄散，转头就跑。

头一仗杀退了追兵，但一眼望出去，四面八方密密层层的围满了人马，幸喜清兵并不射箭，否则纵有沙坑，也决计难避万箭蝗集。徐天宏道："沙坑已够深啦，快向旁边挖。"沙漠上面是浮沙，挖下七八尺后出现坚土，陈家洛、骆冰、周绮、心砚与香香公主一齐动手，向旁挖掘，将沙土掏出来堆在坑边，筑成挡箭的短墙，众人才喘了一口气。章进对心砚道："我护着你，上去捡弓箭。"舞动狼牙棒，跃上坑边。心砚跟着跳出，在射死的清兵身旁捡了七八张弓，捧了一大捆箭回来。

这时陈家洛才给香香公主与众人引见。众人听说她是霍青桐的妹妹，见她容颜绝丽，温雅和蔼，都生亲近之意，只是言语不通，无法交谈。

陈家洛休息良久，力气渐复，心想："张召重这人当真了得，我只和他相持片刻，现下仍是双臂酸软，开不得弓。"问道："九哥你怎么也来了？十二哥呢?"卫春华从坑边跃下，说道："总舵主精神好些了吧？我来禀告好么?"陈家洛道："好，你说吧。"又朗声道："四哥、十弟、十四弟、心砚，你们在上面看着敌兵动静，咱们等到半夜里再突围。"文泰来等在上面答应。

卫春华道："我和十二弟奉总舵主之命到北京打探朝廷动静，一时也没查到什么。有一天在街头忽然见到张召重那奸贼和他师兄马真道长。”陈家洛道：“咱们把张召重交给他师兄，马真道长说要带他去武当山好好管教。我正奇怪他怎么又出来了，原来他到过北京。”徐天宏道：“总舵主最近见过他？”陈家洛道：“刚才就是和他交了手，真是好险。”于是说了和他相遇之事。众人都是又惊又怒。

卫春华道：“他们师兄弟一路说得很起劲，没瞧见我们。我想：莫不是马真道人和师弟联了手骗人？我们悄悄跟着，见他们走进一条胡同的一所屋里，到天黑都不出来，看来便是住在那儿了。我和十二弟商量，得去探个明白。到了二更天，我们跳进墙去，这两人非同小可，单是张召重，我和十二弟加起来也不是对手，何况还有他师兄？因此我们连大气儿也不敢喘一口，在院子里伏着不动。等了半天，听得一间屋里有人声，我们悄悄过去，在窗缝中一张，见马道长躺在炕上，那奸贼却走动不停，两人大声争论，我们不敢多看，矮了身子细听。原来张召重说要到北京料理些银钱私事后才能去湖北。他师兄便和他回来。过了几天，皇帝也回京了。”陈家洛听得乾隆已回北京，嗯了一声。

卫春华又道：“张召重说，皇帝给了他一道旨意，要他到回部来办一件大事。”陈家洛忙问：“什么大事？”卫春华道：“他没说清楚，好像要来找一个什么人。”陈家洛眉头一皱，隐隐觉得有什么事不对。

卫春华道：“马道长的话很严厉，要他马上辞官。张召重却抬出皇帝来压他，说圣旨怎可违抗？若是违旨，只怕武当山也要给皇帝派兵踏平了。马道长说，咱们江山都教鞑子占了，就算再毁武当山也不足惜。两人越说越僵，马道长大怒，从炕上跳起来，喝道：‘我在红花会朋友们面前怎么说的？’张召重说：‘这些造反逆贼，师兄何必跟他们当真？’只听得豁的一声，似乎马道长拔了剑。我忙凑到窗缝上去看，见马道长手中持剑，脸色铁青，骂道：‘你还记不记得师父的遗训？你这忘恩负义之徒，一意要替满清朝廷做走狗，真是无耻之极。我今日先与你拼了。’十二弟向我伸伸大拇指，暗赞马道长是非分明，大义凛然。张召重软了下来，叹了口气道：‘师兄既这么说，明儿我跟你去湖北就是。’马道长这才收了剑，安慰了他两句，在炕上睡了。张召重坐在椅上，脸上一忽儿满是杀气，一忽儿似乎踌躇不决，身子不住轻轻颤动。我和十二弟只怕给他发觉，想等他睡了再走，等了快半个时辰，张召重始终不睡，好几次站了起来，重又坐下，突然双眉竖起，牙齿一咬，轻轻叫道：‘大师哥！’马道长这时已睡得很熟，微微发出鼾声。张召重悄悄走到炕前……”

说到这里，香香公主忽然惊叫了一声，她虽不懂卫春华的话，却也感到了他语气中那股森森阴气，不自禁有栗栗之感。她拉住陈家洛的手，轻轻偎在他身上。周绮狠狠瞪了她一眼，嘴唇一动，要待说话，终于忍住。

卫春华续道：“只见张召重走到炕边，蓦地向前一扑，随即向后纵出。只听得马道长惨叫一声，跳了起来，双眼鲜血淋漓，两颗眼珠已被那狼心狗肺的奸贼挖了出来！”

陈家洛义愤填膺，忽地跳起，右掌在坑边一拍，打得泥沙纷飞，切齿说道：“不杀这奸贼，誓不为人！”香香公主从未见过他如此大怒。心中害怕，紧紧拉住他衣袖。徐天宏等已听卫春华说过，这时却仍是愤怒难当。

卫春华手中双钩抖动，格格直响，语言发颤，续道：“马道长不作一声，一步一步向张召重走近，脸上神色十分怕人，突然飞脚踢出。张召重闪跃退开。马道长瞧不见，这一脚踢在炕上，砰的一声，土炕给他踢去了半边，屋中灰土飞扬。张召重似乎也有点怕了，想夺门而出，马道长已抢到门口，拦住去路，侧耳静听。张召重走不出去，忽然哈哈笑了两声。马道长听准来路，和身扑上，左腿横扫过去。哪知张召重是故意诱他来踢，先已把长剑插在自己身前。马道长这腿扫去，刚好踢到剑上，一只左脚登时切了下来。”周绮咬牙切齿，提刀不住的狠砍身旁沙土。

卫春华道：“这时我和十二弟实在忍不住了，顾不得身在险地，非他敌手，两人不约而同的破窗而入，齐向那奸贼杀去。想是他作了恶事心虚，又怕我们还有帮手，只斗了几回合就逃了。我们追出去，十二弟被奸贼的金针打中。我扶了十二弟回到屋里，想先给马道长止血。他只说了一句话，就在墙上撞死了。”陈家洛道：“他说了句什么话？”

忽然一阵寒风吹来，人人都是一凛。

卫春华道：“马道长说：‘要陆师弟和鱼同给我报仇！’这时外面听到我们争斗的声音，有人起来喝问。我忙把十二弟扶回寓所。第二天我再去探看，见他们已把马道长收殓了。十二弟被打中五枚金针，我给他取出之后，现今在北京双柳子胡同调养。张召重说皇帝要他来回部找一个人，我想莫非是来找总舵主的师父？曾听总舵主说，皇帝有两件干系重大的东西寄存在袁老前辈那里。虽然袁老前辈武功精湛，决不惧他，只是这奸贼如此恶毒，倘若大伙儿以为他已改过，说不定会中了他奸计，因此我日夜不停的赶来报信。在河南遇到了龙门帮的人，得知总舵主见过他们帮主上官大哥，我就去见他，刚好遇到四哥、七哥他们。我们一起去找十四弟。他得知师父遇害，伤心得不得了，大家赶到这里，想不到会和总舵主相遇。”陈家洛道：“十二哥伤势怎样？”卫春华道：“伤势可不轻，幸好没打中要害。”

这时寒风越来越大，天上铅云密密层层，似欲直压上头来。香香公主道：“就要下雪了……”但觉寒意难当，向陈家洛身上更靠紧了些。

周绮胸头一直憋着一股气，这时再也忍不住，冲口而出：“她说什么？”陈家洛见她声势汹汹，有点奇怪，说道：“她说就要下雪了。”周绮怒道：“哼！她怎知道？”过了一会，板起脸说道：“总舵主，你到底心中爱的是霍青桐姊姊呢，还是爱她？”

陈家洛脸红不答。徐天宏扯扯她衣角，叫她别胡闹。周绮急道：“你扯我干什么？霍姊姊人很好，不能让她给人欺侮。”陈家洛心想：“我几时欺侮过她了？”知道周绮是直性人，不说清楚下不了台，便道："霍青桐姑娘为人很好，咱们大家都是很敬佩的……"周绮抢着道："那么为什么你见她妹妹好看，就撇开了她？"

陈家洛被她问得满脸通红。骆冰出来打圆场："总舵主和咱们大家一样，和她见过一次面，只说过几句话，也不过是寻常朋友罢了，说不上什么爱不爱的。"周绮更急了，道："冰姊姊，你怎么也帮他？霍青桐姊姊送了一柄古剑给他，总舵主瞧着她的神气，又是这么含情脉脉的，我虽然蠢，可也知道这是一见钟情……"骆冰笑道："谁说你蠢了？又是含情脉脉，又是一见钟情的？"周绮怒道："你别打岔，成不成？冰姊姊，咱们背地里都说他两个是天生一对。怎么忽然又不算数了？他虽是总舵主，我可要问个清楚。"

香香公主听她们语气紧张，睁着一双圆圆的眼睛，很是诧异。

陈家洛无奈，说了出来："霍青桐姑娘在见到我之前，就早有意中人了，就算我心中对她好，那又何必自讨没趣？"周绮一呆，道："真的么？"陈家洛道："我怎会骗你？"周绮登时释然，说道："那就是了。你很好，我错怪你啦。害得我白生了半天气。对不起，你别见怪。"大家见她天真烂漫，当场认错，都笑了起来。

周绮本来对香香公主满怀敌意，这时过来拉住她手，很是亲热，忽然面上一凉，一抬头，只见鹅毛般的雪花飘飘而下，喜道："你说得真准，果然下雪了。"陈家洛一跃而起，叫道："咱们冲！"

众人跳了起来，把马匹从坑中牵上。清兵见到，呐喊冲来。众人跃上马背，卫春华当先冲出，奔不数丈，忽然"哎哟"一声，连人带马摔倒在地。文泰来大惊，拍马上前，尚未走近，坐马中箭滚倒。文泰来跃起纵到卫春华身旁，卫春华已经站起，说道："马给射死啦，我没事……"话声未毕，章进与骆冰两骑驰到。

两人弯腰伸手，一人一个，把卫春华和文泰来拉上马背，霎时之间，心砚与章进的马又中箭倒下。陈家洛叫道："回去，回去！"各人掉头奔回坑中。清兵乘势追来，被文泰来、余鱼同、卫春华一轮箭射了回去。

这一下没冲出围困，反而被射死四匹马。清兵似乎守定“射人先射马”的宗旨，羽箭尽是射马。大漠之中，如无马匹，如何突出重围？众人凝思无计，愁眉不展。

骆冰道：“如没救兵，咱们死路一条。”徐天宏道：“木卓伦老英雄见总舵主和女儿久出不归，定会派兵接应。”陈家洛道：“他们一定早已派兵，只是我们向南奔出这么远，只怕他们一时难以找到。”徐天宏道：“那只有派人去求救。”心砚道：“我去！”陈家洛沉吟一下，道：“好！”心砚从包裹中取出文房四宝。陈家洛请香香公主写了封信求救。陈家洛对心砚道：“你骑四奶奶的白马去。我们向东佯攻，你在西面冲出去。”说了去回人大营的方向路径。于是众人齐声呐喊，徒步向东冲去。周绮和香香公主留在坑中。

心砚悄悄把白马牵上，伏身马腹之下，双手抱住马颈，两腿勾住马腹，右脚轻轻在马肋上一踢。那白马放开四蹄，向西疾奔而去。清兵疏疏落落的射了几箭，箭力既弱，更是毫无准头，都落在马旁数丈之外。

众人见心砚驰出已远，便退回坑内，凝神遥望，见白马冲风冒雪，突出重围，都欢呼起来。陈家洛这些年来待心砚就如兄弟一般，见他小小年纪，干冒万险去求救兵，不知性命如何，心中一阵难受，当下命徐天宏、卫春华两人上去守卫，把文泰来等人接替下来休息。

文泰来浑不以身处险地为忧，下来后纵声高歌，唱的是江南农家田歌，骆冰应声相和：“上山砍柴唱山歌，不怕豹子不怕虎，穷人生来骨头硬，钱财虽少仁义多。”

香香公主对陈家洛道：“你们汉人唱歌也这么好听。他们唱的是什么呀？”陈家洛把歌曲大意译给她听。香香公主轻轻跟着文泰来唱，学他曲调，唱了一会，便睡着了。

这时雪愈下愈大，一眼望出去，但见白茫茫的一片。天将黎明时，香香公主仍是沉睡未醒，头发上肩上都是积雪，脸上的雪花却已溶成水珠，随着她呼吸微微颤动。骆冰轻声笑道：“这孩子真是一点也不担心。”

又过良久，徐天宏双眉紧锁，缓缓的道：“怎么隔了这久还没救兵消息？”文泰来道：“不知心砚路上会不会出事？”徐天宏道：“我担心的是另一件事。”周绮道：“什么事？怎么吞吞吐吐，要说不说的？”

徐天宏在甘凉道上见到回人夺经之时，霍青桐发号施令，众回人奉命唯谨，问陈家洛道：“回人营中事务，是木卓伦老英雄管呢，还是霍青桐姑娘管？”陈家洛道：“看来两人都管。木老英雄凡事都和女儿商量。”徐天宏叹道：“要是霍青桐不肯发兵，那就……难了。”众人明白他的意思，默然不语。周绮却跳了起来，急道：“你……你怎把霍姊姊看成这样的人？她不是另有意中人吗？再说，就算她跟妹子吃醋，难道会不救自己心中喜欢的他？”徐天宏道：“女人妒忌起来，什么事都做得出。”周绮大怒，哗啦哗啦乱叫。香香公主醒了，睁开眼睛，微笑着望她。众人和霍青桐都只见过一面，虽然觉得她好，但她究竟为人如何，并不深知，听徐天宏一说，觉得也不无有理，只是周绮绝不肯信。

心砚急驰突围，依着陈家洛所说道路，驰入回人军中，把信递了上去。

木卓伦正派人四出寻访，但茫茫大漠之中，找寻两个人谈何容易，清兵集结之处又不能前去打探，正自焦急万状，一见女儿的信，大喜跃起，对亲兵道：“快调集队伍。”

霍青桐问心砚道：“围着你们的清兵有多少人？”心砚道：“总有四五千人。”霍青桐咬着嘴唇，在帐里走来走去，沉吟不语。不一刻，篷帐外号角吹起，人奔马嘶，刀枪铿锵，队伍已集。木卓伦正要出帐领队前去救人，霍青桐牙齿一咬，说道：“爹，不能去救。”

木卓伦吃了一惊，回过头来，惊疑交集，还道听错了话，隔了片刻，才道：“你……你说什么？”霍青桐道：“我说不能去救。”

木卓伦紫涨了脸，怒气上冲，但随即想到她平素精细多智，或许另有道理，问道："为什么？"霍青桐道："兆惠很会用兵，决不能只为要捉咱们两个使者，派四五千人去追赶围困，其中必有诡计。"木卓伦道："就算有诡计，难道你妹子与红花会这些朋友，咱们就忍心让清兵杀害？"霍青桐低头不语，隔了半晌，说道："我就怕领了兵去，不但救不出人，反而再饶上几千条性命。"

木卓伦双手在大腿一拍，叫道："且别说你妹子是亲骨肉，陈总舵主与红花会这些朋友，对咱们如此仁至义尽，就算为他们死了，又有什么要紧？你……你……"见女儿突然不明义理，心中又是愤怒，又是痛惜。

霍青桐道："爹，你听我的话，咱们不但要救他们出来，说不定还能打个大胜仗。"木卓伦喜道："好孩子，你怎不早说？怎样干？我，我听你的话。"霍青桐道："爹，你真肯听我话？"木卓伦笑道："刚才我急胡涂啦，你别放在心上。怎样办？快说。"霍青桐道："那么你把令箭交给我，这一仗由我来指挥。"木卓伦微一迟疑，想到她智谋远胜于己，便道："好，就交给你。"把号令全军的令旗令箭双手捧着交过去。

霍青桐跪下接过，再向真神安拉祷告，然后站起身来，道："爹，那么你和哥哥也得听我号令。"木卓伦道："只要你把人救出，打垮清兵，要我干什么都成。"霍青桐道："好，一言为定。"和父亲走出帐外，各队队长已排成两列等候。

木卓伦向众战士叫道："咱们今日要和满洲兵决一死战，这一仗由霍青桐姑娘发施号令。"众战士举起马刀，高声叫道："愿真神护佑翠羽黄衫，愿真神领着咱们得到胜利。"霍青桐把令旗一展，说道："好，现下散队，大家回营休息。"各队长率领众人散了。木卓伦错愕异常，说不出话来。

回入帐内，心砚扑地跪下，不住向霍青桐磕头，哭道："姑娘，你如不发兵去救，我家公子可活不成啦。"霍青桐道："你起来，我又没说不去救。"心砚哭道："公子他们只有九人，当中姑娘的妹子是不会武的。敌兵却有几千。救兵迟到一步，公子他们就……就……”霍青桐道：“清兵的铁甲军有没有冲锋？”心砚道：“还没有。只怕这时候也已冲了。他们穿了铁甲，箭射不进，那怎挡得住……”越想越怕，放声大哭。霍青桐皱眉不语。

木卓伦见心砚哭得悲痛，心想：“他年纪虽小，对主人却十分忠义。我们若不去救，如何对得起人？”在帐中踱来踱去，彷徨无策。

霍青桐道：“爹，你不见捉黄狼用的机关？铁钩上钩块羊肉，黄狼咬住肉一拖，引动机关，登时把狼拿住。兆惠想让咱们做狼，妹子就是那块羊肉了。沙漠之中，无险可守，红花会的人再英雄，单凭八人，决计挡不住四五千人马。那定是兆惠故意不叫猛攻。”木卓伦点头说是。霍青桐又道：“这小管家说，清兵铁甲军没出动，可到哪里去啦？”蹲下地来，用令旗旗杆在地下画个小圈，道：“这是羊肉。”在圈旁画了两道粗线，说道：“这是铁甲军，那便是机关了。咱们从这里去救，他铁甲军两面夹击，咱们还有命么？”木卓伦回头望着心砚，无话可说。

霍青桐道：“清兵是故意放这小管家出来求救，否则他孤身一人，从四五千军马中冲杀出来，谈何容易？”木卓伦道：“你说兆惠要咱们上当，那么咱们从他队伍侧面进攻，打他个措手不及。”霍青桐道：“他们有四万多兵，咱们却只一万五千，正面开仗一定吃亏。”

木卓伦大叫：“依你说，你妹子和那些朋友是死定了？我舍不下你妹子，也决不能让红花会的朋友们遇难。我只带五百人去，救得出是真神保佑，救不出就和他们一块儿死。”霍青桐沉吟不语。

心砚见霍青桐执意不肯发兵，急得又跪下磕头，哭道：“我们公子有什么地方对不起姑娘，请你大量包容，等救他出来之后，小人一定求公子给姑娘赔礼。姑娘救他性命，我们不会不感激姑娘的恩德。”霍青桐听了这几句话，知心砚已有疑她之意，秀眉一竖，怒道：“你别不清不楚的瞎说。”心砚一愣，跳起身来，说道：“姑娘这么狠心。我去和公子死在一块。”哭着骑上白马，奔驰而去。

木卓伦大声道：“如不发兵，连这小孩子都不如了。就是刀山油锅，今日也要去走一遭。为义而死，魂归天国！”越说越是激昂。

霍青桐道：“爹，汉人有一部故事书，叫做《三国演义》。我师父曾给我讲过不少书中用计谋打胜仗的故事，那些计策可真妙极了。那部书中说道，将在谋而不在勇。咱们兵少，也只有出奇，方能制胜。兆惠既有毒计，咱们便将计就计，狠狠的打上一仗。”

木卓伦将信将疑，道：“当真？”霍青桐颤声道：“爹，难道你也疑心我？”木卓伦见她双目含泪，脸色苍白，心中不忍，说道：“好吧，由得你。那你就立刻发兵救人。”

霍青桐又想了一会，对亲兵道：“击鼓升帐。”鼓声响起，各队队长走进帐来。霍青桐居中坐下，木卓伦和霍阿伊坐在一边。这时帐外雪更下得大了，地下已积雪数寸。木卓伦想到小女儿被困沙漠，再加上这般大雪，不饿死也要冻死，心下甚是惶急。

霍青桐手执令箭，说道：“青旗第一队队长，你率领本队人马，在戈壁大泥淖西首如此如此，青旗第二、三、四、五、六各队队长，你们率领人马，召集牧民、农民，在大泥淖旁如此如此。”六队青旗兵队长接奉号令，各率一千人去了。

木卓伦见女儿把本部精锐之师派出去构筑工事，却不去救人，颇感不满。霍青桐又道：“白旗第一、二、三队三位队长，你们在叶尔羌城中和黑水河两岸如此如此。黑旗第一队队长，哈萨克队队长，你们两队在黑水河旁的山上如此如此。蒙古队队长，你们这队驻扎在英奇盘山顶，如此如此。”各队队长接令去了。此役清兵西侵，不但回人遭害，天山北路的哈萨克部、蒙古部也大受池鱼之殃，因此不少部落和回人联手抗敌。

霍青桐道：“爹爹，你任东路青旗军总指挥。哥哥，你任西路白旗、黑旗、哈萨克、蒙古各队人马总指挥。我率领黑旗第二队居中策应。这一仗的方略是这样……”正要详加解释，木卓伦跳起身来，叫道：“谁去救人？”

霍青桐道："黑旗第三队队长，你率队从东首冲入救人。黑旗第四队队长，你率队从西首冲入救人。遇到清兵时如此如此。你们两队和青旗军调换马匹，要骑最好的良马，不许有一匹马是次等的。"黑旗军两名队长接令去了。

木卓伦叫道："你把一万三千名精兵全都调去干不急之务，却派两千老兵小兵去救人，这是什么用心？"原来回人中青旗白旗两军最精，黑旗军远为不及，黑旗第三、第四两队由老年及未成丁少年组成，尤为疲弱，平时只做哨岗、运输之事，极少上阵。霍阿伊对妹子素来敬服，这时心中也充满怀疑。

霍青桐道："我的计策是……"木卓伦怒火冲天，叫道："我再不信你的话啦！你，你喜欢陈公子，他却喜欢了你妹子，因此你要让他们两人都死。你……你好狠心！"

霍青桐气得手足冰冷，险些晕厥。木卓伦气头上不加思索，话一出口，便觉说得太重，呆了一呆，翻身上马，叫道："我去和喀丝丽死在一起！"长刀一挥，叫道："黑旗第三、第四队，跟我来！"两队老少战士刚掉换了良马，跟随族长，在风雪中向大漠驰去。

霍阿伊见妹子形容委顿，说道："妹妹，爹爹心中乱啦，自己都不知道说什么，你别放在心上。"霍青桐右手按住心口，额头渗出冷汗，隔了一会，道："我去接应爹爹。"霍阿伊道："瞧你累得这样子，你息着。我去接应爹爹。"霍青桐道："不，你指挥东路青旗各队，我去。"跨上战马，带领黑旗第二队奔了出去。

这时回人大营只余下两三百名伤兵病兵，一万五千名战士空营而出。

心砚心中气苦，骑了白马，哭哭啼啼的向陈家洛等被围处奔去。驰近敌军时，清兵居然并不出力阻拦，敷衍了事般的放了十几枝箭，羽箭飞来，都离得心砚远远的，少说也有丈余。他冲近土坑，章进欢呼大叫："心砚回来了！"

心砚一声不响，翻身下马，把白马牵入坑内，坐倒在地，放声大哭。周绮道："别哭，别哭，怎么啦？"徐天宏叹道："还有什么可问的？霍青桐不肯发兵。"心砚哭道："我跪下跟她磕头……苦苦哀求……她反而骂我……"说罢又哭。众人默然不语。

香香公主问陈家洛这孩子为什么哭。陈家洛不愿让她难受，说道："他出去求救，走了半天，冲不出去。"香香公主掏出手帕，递了过去。心砚接过，正要去擦眼泪，忽觉手帕上一阵清香，便不敢用，伸衣袖擦去眼泪鼻涕，把手帕还了给她。

徐天宏道："咱们是冲不出去了。四哥，你说该怎么办？"文泰来听徐天宏忽然问他而不问陈家洛，微一沉吟，已知他用意，说道："总舵主，你快和这位姑娘骑白马出去。"陈家洛讶道："我们两人？"文泰来道："正是，咱们一起出去是决计不能的了。你肩头担负着天大担子。不但红花会数万弟兄要你率领，汉家光复大业也落在你身上。"卫春华、余鱼同、周绮等都道："只要你能出去，我们死也瞑目。"陈家洛道："你们死了，我岂能一人偷生？"徐天宏道："总舵主，时机紧迫。你若不走，我们可要用强了。"

陈家洛顿了一顿，说道："好。"把白马牵出坑外，向众人一拱手，把香香公主扶了出去。文泰来等均知这番是生离死别，都十分难过，骆冰已流下泪来。陈家洛却若无其事的和香香公主上马而去。

众人心头沉郁，又担心陈家洛不能冲出重围。文泰来豪迈如昔，大声道："咱们这里连总舵主和那位回人姑娘，不过十个人，现今已杀了七八十名敌兵。各位兄弟，咱们要杀满多少人才肯死？"骆冰道："至少再杀一百名。"周绮道："这些满清兵坏死啦，咱们杀足三百名。"文泰来道："好，大家数着。"章进道："凑足五百名！"

卫春华在上守望，回过头来叫道："咱们这里还有八人。红花会的英雄好汉要以一当百，瞧着！"这时正有三名清兵在雪地中慢慢爬过来，卫春华扯起长弓，连珠箭箭无虚发。只听心砚数道：

“一、二、三！好！九爷，好极啦。”余鱼同兴致也提了起来，叫道：“就是这样，要咱们死，可不大容易，总得杀满八百人。”徐天宏笑道：“这越来越不容易啦。要是杀不足数，咱们岂不是死不瞑目？”骆冰笑道：“那只好请五哥、六哥慢一点驾到。”众人都大笑起来。要知常赫志、常伯志绰号黑无常、白无常，人死时由无常鬼拘魂。

群雄死意既决，反而兴高采烈。心砚本来甚是害怕，见大家如此，也强自壮胆，心想：“公子是英雄豪杰，我可不能辱没了他。”章进哈哈傻笑，颠来倒去的大叫：“老爷今日要归天，先杀鞑子八百人！”

忽听得卫春华喝问：“谁？”只听陈家洛笑道：“干么不杀足一千人？”卫春华叫道：“啊，总舵主，怎么你回来啦？”陈家洛纵身入坑，笑道：“我把她送走，自然回来啦。当年刘关张说要同年同月同日死。他们义垂千古，到头来却还是做不到。咱们兄弟姊妹九人，今日却做到啦。”众人见他如此，知道再也劝他不回，齐声大叫：“好，咱们同年同月同日死。”陈家洛道：“心砚，好兄弟，你别再叫我少爷了。你做咱们的十五弟吧！”众人都说：“不错，不错。”心砚大是感动，哭了起来。

这时坑中雪又积起数寸，众人一面把雪抄出去，一面闲谈。徐天宏笑道：“这时如有一坛老酒，可有多好。”周绮瞪了他一眼道：“又来逗我啦！”众人笑了起来。

余鱼同呆了一阵，忽道：“四哥，我有一件事很对你不起。我可不能藏在心里死去。”文泰来一怔，道：“什么？”余鱼同于是把自己如何对骆冰痴心、如何在铁胆庄外调戏她的事，原原本本的说了，最后说道：“我丧心病狂，早就该死了，却又不死，心中老大不安，只得做了和尚。四哥，你能原谅我吗？”

文泰来哈哈大笑，说道：“十四弟，你道我以往不知么？可是我待你曾有什么丝毫异样？你四嫂从来没提过一字，但我自然看得出来。我知你年青人一时胡涂，向来不当它一回事，早就原谅了你，又何必要你今日再来求我？”余鱼同又是惭愧，又是感激。

骆冰笑道：“十四弟，这事早过去啦，何必再提？可是有一件事我却很不乐意。”余鱼同一怔，道：“怎……怎样？”骆冰道：“你是大和尚，归天之后，我佛如来接引你去西方极乐世界。我们八人却给五哥、六哥拘去阴曹地府。这一来，岂不是违了当年咱们有福共享、有难同当的誓言？”众人越听越是好笑。余鱼同把身上僧袍一扯，笑道：“反正我今天已杀人破戒，我佛慈悲，弟子今日决意还俗。与众位哥哥姊姊同赴地狱，胜于一人独登极乐！”群雄拍手叫好。

轰笑声中，上面卫春华与心砚叫了起来。众人齐上坑边，预备迎敌。月光冷冷，雪花飞舞之中，只见一个白衣人手牵白马，缓缓走来。这时遍地琼瑶，这白衣人踏雪而来，真如仙子下凡一般，正是香香公主。陈家洛吃了一惊，纵出沙坑，迎了上去。

香香公主道：“你怎么撇下我一人？”陈家洛顿足道：“我叫你逃回去啊，在这里有死无生。”香香公主流下泪来，道：“你死了，我还活得成么？难道你……你不知道我的心？”陈家洛呆了半晌，道：“好，咱们回去。”拉了她手，回入坑中。

周绮叹道：“总舵主，本来我还有些怪你心志不坚，其实当真是我错了。”陈家洛道：“怎么？”周绮道：“想不到这小姑娘对你竟如此情义深重。别说她似仙女一般，就算丑得像母夜叉，只要有这样的心，我也爱她。”

陈家洛一笑，心想今日良友爱侣同在一起，虽死无憾。

骆冰对周绮道：“怪不得你这般爱七哥，原来他心好。”周绮道：“不是么？他人虽鬼灵精，心肠却是很好的。”徐天宏得爱妻当众称赞，心中乐意之极。

香香公主对陈家洛道：“我唱个故事给大家听。”陈家洛拍手叫好。香香公主柔声唱了起来：“孔雀河畔铁门关，两岸垂柳拂水面，高山岭上一个坟哟，葬着塔依尔与柔和娜。”她唱一段，陈家洛低声翻译一段。

她唱的是回族的一个传说。古焉耆王国公主柔和娜，和首相之子塔依尔从小相恋。后来首相因直谏而被国王处死，国王不许女儿再和塔依尔相好，要把她嫁给奸臣的儿子黑英雄，把塔依尔关入箱中，顺着孔雀河水放逐出境。恰好库车国公主正在游河，救起了他。

库车国老国王见他英俊能干，想招他做驸马，并让他继承王位。塔依尔却说："陛下的财富和王位，再加上美丽的公主，也不能令我负了柔和娜的深情。"坚不接纳老国王的美意，后来便偷偷回国。这时柔和娜因怀念情人而生了病，国王假造了塔依尔的书信来安慰她。等她病好，国王又强迫她嫁给黑英雄。她含着眼泪，打开百姓送来给她道贺的一只礼物箱子时，塔依尔从箱中跳了出来。

便在这时，黑英雄闯了进来，跟塔依尔搏斗，被塔依尔杀死。国王下令将塔依尔处绞。公主向父王苦苦求情，也被愤怒的父王扼死。众百姓抬了这对恋人的尸身，唱着挽歌，走上高山给他们举行葬礼。

当她唱到曼长凄切的挽歌时，骆冰和周绮虽不懂词义，也不禁泪水盈眶。众人沉默良久，想着这对古代恋人不幸的命运。

忽然卫春华在上面哈哈大笑，叫道："快来瞧！"大家爬到坑边，只见六七名清兵呜呜乱叫，动弹不得。原来他们爬过来偷袭，卫春华早看到了，想等他们爬近些再发箭，哪知他们听到香香公主的歌声，心神俱醉，伏在雪地里静听。酷寒之中，只过得片刻，身上积雪便都结成了冰，等到歌声停止，想再爬动时，冰块已将他们全身牢牢胶住，再也挣不脱了。大雪不断落下，随落随冻，不多时，将这几名清兵埋葬在冰雪之中。

群雄这时也冷得抵受不住，心砚捡了一大批箭枝来，在坑中点火取暖。

第三日天明，大雪仍下个不停。徐天宏道："大家上去，只怕清兵马上就要进攻。"除香香公主外，众人都弯弓搭箭守在坑边。这时天色大亮，清兵却只是疏疏落落的射些冷箭，并不集队来攻。

徐天宏大惑不解，忽地想起一事，忙问心砚："霍青桐姑娘问你些什么话？"心砚道："她问我围困咱们的清兵有多少人，又问铁甲军有没冲锋。"徐天宏大喜，叫道："咱们有救了，有救了！"众人瞪眼望着他。

徐天宏道："我真胡涂，疑心霍青桐姑娘，真是以小人之心度人了。她可比我精明得多。"周绮道："怎么？"徐天宏道："清兵的铁甲军一冲过来，咱们还有命么？"周绮道："咦，也真奇怪。"徐天宏道："他们就算没铁甲军，周围这几千人一起冲锋，咱们八九个人怎挡得住？数千人马也不用动手，只须排了队挤将过来，也把咱们踏成了肉泥。再说，他们一直没当真向咱们射箭，只是装个样子。"众人都说确是如此，这次清兵可客气得很，手下留情。

陈家洛登时恍然，叫道："是了，是了。他们故意不冲，要引回人救兵过来，可是霍青桐姑娘料到了，不肯上当。"章进道："她不上当，咱们可糟啦。"陈家洛道："不会糟，她一定另有法子。"周绮笑道："是么？我本来不信她会这么坏。"

众人登时精神大振。留下余鱼同与心砚守望，余人回入坑中休息。

霍青桐隔着沙丘，听得那三人大骂翠羽黄衫，却原来是关东六魔的一伙人，寻思：“大漠之中，无可逃避。只有明日我自行迎上去，设法带他们去见我师父师公。”

第十五回　奇谋破敌将军苦
儿戏降魔玉女瞋

忽伦四兄弟按住张召重，放脱了陈家洛，直至兆惠出来喝开，忽伦四兄弟这才放手。张召重愤怒异常，倏地跳起，反手一掌，又快又重，拍的一声，把忽伦二虎打落了半边牙齿。二虎痛得险险晕去。四兄弟大怒，一齐扑上厮打。兆惠连声喝骂，四兄弟才悻悻退下。

张召重恨恨的道："大将军，皇上差卑职到回疆来，有两件钦命，第一件就是拿刚才这女子进京。"兆惠道："张兄从未来过这里，怎识得这女子？"张召重道："回人送了一对玉瓶向皇上求和。玉瓶上画的就是这女子肖像。皇上很想一见真人，命卑职赶来办这件事。福统领拿玉瓶给卑职细看过，因此认得。"兆惠嗯了一声。张召重道："刚才那男子不是回人，是红花会大头脑陈家洛。"兆惠惊道："是么？他怎么到了这里？"张召重道："皇上要他来取几件东西，命卑职等他取到后便截他下来。只怕皇上要的东西就在他身边。这两人自行投到，正是皇上洪福，咱们却白白放过了，实在可惜。"说着连连拍腿叹气。

兆惠笑道："张兄不必连声可惜。他们使者来时，我早已调兵遣将，布置定当。要叫这使者做饵，钓一条大鱼上来。既然皇上要这两人，那更是一举两得了。"转头对身旁亲兵道："去对德都统说，不可伤那两人性命。"亲兵应令去了。兆惠笑道："这两人既是非同寻常，回人定会派重兵相救。等他们过来，我的铁甲军从两旁这么一夹。”张开两臂，往中间一合，笑道：“就是这样!”张召重道：“大将军神机妙算，人不可及，因此皇上如此亲任，征回大事，便差大将军统兵。”兆惠十分得意，呵呵大笑。

张召重道：“大将军这场胜仗是打定的了。只是乱军之中，若把皇上要的那两人杀了，或是弄得不知下落，皇上必定怪罪。”兆惠道：“你说怎样?”张召重道：“卑职想请令先去把这两个人擒了。我军则继续围困不撤，好把回人主力引来。”兆惠沉吟道：“此刻便去，只怕给回子识破了我的计谋。张兄稍待。”直等到第三日清晨，兆惠这才发下令箭，张召重带领了一百名铁甲兵疾驰而去。

奔到土坑边上，坑内十余箭射出，三名铁甲兵脸上中箭，撞下马来。铁甲军攻势稍挫，张召重领头呐喊，又冲了上去。

徐天宏惊道：“铁甲军到了，难道我猜的不对?”卫春华大叫：“是张召重那奸贼!”

余鱼同想起恩师惨死，目眦欲裂，手持金笛，纵身出坑，没头没脑向张召重打去。张召重忽见一个丑脸和尚以本门武术猛打急攻而来，大为诧异，呆得一呆，卫春华挺双钩也已扑上。张召重持剑挡住。他武功比这两人高得多，但卫春华上阵向来舍命恶拼，余鱼同更是甩出了性命，不惜与仇人同归于尽。常言道：“一人拼命，万夫莫当。”更何况两人拼命?一时之间，三人在坑边堪堪打了个平手。

这时数十名铁甲军已冲到坑边。陈家洛、文泰来、徐天宏、章进、骆冰、心砚都跳了上去。章进挥狼牙棒当当乱打，铁甲军盔甲坚厚，伤他们不得，反而险被长矛刺中。骆冰、心砚、徐天宏三人也只落得奋力抵挡，伤不了人。文泰来单刀砍出，给铁甲反震回来，大喝一声，抛去单刀，空手向一名铁甲军扑去。那兵挺矛疾刺，文泰来抓住矛头一拉，那兵啊哟一声，长矛脱手。文泰来不及轮转矛头，就将矛柄向他脸上倒搠进去，直插入脑心，未及拔出，听得骆冰急叫：“留神后面！”只觉背后风劲，当即左手勾转，已把一柄刺来的长矛夹在胁下，在背心偷袭的清兵双手使劲拉夺。文泰来右手一提，从清兵脑袋中拔出了长矛，回身对准那清兵脸孔，一矛飞出，直插入他鼻梁，从脑后穿出，将他钉在地下。

铁甲军奉命擒拿陈家洛和香香公主，不同四周其余清兵那般只是佯攻，却是奋勇争先，狠刺真杀，虽见文泰来神勇，兀自不退。文泰来手挺双矛，冲入人丛，双矛此起彼落，猛不可当，霎时之间，九名铁甲军被他长矛捌入脸中而死。

陈家洛没带兵刃，叫道：“心砚、十哥，跟我来。”见一名铁甲军挺长矛当胸捌来，陈家洛身子一侧，长矛捌空，左手马鞭挥出，缠住他双足一扯，那兵扑地倒了。陈家洛叫道：“心砚，扯下他头盔。”铁甲军穿了铁甲，身子笨重，跌倒之后，半天爬不起来。心砚早把他头盔扯落，章进随手一棒，打得脑浆迸裂。三人随扯随打，顷刻间也打死了八九名敌兵。余兵见文泰来挺矛冲到，心寒胆落，发一声喊，都退走了。

这时卫余两人渐渐抵敌不住张召重的柔云剑法，徐天宏已上去助战。张召重见落了单，刷刷数剑，把三人逼退两步，退了下去。文泰来挺矛欲追，清兵羽箭纷射。

骆冰忽然惊叫：“你们快来！”跳进坑中。众人纷纷跳入，只见周绮披散了头发，满脸血污，一柄单刀左挡右抵，在坑中与四名铁甲军苦斗。坑中长矛施展不开，四兵都使佩刀进攻。群雄大怒，一齐扑上。四兵一个被骆冰单刀捌死，一个被卫春华一钩刺入口中，其余两个被文泰来左手抓住后心，右手拧住头盔，交叉一扭，扭断了颈骨。徐天宏忙去扶住周绮，见她肩上臂上受了两处刀伤，甚是痛惜。香香公主撕下衣服给她裹伤。

徐天宏道：“兆惠本想把我们围在这里，引得回兵大队来，才出动伏兵夹击，定是张召重那奸贼见了总舵主，等不及的抢着要建功。”陈家洛道：“他退去之后必不甘心，还会带兵再来。”徐天宏道：“咱们快挖个陷阱，先拿住这奸贼再说。”

众人大为振奋，照着徐天宏的指点，在北首冰雪下挖进去。上面冰雪厚厚的冻了将近一尺，下面沙土掏空，丝毫看不出来。

陷阱挖好不久，张召重果然又率铁甲军冲到。他在兆惠面前夸过口，要逞豪强，竟不增兵，仍只带领余下的那数十名铁甲军。这一次每个军士手中都拿了盾牌，挡住群雄的羽箭，霎时间冲到坑前。陈家洛跳出坑外，向张召重喝道："再来见过输赢！"张召重见他手中没兵器，将长剑往地下一抛，说道："好，今日不分胜败不能算完。"两人一个展开百花错拳，一个使起无极玄功拳，登时在雪地上斗在一起。

文泰来、徐天宏、章进、卫春华、余鱼同、心砚六人也纵出坑来接战。陈家洛一面打，一面移动脚步，慢慢退近陷阱，眼见张召重再抢上两步就要入伏，哪知斜削里一名铁甲军冲到，一脚踏上陷阱，惊叫一声，跌了下去，接着一声惨呼，被守在下面的骆冰一刀戳死。

张召重吃了一惊，暗叫："侥幸！"手脚稍缓。陈家洛见机关败露，蓦地和身扑上，抱住他身子，用力要推他下去。张召重双足牢牢钉在雪地，运力反推。两人僵持在坑边，一个挣不脱，另一个也推他不下，谁也不敢松手。

两名铁甲军挺矛来刺陈家洛。徐天宏从旁跃过，举单拐挡开长矛，俯身双手一抬，将陈张两人抬入陷阱之中，随即一个打滚，铁甲军两柄长矛刺入雪地。

陈张两人跌入沙坑，同时松手跃起。骆冰右手刀向张召重砍去，却被他施展空手入白刃功夫反拿手腕，一扯之下，已将短刀抢在手中。陈家洛背后飞脚踢到，张召重不及向骆冰进攻，回身一刀。陈家洛侧身避过，举两指向他腿上"阴市穴"点去。张召重右腿一缩，骆冰飕飕飕掷出三柄飞刀。沙坑之中无回旋余地，但张召重在间不容发之际，居然将三把飞刀一一避过。骆冰叫道："总舵主接刀！"长刀丢出。

陈家洛接住刀柄，使开金刚伏虎刀法，和张召重的短刀狠斗起来，他武功本杂，各家兵刃全都会使，不似张召重独精剑术，登时在兵器上占了便宜。拆了十余合，张召重迭遇险招，左手连以拳术助守，才得化解。骆冰对自己的这对鸳鸯刀的长刀短刀本来无所偏爱，这时却只盼长刀得胜，短刀落败。

周绮持刀护在香香公主身前。只听得长刀短刀铮铮交撞数下，张召重忽然把短刀掷出坑外，说道："我空手接你兵刃。"左拳右掌，往陈家洛闪闪刀光中猛攻直进。陈家洛对骆冰叫道："接刀！"将长刀掷还给她，左手一指往敌人"曲泽穴"点到。沙坑中寻丈之地，转身都是不便，更别说趋避退让，两人竭尽生平所学，性命相搏。数十招后，渐渐分出高下，陈家洛百花错拳虽然精妙，终不及张召重功力深厚，内力又没他大，时候一长，已是攻少守多。骆冰空自着急，见两人打得紧凑异常，要想相助，却哪里插得下手去？

眼见陈家洛越打越落下风，张召重飞脚踢出，陈家洛向左一让，张召重左掌反击，其势如风。突然坑上一人大喝："铁胆来了！"张召重左掌倏然收回，护住顶心。果然黑黝黝一枚铁胆猛掷下来。张召重吃过周仲英铁胆的苦头，心中一寒，暗想："这老儿怎么也来了？他居高临下，投掷之势更为凶狠。"既不敢接也不敢让，猛然向后一拔，退开三尺，身子在沙坑边上一撞，只听拍的一声，铁胆打落坑心，徐天宏随势纵下。原来周仲英那日收他为义子，当天即把称雄武林的绝技子母铁胆教给了他。这些日子中徐天宏奔波无定，每日仍是挤出功夫习练，今日临敌初试，仗着岳父声威，虽然一击不中，但也把张召重吓得倒退。

张召重双足在地上一点，身子纵起，往坑外跃去，突然当头一掌劈到，势劲力疾，生平未遇。他右手一带，化解了掌力，但这样一来，终究跃不出去，随着落下，暗暗心惊："这是谁？此人功夫实不在我之下。"脚刚点地，一人跟落，声若巨雷，喝道："奸贼，认得我么？"那人身高膀阔，气度威猛，正是奔雷手文泰来。

卫春华等已把铁甲军杀退，跟着跳下。文泰来与张召重面面相对，想起铁胆庄被擒之辱，一路上又受了他无数折磨，剑眉倒竖，虎目生光，大喝一声，出手便是生平绝技“霹雳掌”，呼呼数掌，疾如闪电，声逾轰雷。

这一番恶战，比陈张两人刚才决斗更为激烈。香香公主见文泰来大声吆喝，风雷般向张召重攻去，不禁害怕。陈家洛见到她脸上惊惧之色，靠着坑壁走到她身旁，牵住她手，向她微微一笑。香香公主凝望他的脸，露出询问之意。陈家洛知是问他刚才打斗是否很累，缓缓摇了摇头。香香公主伸起衣袖，替他揩拭脸上的汗水泥污。

陈家洛摸出三粒围棋子，以防文泰来万一遇险，立可施救。他手中拿到棋子，心念一动：“这真像一局搏杀凶猛、形势繁复的棋局，中间是文四哥与张召重全力厮拼。我们在外面围住。在我们外面是一重清兵包围住了。霍青桐姑娘又在外面设法施救，更在外面又有清兵大军列阵包围。这局势只要棋错一着，满盘皆输。”

群雄知道文泰来满腔怨气，这次非亲手报仇不可，都在一旁观战，只防张召重逃走，并不出手相助。大家素知文泰来武功卓绝，纵然不胜，也决不致落败。但见一个猛攻，一个固守，就似大海中惊涛骇浪，浪头一个接着一个向礁石扑去，但礁石始终屹立不动，浪头过去，礁石又稳稳的露在海面。

陈家洛寻思：“别人出手，四哥或许会不快，但四嫂相助，他决不致见怪。”便向骆冰使个眼色。骆冰会意，想放飞刀相助，但两人斗得正紧，惟恐误伤了丈夫，急道：“总舵主，你快出手，我不成。”陈家洛正要她这句话，嗤嗤嗤，三粒棋子向张召重要穴上打去。张召重连连闪避，文泰来乘势直上。

正要得手，忽听得上面喊声大振，马匹奔驰，刀枪相交。一人冲到坑边，大叫：“陈公子，喀丝丽，你们在哪里？”香香公主叫道：“爹爹，爹爹，我们在这里！”陈家洛叫道：“救兵来啦，大家上，先杀了这奸贼！”众人兵刃并举，齐向张召重攻去。张召重双掌如风，忽向香香公主后心击去。众人大惊，不约而同的抢过救援。哪知他这一下是声东击西，身子急缩，在坑边抓起一把沙土一扬，坑中尘沙弥漫。众人眼睛一花，已被他跃上坑去。只听他哼的一声，臀部中了徐天宏一枚铁胆，但终于逃了出去。

群雄纷纷跃出追击，只见木卓伦手舞长刀，一马当先冲到，回人战士跟在其后，众清兵大呼阻拦，张召重在人丛中闪得数闪，便不见了去向。文泰来夺得一条长矛，跨上白马，要杀入敌阵追赶，被骆冰一把拖住。

木卓伦率领的黑旗队虽是老弱，但人人奋勇，挺起盾牌，拥卫主帅。

香香公主见父亲赶到，脸上、胡子上、刀上溅满了鲜血，纵身入怀，连叫："爹爹!"木卓伦揽住她，轻轻拍她背脊，说道："乖乖别怕，爹爹来救你啦。"

徐天宏站上马背观看形势，见东首尘头大起，雪地之中，尚且踏得尘土飞扬，知有铁甲军冲来，叫道："木老英雄，咱们快向西面高地退却。"木卓伦知他机智，上次《可兰经》就是他使计夺回，当即发令向西。清兵随后赶来。众人奔了一阵，西面斜刺里又有一彪清兵杀到，将回人夹在中间。木卓伦和文泰来双马并驰，大呼冲出，被清兵一阵箭射了回来。

木卓伦心想："青儿的话果然不错。刚才我是错怪她了。她现下一定十分伤心。唉，我这一下可是凶多吉少。"只得率领众人奔上一座大沙丘，凭势固守，俟机脱困。回人居高临下，清兵一时倒也不敢冲上。

霍青桐率队到离敌阵十里处驻扎。这天中午，各队队长和传令骑兵先后来报，均已依令办理。霍青桐道："很好，各位辛苦了。"拿出令箭，说道："青旗第二队队长，你率领五百名弟兄，在黑水河南岸固守，不许清兵过河。对方大军来攻，切不可与他们硬拼，只求拖延时间，有一名清兵渡河，别来见我。"那队长接令去了。

霍青桐又道："白旗第一队队长，你带领本部人马，引清兵向西追赶，一路上接战只许败不许胜，逃入大漠，越远越好。”那队长素来凶悍好胜，昂然说道：“咱们回人只会打胜仗，打败仗我可不会。”青桐道：“这是我的命令。你把携带着的四千头牛羊一路丢弃，引得他们抢掠。”那队长道：“干么把自己的牲口送人？我可不干！”

霍青桐一张小嘴绷得紧紧的，沉声问道：“你不听号令？”那队长扬刀大呼：“你领我们打胜仗，我听你号令。你叫我打败仗，我拼死不服。”霍青桐道：“我是领你们打胜仗。你先败退，再反攻。”那队长红了眼，叫道：“连你爹爹也不信这套鬼话，怎骗得过我？你当我不知你是什么心思？你叫我们四散逃走，丢弃牲口，就偏不去救香香公主！”霍青桐喝道：“抓起来。”四名亲兵抢上前去，抓住了他双臂。那队长并不抵抗，只是冷笑。

霍青桐大声道：“满洲兵来欺侮咱们，咱们要全军一心，方能打胜仗。你到底听不听号令？”那队长大叫：“不听！你能把我怎样？”霍青桐道：“把他砍了！”那队长自负勇猛，以为霍青桐不敢罚他，听了这话，登时脸如土色。亲兵将他推出帐外，一刀将他的头割下。霍青桐下令首级示众。众军无不凛然。

霍青桐令白旗第一队副队长升任队长，引清兵向大漠追赶，待见东首狼烟升起，绕道赶回。新任队长接令去了。霍青桐再令余下各队，尽数开往东边大泥淖旁集中。

她发令已毕，一人骑马向西，下马跪下，泪流满面，低声祷祝：“万能的真主，愿你圣道得胜，打败入侵的敌人。现今我爹爹不相信我，哥哥不相信我，连我部下也不相信我，为了要使他们听令，我只得杀人。真主，求你佑护，让我们得胜，让爹爹和妹妹平安归来。如果他们要死，求你千万放过，让我来代替他们。求你让陈公子和妹妹永远相爱，永远幸福。你把妹妹造得这样美丽，一定对她特别眷爱，望你对她眷爱到底。”

祝祷已毕，上马拔剑，回马叫道：“黑旗第一、第二两队随我来，其余各队分赴防地。”

木卓伦、陈家洛等困守沙丘。清兵冲锋两次，都被众回人奋勇挡住，沙丘四周尸首堆积，双方损折均重。

过了午间，忽然清兵阵动，一彪军马冲了进来。雪花飞舞下只见当先一人身披黄衫，手挥长剑，头上一根碧绿的羽毛微微颤动，正是霍青桐。木卓伦叫道："大伙儿冲！"率领回兵往下冲杀，两面夹击，清兵阻拦不住。四队黑旗军合兵一处。香香公主纵马上前，与姊姊拥抱。

霍青桐拉着妹妹的手，叫道："黑旗三队队长，你率队快向西退，与白旗第一队会合，听白旗第一队队长号令。"那队长接令带队驰出。这一队骑的都是特选快马，远远只见红旗晃动，清兵正红旗精兵追了下去。

霍青桐喜道："好极了。黑旗一队队长，你退向叶尔羌城中，听我哥哥号令。黑旗二队队长，你向黑水河南岸退去，那边有青旗二队队长接应。你听他号令。"两队黑旗兵又突围而出，只见清兵正白，镶黄两旗分两路追赶而去。

霍青桐叫道："大家向东冲！"三百名近卫亲兵长刀飞舞，拥卫主帅当先开路。木卓伦、香香公主、陈家洛等众人与黑旗第四队人马向东疾驰。

兆惠亲率铁甲军两翼包抄过来。这些是满洲正蓝旗精兵，正副都统手执长枪大戟，奋勇急追。回人战士数百人断后，边战边逃，霎时间数百人都被清兵裹住，尽数杀死。兆惠大喜，指着霍青桐身旁的新月大纛，叫道："谁夺到这面大纛，赏银一百两。"铁甲军争先恐后，在大漠上狂奔追赶。

黑旗第四队乘坐的都是精选良马，铁甲军一时追赶不上。奔出了三四十里地，回人战士有的马力不继，掉队堕后，奋力死战，都为清兵所杀。兆惠见所杀回人不是老人，就是少年，喜道："他们主帅身边没有精兵，大家努力追赶！"再追七八里地，回兵队伍更见散乱，只见新月大纛在一座大沙丘上迎风飞舞。

兆惠胯下是匹大宛良马，手挥大刀，领队冲去。众亲兵前后卫护。

霍青桐等见清军大兵冲到，纵马下丘。

兆惠登上沙丘，向前一望，这一下只吓得魂飞魄散，全身犹似堕入了冰窖，但见南边一队队回人战士整整齐齐的列成方阵，毫无声息。一眼望去，青旗似林，圆盾如云。

兆惠双手发软，抛下大刀，身上一阵阵发寒，心道："这些回人好狡猾，原来大队人马集中在此。"向北一看，只见一片白旗招展，又是数队回兵缓缓推来，当下已无细思余裕，急叫："后队作前队，快退！"亲兵传令下去，清兵登时大乱。回人箭如飞蝗，直逼过来。清兵本比回人多过数倍，但分兵追赶，追到这里只有一万名铁甲军，回兵全部主力却尽集于此，登时强弱易势。西边又有两队回兵冲将过来。兆惠见西、南、北三面都有敌兵，只东面留出空隙，叫道："大队向东冲。"自率亲兵断后，三面回人逐渐逼近。

清兵大队向东边缺口中涌去。混乱中前面铁甲军忽然齐声惊呼。一名骑兵奔到兆惠面前，大叫："大将军，不好啦，前面是大泥淖。"只见一千名铁甲兵人马已在泥淖中打滚，陷入软泥。原来大漠之上河流不能入海，在沙漠中汇成湖泊，逐渐干枯，便成泥淖。这大泥淖方圆十多里，软泥深达数十丈，多的是泥鳅爬虫之属，却是人兽所不至，大雪一盖，上面毫无痕迹，若非当地土著，决难得知。霍青桐伏兵于此，兆惠贪胜猛追，竟自入了绝地。

陈家洛等站在沙丘上观战，只见清兵陷入泥淖的越来越多，后队人马想向外奔逃，回人早已掘下深沟，马匹难以跨越。铁甲军三面受迫，自相践踏，不由自主的一个个挤入泥淖之中。沙泥缓缓从脚上升到大腿，升到膝上，再升到腰间。无数清兵在大泥淖中狂喊乱叫，惨不忍闻。等到沙泥升到口中，喊声停息，但见双手挥舞，过了一会，全身沉入泥中。

回人一万多战士左手持盾，右手衣袖高举，刀光与白雪交相辉映，一声不作，聚集在深沟外监视。两队精兵不住向铁甲军猛扑。

清兵越战越少，不到半个时辰，一万多名正蓝旗铁甲军全数被逼入大泥淖中。兆惠在百余名清兵舍死保护下冲开一条血路，逃了出去。

香香公主见数不清的兵士马匹在大泥淖中滚动厮打、拥抱哭叫，拼命挣扎，心中不忍，转过了头不忍观看。木卓伦狂喜之下大笑大叫，忽然住口不叫，对霍青桐道："青儿，我刚才说错了话，你别见怪。实在是我性子太急，是爹爹不好。"霍青桐咬住嘴唇不语。

心砚跪倒在地，向她磕了两个头，道："小的该死，不知姑娘另有神机妙算，冲撞了姑娘。你大人不记小人过……"话未说完，霍青桐一提缰绳，纵马下了沙丘，把他僵在当地。

章进笑道："算啦，待会请总舵主给你说情吧。"他手舞足蹈，哈哈大笑，又道："我就是不明白，干么她不把全部清兵都引进大泥坑中去。"徐天宏道："眼前回兵比清兵多，方能把他们赶入大泥坑，要是清兵全军都到了，一齐向外冲逃，又怎拦阻得住？"章进道："不错，刚才大家都错怪了她。"

这时大部清军已陷没泥中，无影无踪，余下来的小部人马也陷没半身，动弹不得，只有挥手叫嚎的份儿，四野充塞着惨厉的呼喊。又过一会，叫声逐渐沉寂，大泥淖把万余铁甲军吞得干干净净。人马、刀枪、铁甲，竟无半点痕迹，只有几百面旗帜散在泥淖之上。

霍青桐高声传令："大队向西，到黑水河南岸聚集。"回部各队奉令，向西疾驰。

路上陈家洛与木卓伦互道别来情况。木卓伦心下不安，两个女儿同是自己至宝至爱，偏偏两人都爱上了这汉人。依回教规矩，男人可娶四个妻子，但陈家洛并非清真教徒，听说汉人只娶一妻，第二个女人就不算正式妻子了，这事不知如何了结，心想："把清兵杀败了再说。青儿聪明伶俐，喀丝丽心地纯良，姊妹两人又要好，总有法子。"

大队傍晚赶到了黑水河南岸。一名骑兵气急败坏的赶来报告："清兵向我军猛扑，青旗二队队长阵亡，黑旗二队队长重伤，两队兄弟伤亡很重。"霍青桐道："叫青旗二队副队长督战，不许退却一步。"那骑兵下去传令。

木卓伦道："咱们上去增援吧？"霍青桐道："不！"转头对亲兵道："全军就地休息，不许举火，不许出声，大家吃干粮。"命令下传，一万多人在黑暗中默默休息。远远传来黑水河水声溅溅，清兵与回兵杀声震天。

一名骑兵急速奔来，报道："青旗二队副队长又阵亡，弟兄们抵挡不住啦！"霍青桐道："青旗三队队长，你这队上去增援，那边队伍归你指挥。"那队长长刀一举，大声答应，领队去了。

章进叫道："霍青桐姑娘，我也去厮杀，好吗？"霍青桐道："各位刚才辛苦啦，再休息一会吧。"章进见她指挥大军，威风凛凛，不敢再说。

青旗三队上去不久，喊声大作，自是双方战斗惨烈。又过好一会，霍青桐见战士精力已复。叫道："青旗各队在东边沙丘后面埋伏，白旗队、哈萨克、蒙古各队在西边埋伏。"长剑一挥，说道："大伙儿上去！"

众人在亲兵拥护下向前驰去，越向前奔，杀声越响。驰到近处，金铁交鸣之声铿然大作。只见回人战士奋力守住黑水河支流上的几座木桥，镶黄旗清兵前仆后继，拼死冲前夺桥。霍青桐叫道："退后！"守桥的战士向两旁一撤，数千名铁甲军蜂拥过桥。霍青桐见清兵过来了一半，叫道："拉去木条！"数百名回人早已牵了马匹藏在河岸之下，桥上的木梁事先都已拆松，用粗索缚在马上，一声令下，松缰鞭马，百余匹马奋蹄向前。只听得喀喇喇数声大响，木梁拉去，木桥登时折断，桥上数百名铁甲军堕入河中。清兵登时分为两截，隔河相望，相救不得。

霍青桐令旗一挥，埋伏着的队伍掩杀上来。清兵训练有素，虽在混乱之中，仍听参领、佐领指挥，集合在一起，排成阵势。回人冲到清兵阵前数百步处，突然停步。霍青桐又是令旗一招。只听得轰隆、轰隆，巨响连珠不绝，震耳欲聋，黑烟弥漫，清兵脚下到处炸药爆发，只炸得血肉横飞，队伍登时大乱，对面乱箭射来，无处可逃，纷纷堕河。清兵身上铁甲厚重，一落河水，立时沉底，余下来的溃不成军，不多时尽数被回人大军歼灭。白雪皑皑的河岸上到处是尸体兵戈，旌旗衣甲。对岸清兵吓得心胆俱裂，向叶尔羌城中退去。

霍青桐道："渡河追击！"战士架起木桥，大军向叶尔羌城冲去。

叶尔羌城中居民早已撤离一空。霍阿伊见正白旗清兵攻到，依着妹子事先嘱咐，稍加抵抗，便率队退出。不久镶黄旗清兵从黑水河溃退下来，与城中大军会合。喘息甫定，主帅兆惠也率领百余残兵赶到。兆惠见镶黄旗精兵又遭大败，惊怒交集，忽然部下禀报，数百名官兵喝了水井的水中毒而死。兆惠派一队兵到城外取水，刚想休息，只见满天通红，城中到处火光烛天。亲兵连珠价急报，四城起火。原来回疆盛产石油，许多地方掘地见油，霍青桐早就下令各处民房中贮藏石油，少数伏兵一点燃，登时把全城烧成一只大火炉。

兆惠在亲兵拥卫下冒火突烟，夺路逃命。城内清兵自相践踏。亲兵在兵卒丛中挥刀乱砍，杀开一条血路。奔到西门，对面大队铁甲军涌来，报说城门已被回人堵住，冲不出去。兆惠转而向东。这时火势更烈，铁甲一被火炙，热不可当，众清兵纷纷卸去铁甲，乱奔乱窜。叶尔羌城内人马杂沓，喊声震天。

混乱中一小队人马奔来，大叫："大将军在哪里？"兆惠的亲兵叫道："在这里。"当先一人如风赶到，正是和尔大，对兆惠道："东门敌兵少，咱们向东冲。"兆惠虽在危急之中，仍然镇静，率领将士向东门突围。回人万箭射来，清兵没了铁甲，死伤累累，数次冲不出去。城中火势更烈，清兵已被烧死了数千名，焦臭令人欲呕，满城尽是哭喊之声。

正危急间，张召重手持长剑，率领一队清兵驰到，内外夹击，把兆惠救了出去。

霍青桐等在高地望见。木卓伦连叫："可惜！可惜！"霍青桐道："青旗四队队长，你率本队去增援，堵死东门。"那队长领队去了。兆惠既已逃出，城中清兵群龙无首，四门都被回人重兵堵住，东逃西窜，最后尽皆烧死在这座大熔炉之中。

霍青桐道："烧狼烟！"亲兵点燃了早就准备好的大堆狼粪，黑烟巨柱冲天而起。原来狼粪之烟最浓，大漠上数十里外均可望见。周绮问徐天宏道："烧这个干么呀？"徐天宏道："那是与远处的人通消息。"果然过不多时，西面二十多里外也是一道黑烟升起。徐天宏道："在那边更西的人见了这道烟，也会点燃狼粪。这样一处传一处，片刻之间就可把信号传到数百里外。"周绮点头道："这法子真好。"

回人连打三个大胜仗，歼灭清兵精兵三万余人。成千成万战士互相拥抱，在叶尔羌城外高歌舞蹈。

霍青桐传集各队队长，说道："各队人马到预定地点驻扎，晚上每个人要烧十堆火，各堆火头距离越远越好。"

清兵正红旗精兵一万余人在都统德鄂率领之下，向西猛追回人黑旗第三队。黑旗队坐骑都是特选的骏马，直驰入大漠之中。德鄂奉了兆惠之命，务必追到回兵，一鼓歼灭，是以衔尾疾追。两军人马烟尘滚滚，蹄声如雷，奔出数十里地。忽然斜刺里冲出数千头牛羊来。清兵大喜，纷纷捕杀，饱餐了一顿，追势稍缓。

黑旗三队不久就与白旗一队会合，继续奔逃，始终不与清兵接仗。到了傍晚，遥见东边狼烟升起，白旗一队队长叫道："翠羽黄衫已打了胜仗，咱们转向东方！"众战士精神大振，勒缰回马。清兵见回人忽然回头，很是奇怪，上前冲杀，哪知回人远远兜了过去。德鄂叫道："你们逃到天边，我们追到天边。"

两队回兵连夜奔逃，清兵正红旗铁甲军紧追不舍。都统德鄂一心要立大功，沿途马匹不断倒毙，他下令死了坐骑的军士步行随后，其余骑兵继续急追。驰到半夜，几骑军士奔来报称：“大将军在右前方。”德鄂忙向右迎上，见兆惠率领着三千多名残兵败卒，狼狈不堪。

兆惠见正红旗精兵开到，精神一振，心想：“敌兵大胜之后，今晚必定不备，我军出其不意进攻，当可转败为胜。”于是下令向黑水河旁挺进。行了二三十里，前哨报知回人大军在前扎营。兆惠与德鄂、张召重、和尔大等登高一望，不由得一股凉气从心底直冒上来。

但见漫山遍野布满了火堆，放眼望去，无穷无尽，隐隐只听得人喧马嘶，不知有多少回兵。兆惠默然不语。和尔大道：“原来回人有十多万兵隐藏在这里，咱们以寡敌众，怪不得……怪不得受了……一些小小挫折。”他们怎知这是霍青桐虚张声势，她命每名回兵烧十堆火，远远望来，自是声势惊人。

兆惠下令道：“各队赶速上马，向南撤退，不许发出一点声息。”命令传了下去，众兵将不及吃饭，立即上马。和尔大道：“据向导说，这里向南要经过英奇盘山脚下，大雪之后，山路甚是难行。”兆惠道：“敌兵声势如此浩大，你瞧到处都是他们的队伍。富德将军有一支兵越戈壁而来，咱们只有向东南去和他会师。”和尔大道：“大将军用兵确然神妙。”兆惠哼了一声，大败之后再听这些谄谀之言，脸皮再厚，可也不易安然领受。

大军南行，道路愈来愈险，左面是黑水河，右面是英奇盘山，黑夜中星月无光，只有山上白雪映出一些淡淡光芒。兆惠下令：“谁发出一点声息，马上砍了。”清兵大都来自辽东，知道山上积雪甚厚，一发声音震动积雪，便会酿成雪崩巨灾。众人小心翼翼，下马轻步而行。走了十多里，道路愈陡，幸而天色渐明，清兵一日一夜战斗奔驰，个个脸无人色。

忽然前面发喊，报称有回人来攻，德鄂亲率精兵上前迎敌。只见数百名回人从山坡上俯冲而下，将到临近，突然下马，每人拔出一柄匕首，插入马臀。马匹负痛，向清兵阵里狂冲过来。道路本狭，登时挤成一团，人马纷纷落河。回人从捷径向山上攀登，投下无数巨石，登时把道路封住。德鄂急令大军后退，却听后队喊声大作，原来后路也被截断了。

德鄂亲冒矢石，向前猛冲，只见英奇盘山顶上新月大纛迎风飘扬，大纛下站着十多人在指挥督战。兆惠下令："向前猛冲，不顾死伤。"一队铁甲军开了上去，一半人持盾挡箭，一半人抬起路上的大石、马匹、尸首、伤兵、尽数投入河中，清除了道路，一鼓作气猛的冲去。前面数十名回人挡住。道路狭窄，清兵虽多，难以一涌而上，后面部队却继续推上来，一时间路口挤满了人马。

挡路的回人突然散开，身后露出数十门土炮来，清兵吓得魂飞天外，发一声喊，转身便逃。土炮放处，铁片铁钉直往阵中轰来。总算那土炮只能放得一次，再放又要填塞炸药铁片，搞上半天，清兵都已退开。这数十炮轰死了二百多名清兵，又把他们去路截断。

兆惠又急又怒，忽听得悉悉之声，颈中一凉，一小团雪块掉入衣领，抬头望时，只见山峰上雪块缓缓滚落。和尔大叫道："大将军，不好啦，快向后退！"兆惠掉转马头，向后疾奔。众亲兵乱砍乱打，把兵卒向河中乱推，抢夺道路。只听雪崩声愈来愈响，积雪挟着沙石，从天而降，犹如天崩地裂一般，轰轰之声，震耳欲聋。

和尔大与张召重左右卫护兆惠，奔出了三里多远。回头只见路上积雪十多丈，数千精兵全被埋在雪下，连都统德鄂也未逃出。向前眺望，一般的是积雪满途，行走不得。兆惠身处绝境，四万多精兵在一日两夜之间全军覆没，悲从中来，放声大哭。

张召重道："大将军，咱们从山上走。"他左手拉住兆惠，提气往山上窜去。和尔大施展轻功，手执单刀在后保护。

霍青桐在远处山头望见，叫道："有人要逃，快去截拦。"数十名蒙古兵在小队长率领下飞奔而来，跑到临近，见爬上来的三人都穿大官服色，十分欣喜，摩拳擦掌，只待活捉。兆惠暗暗叫苦，心想今日兵败之余，还不免被擒受辱。

张召重一言不发，提劲疾上。他一手挽了兆惠，在这冰雪冻得滑溜异常的山上仍是步履如飞。和尔大虽然空手，拼了命还是追赶不上。张召重爬上山顶，一提之下，将兆惠甩起。数十名蒙古兵同时扑到。张召重把兆惠挟在腋下，“一鹤冲天”，从人圈中纵出。蒙古兵扑了个空，互相撞得头肿鼻歪，回身来追，两人早冲下山去了。和尔大被一名蒙古兵扑到扭住，两人滚倒在地。其余蒙古兵抢上前来，将他横拖倒曳，拉到霍青桐面前。

这时各队队长纷纷上来报捷。这一役正红旗清兵全军覆没，逃脱性命的除兆惠与张召重外，不过身手特别矫捷而运气又好的数十人而已。

霍青桐等回到营帐，回人战士将俘虏陆续解来。这时回人已攻破清兵大营，粮草兵戈，缴获无数。俘虏中忽伦四兄弟也在其内。回人战士报称，攻进大营时发现他们被缚着放在篷帐之中。陈家洛询问原委，忽伦大虎说：“兆大将军怪我们帮你，要杀我们四人的头，说等打了胜仗再杀。”陈家洛向霍青桐求情，放了四人。四兄弟自回辽东，仍做猎户去了。

这时哨探又有急报，戈壁中有清兵四五千人向南而来。霍青桐一跃而起，带了十队回兵上前迎敌。行了数十里，果见前面尘头大起，霍青桐令旗一招，两队青旗回兵乘着战胜余威，向前猛冲。原来这是兆惠副手富德带来的援兵，途中与兆惠及张召重相遇，得知清兵大军覆没，忙收集残兵，向东撤退，哪知终于被霍青桐拦住。清兵兼程赴援，人困马乏，人数又少，怎挡得住回人大军乘锐冲击。

兆惠不敢再战，下令车辆马匹围成一个圆圈，清兵弓箭手在圈内固守。回兵几次冲锋，冲不进去。霍青桐道：“他们负隅死守，强攻损失必重。现今我众彼寡，不如围困。”木卓伦道：“正该如此。”霍青桐下令掘壕。回兵万余人一齐动手，在清兵弩箭不及之处，四周掘起长壕深沟，要将清兵在大漠之中活活饿死渴死。到得傍晚，霍阿伊又带领了回人援兵数千到达，在长壕之前再堆土堤。

回人在黑水河英奇盘山脚大破清兵，再加围困，达四月之久，史称“黑水营之围”。

文泰来站在高处，远远望见兆惠身旁一人指指点点，正是张召重，心中大怒，从回人手中接过弓箭。徐天宏道：“这奸贼原来在此，只怕太远，射他不到。”文泰来施展神力，拍的一声，一张铁胎弓登时拉断，当下拿过两张弓来，并在一起，一箭扣双弦，将两张铁胎弓都拉满了，手一放，羽箭如流星般直向张召重面门飞去。张召重一惊：“相距这么远，怎会有箭射来？”身子一侧，那箭噗的一声，插入他身边一名亲兵胸膛之中。

卫春华道：“四哥，咱们冲进去捉这奸贼。”徐天宏道：“不行！不可犯了霍青桐姑娘的将令。”文泰来、卫春华等点头称是。众人望着张召重，恨声不绝，说道：“终有一日要拿住这奸贼碎尸万段。”

只听得军中奏起哀乐，回人在地下挖掘深坑，将阵亡的将士放入坑内，面向西方，然后埋葬。陈家洛等很是奇怪，询问身旁的战士。那人道：“我们是伊斯兰教徒，死了魂归天国，肉体直立，面向西方圣地麦加。”群雄听了嗟叹不已。

埋葬已毕，木卓伦率领回人全军大祷，感谢真神佑护，打了这样一场大胜仗。祈祷完毕，全军欢声雷动，各队队长纷到霍青桐面前举刀致敬。

卫春华道：“这一仗把清兵杀得心碎胆裂，也给咱们出了一口恶气。”徐天宏沉吟道：“皇帝明明跟咱们结了盟，怎么却不撤军？难道他这是故意的，要把满清精兵在大漠中灭掉？”文泰来道：“我才不相信那皇帝呢。他怎能料到霍青桐姑娘会打这大胜仗？他派张召重来，用意显然不善。”众人议论了一会，猜测不透。

大家又都赞霍青桐用兵神妙。余鱼同道：“孙子曰：‘我专为一，敌分为十，是以十攻其一也，则我众而敌寡。’想不到回部一位年轻姑娘用兵，竟是暗合孙子兵法。”周绮睁大了一双圆眼，道："你胡说八道！她打仗打得这样好，你还说她是孙子兵法？我说是爷爷兵法，老祖宗兵法！"众人都大笑不已。

说话之间，只见陈家洛眼望霍青桐，显得又是关切，又是担心。众人循着他目光转头望去，见她脸色苍白，瞪着火光呆呆出神。骆冰走近前去，想逗她说话。霍青桐站起来相迎，突然身子一晃，吐出一口鲜血。骆冰吓了一跳，忙抢上扶住，问道："青妹妹，怎样？"霍青桐不语，努力调匀气息，喉口一甜，又吐出一口血来。香香公主、木卓伦、霍阿伊、陈家洛、周绮等都奔过来慰问。香香公主急得连叫："姊姊，别再吐啦。"把姊姊扶入帐中，展开毡毯让她躺下。

木卓伦心中痛惜，知道女儿指挥这一仗殚智竭力，亲身冲锋陷阵，加之自己和部将都对她怀疑，她自然要满怀气苦，而最令她难受的，只怕是陈家洛和她妹子要好了，一时也想不出话来安慰，叹了口气，走出帐来。

他各处巡视，只听得四营都在夸奖霍青桐神机妙算。走到一处，见数百名战士围着一位阿訇，听他讲话。那阿訇道："穆圣迁居到麦地那的第二年，墨克人来攻。敌人有战士九百五十人，战马一百匹，骆驼七百头，个个武装齐全。穆圣部下只有战士三百十三人，战马两队，骆驼七八十头，甲六副。敌人强过三倍，但穆圣终于击败了敌人。"一名少年叫道："咱们这次也是以少胜多。"阿訇道："不错，霍青桐姑娘依循穆圣遗教，领着咱们打胜仗，愿真主保佑她。《可兰经》第三章中说：'在交战的两军之中，这一军是为主道而战的，那一军是不信道的，眼见那一军有自己的两倍。安拉却用他的佑护，扶助他所喜爱的人。'"众战士欢声雷动，齐声大叫："真主保佑翠羽黄衫，她领着咱们打胜仗。"

木卓伦想着女儿，一夜没好睡。次日一早，天还没亮，便到霍青桐帐中探视，揭开帐门见帐中无人，吓了一跳，忙问帐外卫士。那卫士道："霍青桐姑娘在一个时辰前出去了。"木卓伦道："到哪里去？"卫士道："不知道。这封信她要我交给族长。"木卓伦抢过信来，见信上寥寥写着数字：“爹爹，大事已了，只要加紧包围，清兵指日就歼。女儿青上。”木卓伦呆了半晌，问道：“她向哪里去的？”那卫士向东方一指。

木卓伦跃上马背，向前直追，赶了半个时辰，茫茫大漠上一望数十里没一个人影，怕她已转了方向，只得回来。走到半路，香香公主、陈家洛、徐天宏等已得讯迎来。众人十分忧急，都知霍青桐病势不轻，单身出走，甚是凶险。

回到大帐，木卓伦派出四小队人往东南西北追寻。傍晚时分，三小队都废然而返，派到东面的那小队却带来了一个身穿黑衫的汉人少年。

余鱼同一呆，原来那人正是穿男装的李沅芷，忙迎上去，道：“你怎么来了？”李沅芷又是高兴、又是难受，道：“我来找你啊，刚好遇上他们。”一指那小队回兵道：“他们就把我带来啦。咦，你怎么不穿袈裟啦？”余鱼同笑道：“我不做和尚了。”李沅芷心花怒放，眼圈一红，险险掉下泪来。

香香公主见找不到姊姊，十分焦急，对陈家洛道：“姊姊到底为什么啊？怎么办呢？”陈家洛道：“我这就去找她，无论如何要劝她回来。”香香公主道：“我同你一起去。”陈家洛道：“好，你跟你爹说去。”香香公主去跟木卓伦说，要与陈家洛同去找寻姊姊。木卓伦心乱如麻，知道霍青桐就是为了他们而走，这两人同去，只怕使她更增烦恼，却又不知如何是好，顿足道：“你们爱怎样就怎样吧，我也管不得许多了。”香香公主睁大了一双眼睛望着父亲，见他眼中全是红丝，知他忧急，轻轻拉着他手。

李沅芷对别人全不理会，不断询问余鱼同别来情形。陈家洛对香香公主道：“你姊姊的意中人来啦，他定能劝她转来。”香香公主喜道：“真的么！姊姊怎么从来不跟我说。啊，姊姊坏死啦。”走到李沅芷面前，细细打量。木卓伦听了一愣，也过来看。

李沅芷与木卓伦曾见过面，忙作揖见礼，见到香香公主如此惊世绝俗的美貌，怔住了说不出话来。香香公主微笑着对陈家洛道：

“你对这位大哥说，我们很是高兴，请他和我们同去找姊姊。”陈家洛这才和李沅芷行礼厮见，说道：“李大哥怎么也来啦？别来可好？”李沅芷红了脸，只是格格的笑，望着余鱼同，下巴微扬，示意要他说明。余鱼同道：“总舵主，她是我陆师叔的徒弟。”陈家洛道：“我知道，我们见过几次。”余鱼同笑道：“她是我师妹。”陈家洛惊问：“怎么？”余鱼同道：“她出来爱穿男装。”

陈家洛细看李沅芷，见她眉淡口小，娇媚俊俏，哪里有丝毫男子模样？曾和她数次见面，只因有霍青桐的事耿耿于怀，从来不愿对她多看，这一下登时呆住，脑中空荡荡的什么也不能想，霎时之间又是千思万虑，一齐涌到：“原来这人是女子？我对霍青桐姑娘可全想岔了。她曾要我去问陆老前辈，我总觉尴尬，问不出口。她这次出走，岂不是为了我？她妹子对我又如此情深爱重，却教我何以自处？”众人见他突然失魂落魄的出神，都觉奇怪。

骆冰得知李沅芷是女子，过来拉住她手，很是亲热，见了她对余鱼同的神态，再回想在天目山、孟津等地的情形，今日又是风沙万里的跟到，她对余鱼同的心意自是不问可知，心想余鱼同对自己一片痴心，现今有这样一位美貌姑娘真诚见爱，大可解他过去一切无谓苦恼，只是见他神情落寞，并无欣慰之意，实在不妥，须得尽力设法撮合这段姻缘才是。李沅芷问道：“霍青桐姊姊呢？我有一件要紧事对她说。”骆冰道：“霍青桐妹妹不知去了哪里，我们正在找她。”李沅芷道：“她独个儿走的么？”骆冰道：“是啊，而且她身上还有病呢。”李沅芷急道：“她朝哪个方向走的？”骆冰道：“本来是向东北走的，后来有没转道，就不知道了。”李沅芷连连顿足，说道：“糟啦，糟啦！”

众人见她十分焦急，忙问原因。李沅芷道：“关东三魔要找翠羽黄衫报仇，你们是知道的了。这三人一路上给我作弄了个够。他们正跟在我后面。现下霍青桐姊姊向东北去，只怕刚好撞上。”

原来李沅芷在孟津宝相寺中见余鱼同出家做了和尚，悲从中来，掩面痛哭。余鱼同竟然硬起心肠，写了一封信留给陈家洛等人，对她不理不睬，飘然出寺。李沅芷哭了一场，收泪追出时，余鱼同已不知去向。她追到孟津城内，在各处寺院和客店探寻。哪知意中人没寻着，却又见到了滕一雷、顾金标、哈合台三人。

他们从宝相寺出来，在一家僻静客店休息。李沅芷偷听他们谈话，知道要去回部找翠羽黄衫报仇。她恼恨三人欺逼余鱼同，于是去买了一大包巴豆，回到客店，煎成浓浓一大碗汁水，盛在酒瓶里，混入滕一雷等住的客店，等到他们上街闲逛，进房去将巴豆汁倒入桌上的大茶壶里。

关东三魔回店，口渴了倒茶便喝，虽觉有点异味，也只道茶叶粗劣，不以为意。到了夜半，三人都腹痛起来，这个去了茅房回来，那个又去。三人川流不息，泻了一夜肚子。第二天早晨肚泻仍未止歇，三人精疲力尽，委顿不堪，本来要上路的，却也走不动了。滕一雷把酒店老板找来大骂，说店里东西不干净，吃坏了肚子。客店老板见三人凶得厉害，只得连连陪笑，请了医生来诊脉。那医生怎想得到他们遇上暗算，只道是受了风寒，开了一张驱寒暖腹的方子。客店老板掏钱出来抓药，叫店小二生了炭炉煎熬。

李沅芷从客店后门溜进去偷看，见三魔走马灯般的上茅房，心下大乐，又见店伙煎药，乘他走开时，揭开药罐，又放了一大把巴豆在内。

滕一雷等吃了药，满拟转好，哪知腹泻更是厉害。李沅芷一不做二不休，半夜里跳进药材铺，在几十只抽屉里每味药抓了一撮，不管它是熟地大黄、当归贝母，还是毛茛狼毒、红花黄芹，一古脑儿的都去放入了药罐。次日店伙生起了炭炉再煎，浓浓的三碗药端了上去。关东三魔一口喝下，数十味药在肚子里胡闹起来，那还了得，登时把生龙活虎般的三条大汉折腾得不成样子。好在他们武功精湛，身子强壮，三条性命才剩下了一条半，每人各送半条。陈家洛骑了白马向西急赶之时，怎想得到关东三魔还在孟津城中大泻肚子。

滕一雷知道必有蹊跷，只当是错住了黑店，客店老板谋财害命，于是嘱咐两人不再喝药，过了一日，果然好些。顾金标拿起钢叉，要出去杀尽掌柜店伙。滕一雷一把拉住，说道："老二，且慢。再养一日。等力气长了再干，说不定店里有好手，眼下厮杀起来怕要吃亏。"顾金标这才忍住气。

到得傍晚，店伙送进一封信来，信封上写着："关东三魔收启。"滕一雷一惊，忙问："谁送来的？"店伙道："一个泥腿小厮送来的，说是交给店里闹肚子的三位爷们。"滕一雷打开一看，只气得暴跳如雷。顾金标与哈合台接过来，见纸上写道："翠羽黄衫，女中英豪，岂能怕你，三个草包。略施小惩，巴豆吃饱。如不速返，决不轻饶。"字体娟秀，滕一雷看得出确是女子手笔。顾金标把字条扯得粉碎，说道："我们正要去找她，这贱人竟在这里，那再好不过。"三人不敢再在这客店居住，当即搬到另一处，将养了两日，这才复原。在孟津四处寻访，却哪里有翠羽黄衫的踪迹？

这时李沅芷已在黄河帮中查知卫春华赶到、红花会众人已邀了余鱼同齐赴回部。她心上人既走，也就不再去理会三魔，便即跟着西去。三魔找不到霍青桐，料想她必定返归回部，便向西追踪，在甘肃境内又撞见了李沅芷。滕一雷见她身形依稀有些相熟，一怔之下，待细看时，她早已躲过。

次晨关东三魔用过早饭，正要上道，忽然外面进来了十多人，有的肩挑，有的扛抬，都说滕爷要的东西送来了。滕一雷见送来的是大批鸡鸭蔬菜、鸡蛋鸭蛋，还有杀翻了的一头牛与一口猪，喝问："这些东西干什么？"抬猪捉鸡的人道："这里一位姓滕的客官叫我们送来的。"店伙道："就是这位客官姓滕。"送物之人纷纷放下物事，伸手要钱。顾金标怒道："谁要这许多东西来着？"

正吵嚷间，忽然外面一阵喧哗，抬进了三口棺材来，还有一名仵作，带了纸筋石灰等收殓尸体之物，问道："过世的人在哪里？"掌柜的出来，大骂："你见了鬼啦，抬棺材来干么？"仵作道："店里不是死了人吗？"掌柜劈面一记巴掌打去。仵作一躲，说道：

“这里不是明明死了三个人？一个姓滕，一个姓顾，还有一个蒙古人姓哈。”顾金标怒火上冲，抢上去一掌。那仵作一交摔倒，吐出满口鲜血，还带出了三枚大牙。

忽然鼓乐吹打，奏起丧乐，一个小厮捧了一副挽联进来。滕一雷虽然满怀怒气，却已知是敌人捣鬼，展开挽联，见上联写道：“草包三只归阴世”，下联是“关东六魔聚黄泉”，上联小字写道：“一雷、金标、合台三兄千古”，下联写道：“盟弟焦文期、阎世魁、阎世章敬挽”，一块横额题着四字：“携手九原”。字迹便是先前写信女子的手笔。

哈合台把挽联扯得粉碎，抓住那小厮胸口，喝问：“谁叫你送来的？”那小厮颤声道：“是……是一位公子爷，给了我一百文钱，说有三个朋友死……死在这里，要我送来。”哈合台知他是受人之愚，把他一摔，那小厮仰天直掼出去，放声大哭。滕一雷再问送物、送棺材、奏乐的各人，都说是一位公子爷差他们来的。

滕一雷抄起铜人，说道：“快追！”三人闯出店去，四下搜索，哪里有什么公子爷的踪影？滕一雷道：“快向前追，抓住那丫头把她细细剐了。”他们仍道是霍青桐捣鬼，怒不可遏，拼命赶路。这天到了凉州，在客店歇下，到得半夜，后院忽然起火，三人跳起来察看。滕一雷见烧去的只是一堆柴草，一怔之下，猛然醒悟，说道：“老二、老四，快回房。”赶回房内，果然三个包裹已经不见，炕上却放着三串烧给死人的纸钱。

滕一雷跃上屋顶，不见人影。顾金标拍案大骂：“有种的就光明正大见个输赢，这般偷鸡摸狗，算他妈的什么好汉？”滕一雷道：“这一来，明天房饭钱也付不出啦！”顾金标怒道：“得快想法儿除了这贱货，否则给她缠个没了没完。”滕一雷道：“不错，老二、老四，你们想怎么办？”

这三人武艺虽好，头脑却不灵便，想了半天，只想出一条计策，那就是晚上睡觉大家不脱衣服，轮流守夜，一见敌踪，立即跳出去厮杀。滕一雷明知这办法并不高明，可是三个臭皮匠无论如何变不成一个诸葛亮，也只索罢了。哈合台道："房饭钱怎么办？现下出去弄点呢，还是明儿一早撒腿就跑？"顾金标道："反正以后还得用，我出去拿些吧。"

他飞身上屋，四下一望，看准了一家最高大的楼房，跳了进去，心想不论偷抢，弄到几百两银子好走路。见一间房里有灯光透出，伏身察看，忽然身后拍喇喇一声响亮，一叠瓦片抛在地下跌得粉碎，有人大叫："捉飞贼啊，捉飞贼啊！"叫声娇嫩，却是女音。顾金标吓了一跳，但自恃武艺高强，并不理会，跳进房去，只见几个佣仆正在赌钱，桌上放了几百文铜钱，见他进来，吓得齐声大叫。

顾金标暗叫："晦气！"正想退出，外面梆子急敲，火把明亮，十多人持刀拿棍赶来，忙破窗而出，跃上屋顶，只听得飕的一声，脑后生风，他回手一叉，把掷来的一块石子砸飞，一纵身间，已抢到投掷石子之处，人刚扑到，迎面一剑刺来。微光下见那人身穿黑衣，身手矫健，顾金标连日受气，始终找不到敌人，这时哪里再肯放过，刷刷刷三叉，尽往敌人要害刺去。那人正是李沅芷，见顾金标出叉迅捷，拆了数招，虚晃一剑，回身就走。顾金标持叉赶去，见那人回手一扬，一阵细小暗器嗤嗤之声，破空而至，他在孟津郊外吃过苦头，知道金针厉害，当即一个筋斗翻下屋顶。下面众人吆喝拥上，顾金标钢叉挥动，众人刀棍纷纷脱手。他再上屋顶追寻时，敌人早已不知去向。

顾金标回归客店，气愤愤的说了经过。哈合台连连叹气，道："早知道我就和你同去，两个人总截得住他。"滕一雷道："还说什么？这就走吧，别等天明付不出房饭钱，面子上太也过不去。"刚结束定当，忽然有人拍门，三人相望了一眼，各持兵刃在手。哈合台去开门，进来的却是店中掌柜。他手中拿了烛台，说道："小店本钱微薄，请客官们结了房饭钱再走。"原来他在梦中给人推醒，告诉他这三人没钱付账，就要溜之大吉。他披衣坐起，推醒他的人已不知去向，忙来拍门，果见滕一雷等要走。

顾金标发了横，说道：“老子没钱使啦。柜上先借一百两银子再说！”钢叉当啷啷一抖，迫着掌柜的去拿银子。掌柜苦着脸转身出去，忽然外面喊声大作，一群人大叫：“别让飞贼跑了！”三魔从大门中望出去，只见店外灯笼火把齐明，人声喧哗，总有百十来人，一叠声的大叫：“捉飞贼啊！捉飞贼。”滕一雷铜人一摆，叫道：“上屋！”顾金标扭断了柜台上的锁，抓了一把碎银子放在袋里，三人上屋而去。

关东三魔心想掌柜半夜里来要账，这许多人来捕拿，一定也是霍青桐捣的鬼。顾金标和李沅芷当面交过手，见他是个汉人少年，不是回族女子，只道敌人另有帮手，不敢托大，三人每晚真的轮流守夜。口中污言秽语，自不知骂了多少脏话。

这天快到嘉峪关，滕一雷道：“此去是敌人的地界，可要加意小心。”后半夜是哈合台轮值，正有些迷迷糊糊，忽听屋子后面两块小石投在地上，知道夜行人“投石问路”探听动静，忙悄悄推开窗子，掩到后面去想生擒敌人。等了好一阵，始终不见有人跳下房来，前面顾金标却大叫起来。哈合台一惊：“糟啦，又中了调虎离山之计。”忙奔回去，只见滕顾两人手中拿了烛台，逃出房外，十分狼狈。哈合台拿烛台往窗口一照，吃了一惊，只见屋里地上、炕上、桌上都是青蛇与癞虾蟆，到处乱蹦乱跳，窗口有两个竹篓，显是敌人用来装青蛇、虾蟆的。滕一雷骂道：“也真难为这臭丫头，捉了这许多丑家伙来。”

他们又怎知道，李沅芷因余鱼同对她无情，心中万分气苦，这事用强不行，软求也不行，满腔怨怒，无处出气，一路上尽想出诸般刁钻古怪的门道来和他们为难。这些青蛇与虾蟆是她花了钱叫顽童捉的。虽是儿戏胡闹，却也令三魔头痛万分。他们做梦也想不到，所以受到这种种困扰，竟是因那丑脸秀才不肯爱这位提督小姐而致。

几次三番的一闹，关东三魔晚上不敢再住客店，尽往古庙农家借宿。李沅芷知道自己武功与他们相差太远，也不敢明目张胆的招惹，希奇古怪的恶作剧却仍是层出不穷。她一个娇滴滴的姑娘万里独行，黄沙侵体，相思磨心，若不拿三魔来出气泄愤，只怕途中早就病倒了。就这样，四人前前后后的来到回疆。

众人听李沅芷咭咭咯咯的说来，又是好笑，又是吃惊，都为霍青桐担心。陈家洛道："事不宜迟，我马上寻她去。"徐天宏道："关东三魔不可轻敌，得多去几人。总舵主两位先去。李姑娘和他们最熟，第二拨接应，唔，一个人去太危险，请十四弟同去。我们夫妻第三拨接应。四哥四嫂和其余各位在这里守着张召重。"陈家洛道："好！"骆冰把白马牵过来让他乘坐。香香公主骑了红马奔来，道："走吧！"两人并辔而去。

不久余鱼同与李沅芷、徐天宏和周绮两拨，先后离了大营，向东北方追去。

当日午后，文泰来等正和木卓伦在帐中闲话，回兵来报，和尔大被人救去，看守他的四名战士都被人杀了。

木卓伦吃一惊，和文泰来等同去察看，见三名回兵中剑而死，另一名胸口插着一柄匕首，柄上缚着一张白纸，上写："张召重拜上红花会众位英雄"十二字。文泰来一股怒气从心中直冒上来，将字条揉成一团，力透掌心。卫春华要讨来看，文泰来摊开手掌，字条已成片片碎纸，随风如蝴蝶般飘出帐外。木卓伦心下惊佩："上次与他们无尘道长交了手，只道天下英雄尽于此矣，哪知这位文四爷却也如此了得。"文泰来对木卓伦道："木老英雄，你在这里围困清兵，我们去追张召重那奸贼。"木卓伦点头称是。文泰来率领卫春华、章进、骆冰、心砚四人，在大漠中辨认马蹄足迹，连夜追踪。

霍青桐大胜之后，心中反觉说不出的寂寞凄凉。那天晚上在帐中思潮起伏，听帐外回人弹着东不拉，唱着缠绵的情歌，更增惆怅，想起父亲对自己怀疑，意中人又爱上自己妹子，妹子是己所深爱，决不愿和她争夺情郎，柔肠百转之下，悄悄起身，留了一信给父亲，带了兵刃和师父所赐的两头巨鹰，上马向东北而行，心想：“还是去跟着师父，随二老在大漠中四处飘泊。这个身子，就在茫茫黄沙中埋葬了吧。”

她病势不轻，仗着从小练武，根基坚实，勉强支撑。在大漠中行了十多日，离天山双鹰所居的玉旺昆还有四五日路程，已是疲累不堪，当晚见一个沙丘旁生着些干枯了的铁草，便让坐骑咬嚼，张开了小帐篷过夜。

睡到半夜，忽听远处有马蹄之声，三乘马从东而来，走到沙丘之旁，坐骑去吃干草，不肯走了，三人便下马休息。他们隔着沙丘没瞧见霍青桐的帐篷，三人说起话来。霍青桐听他们说的是汉语，当时迷迷糊糊的也不在意，忽听一人骂道：“这翠羽黄衫害得咱们好苦!”霍青桐心中一震，忙用心倾听，又听另一人怒骂：“这贼婆娘，老子抓到她不抽她的筋、剥她的皮，老子十八代祖宗都不姓顾。”原来这三人就是关东三魔，他们追入大漠，听说回人在西与清军交兵，便向西赶来。三人不敢向回人问路，在沙漠中兜了个大圈子，比李沅芷落后了十多日，这晚说也凑巧，只因双方坐骑都要吃草，竟和霍青桐只隔一个小小沙丘。

当日陈家洛赶来报信，连日军务倥偬，霍青桐又故意避开，因此关东三魔寻仇之事没机会提及。陈家洛眼见她在大军环卫之中，区区三魔，又何足惧？也不急于述说。霍青桐听这三人竟是冲着自己而来，只道是兆惠手下的残兵败将，再听下去，却又不对。

只听一人道：“阎六弟这样好的功夫，我就不信一个娘们能害死他，这婆娘定是使用诡计。”另一人道：“那还用说？所以我说老二老四，这次可千万别莽撞。这里回人成千成万，咱们只能暗算，决不能跟她明斗。”霍青桐这才恍然，原来是关东六魔一派的人到了。大漠上一望数十里，自己又在病中，无论如何躲不开，只有见机行事，用计脱身。又听一人道：“皮囊里的水越来越少啦，此去也不知还要再走几日才找得到水，打明儿起大家再要少喝。”

说着便在沙丘旁睡倒。霍青桐心想："我不如自己迎上去，想法儿领他们去见师父。"

次日清晨，关东三魔睁开眼，见了霍青桐的小帐篷，略感讶异。霍青桐这时已脱去黄衫，帽上的翠羽也拔了下来，把长剑衣服等包在包中，空手走出帐来。滕一雷见她一个单身女子，说道："姑娘，你有水吗？分一点给我们。"说着拿出一锭银子。霍青桐摇摇头，示意不懂他的汉语。哈合台用蒙古话说了一遍。霍青桐部下有蒙古兵，天山北路蒙回杂处，她也会蒙古话，当下用蒙语答道："我的水不能分，翠羽黄衫派我送一封要紧的信，现今赶去回报，坐骑喝少了水跑不快。"一面说，一面收拾帐篷上马。

哈合台抢上前去，拉住她坐骑辔头，问道："翠羽黄衫在哪里？"霍青桐道："你们问她干么？"哈合台道："我们是她朋友，有要紧事找她。"霍青桐嘴一扁道："当面扯谎！翠羽黄衫在玉旺昆，你们却向西南去，别骗人啦！"一抖缰绳要走。哈合台拉住辔头不放，说道："我们不识路，你带我们走吧！"对滕顾二人道："她是到那贼婆娘那里去的。"

关东三魔见她一脸病容，委顿不堪，说话时不住喘气，眼看随时就会倒毙，没半分像是身有武功，自是毫不怀疑，欺她不懂汉语，一路大声商量，决定将到玉旺昆时先把她杀了，然后去找翠羽黄衫。顾金标见她虽然容色憔悴，但风致楚楚，秀丽无伦，不觉起了色心。

霍青桐见他不住用眼瞟来，色迷迷的不怀好意，心想他们虽然不认得自己，但到玉旺昆尚有四五天路程，这数日中跟这三个魔头同行同宿，太过危险，于是撕下身上一块花布，缚在一头巨鹰脚上，拿出一块羊肉来喂鹰吃了，把鹰往空中一丢，那鹰振翼飞入空际。滕一雷起了疑心，问道："你干什么？"霍青桐摇摇头。哈合台用蒙古话询问。

霍青桐道："从这里去，今后七八天的路程都没水泉。你们水带得这么少，怎么够喝？把鹰放了，让它们自己去找水喝。"说着又把另一头鹰放了。哈合台道："两头鹰又喝得了多少水?"霍青桐道："渴起上来，一点水也能救命。再过几天你们便知道啦。"她怕他们下手加害，故意把道路说得长些。哈合台喃喃咒骂："在我们蒙古，就算在沙漠中，哪有接连七八天的路程上找不到水的。真是鬼地方!"

晚间在沙漠上过夜，霍青桐在火堆旁见顾金标的眼光不住溜来，暗暗吃惊，走进小帐篷后，拔剑在手，斜倚在帐门口，不敢就睡，等到二更时分，果然听到有脚步声轻轻走近。她心中剧跳，额头冷汗直冒，心想："数万清兵都灭了，可别在这三人手中遭到报应。"忽觉身上一寒，一阵冷风从帐外吹进，原来帐门的布带已被顾金标扭断，走进帐来。

他怕霍青桐叫喊起来，给老大、老四听到不雅，上来就想按住她嘴，哪知却按了个空，毯子中竟没有人，再伸手到一旁去摸，脖子上一凉，一件锋利的兵刃抵住了项颈。霍青桐用汉语低声道："你动一动，我就刺!"顾金标空有一身武艺，要害给人制住，哪敢动弹?霍青桐道："伏在地下!"顾金标依言伏下。霍青桐剑尖抵住他的背心，坐在地上。两人僵持不动。霍青桐心想："如杀了这坏蛋，那两人不肯干休，只好挨到师父来救再说。"

等了一个更次，滕一雷半夜醒来，发觉顾金标不见了，跳了起来，叫道："老二，老二!"霍青桐低喝："快答应，说在这里。"顾金标无奈，只得叫道："老大，我在这里啊!"滕一雷笑骂："这风流的贼脾气总是不改，你倒会享福。"

第二天清晨，霍青桐直挨到滕一雷和哈合台在帐外不住催促，才放顾金标出去。哈合台怨道："老二，咱们是来报仇，可不是来胡闹。"顾金标恨得牙痒痒地，有苦不敢说，如把这件倒霉事说出来，那可是终身之羞，决意今晚定要遂了心愿，到得地头再把她一叉戳死。

到得半夜，顾金标右手握虎叉，左手拿火折，闯进帐篷，心想就算这女子会武，三招两式，还不手到擒来，火光下见她缩在帐篷角里，心中大喜，扑了上去，突觉脚上一紧，暗叫不好，待要反跃出帐，双脚已被地下绳圈套住。他弯腰想去夺绳，被霍青桐用力一拉，站立不稳，仰天跌倒，只听她低声喝道："别动！"长剑剑尖已点在小腹之上。

霍青桐心想："像昨晚那样再僵持一夜，我可支持不住了。但又不能只毙他一人，必须三贼一齐废了！"低声道："叫你那老大进来！"顾金标惯走江湖，知她用意，默不作声。霍青桐手上加劲，剑尖透进衣里，划破了一层皮。顾金标知道小腹中剑最为受罪，好是好不了，可是一时又不得便死，不敢再强，低声道："他不肯来的。"霍青桐低喝："好，那就戳死了你再说！"手上又略加劲。顾金标只得叫道："老大，你来，快来啊！"霍青桐道："你笑！"顾金标皱着眉头，哈哈的干笑几声。霍青桐道："笑得快活些！"顾金标肚里咒骂："你奶奶雄，还快活得出？"可是剑尖已经嵌在肉里，只得放大声音勉强一阵傻笑，中夜听来，直如枭鸣。

滕一雷和哈合台早给吵醒。滕一雷骂道："老二别快活啦，养点气力吧。"霍青桐见他不来，低声道："叫老四来！"顾金标又叫了几声。哈合台虽做盗贼生涯，却不欺辱妇孺，对顾金标的行径本已十分不满，只因他是盟兄，不好怎么说他，这时只装没听见。

霍青桐暗暗切齿："我如脱此难，不把这三个奸贼杀了，难解今日之羞。"右手持剑，左手把绳子在顾金标身上绕来绕去，缚了个结实，这才放心，但倚在帐边，不敢睡着。

挨到天明，见顾金标居然横了心呼呼大睡，霍青桐挥马鞭将他没头没脑的抽了一顿，剑尖对准他心口，喝道："哼一声就宰了你！"顾金标满脸是血，只得苦撑。霍青桐心想："这事虽已闹穿，但如杀了他，大祸马上临头，不如让他多活一时，预计师父今日下午就可来迎。"解去他身上绳索，推他出帐。

滕一雷见他脸上血痕斑斑，大起疑心，说道："老二，这婆娘是什么路数？可别着了人家道儿。"顾金标心想，这女子虽在病中，仍有劲力将自己拉倒，她身上带剑，会说汉语，决非寻常回人姑娘，对滕一雷一霎眼睛，道：“咱们擒住她。”两人慢慢向她走近。

霍青桐见两人举止有异，突然奔向马旁，长剑疾伸，刺穿了顾金标与哈合台马背上盛水的革囊，接着一剑，把滕一雷马背上最大的水囊割下，抢在手中，一跃上马。滕一雷等三人一呆，见两皮袋水流了一地，登时被黄沙吸干。在大漠之中，这两袋水可比两袋珠宝更加珍贵。三人又气又急，各挺兵刃上来厮拼。

霍青桐伏在马背上不住咳嗽，叫道：“你们过来我又是一剑！”剑尖指住最后一只水囊。关东三魔果然停步不动。霍青桐咳了一阵，说道：“我好意领你们去见翠羽黄衫，你们却来欺侮我。这里到有水的地方还有六天路程，你们不放过我，我就刺破了水囊，大家在沙漠中干死。”关东三魔面面相觑，做声不得，暗骂她这一招果然毒辣。滕一雷心想：“暂且答应，等挨过了大沙漠再摆布她。”便道：“咱们不难为你，大家走吧。”霍青桐道：“你们在前面走！”于是三男在前，一女在后，在大漠上行进。

走到中午，烈日当空，四个人都唇焦舌干。霍青桐只觉眼前金星直冒，脑中一阵阵发晕，心想：“难道今日我毕命于此？”只听哈合台道：“喂，给点水喝！”他转过身来，手中拿着一只瓦碗。霍青桐打起精神，说道：“把碗放在地下。”哈合台依言把碗放在沙上。霍青桐又道：“你们退开一百步。”顾金标有些迟疑。霍青桐道：“不退开就不给水。”顾金标喃喃咒骂。三人终于退开。霍青桐跃马上前，拔去革囊上塞子，在瓦碗里注了大半碗水，催马走开。三人奔上来，你一口我一口，把水喝得涓滴不剩。

四个人上马又行，过了两个多时辰，道旁忽然出现一丛青草。滕一雷眼睛一亮，大叫：“前面必定有水！”霍青桐暗暗心惊，苦思对策，但头痛欲裂，难以思索，正焦急间，突然长空一声鹰唳，黑影闪动，一头巨鹰直扑下来。霍青桐大喜，伸出左臂，那鹰敛翼停在她肩头，见鹰腿上缚着一块黑布，知道师父马上就到，狂喜之下，眼前又是一阵发黑。

滕一雷心知必有古怪，手一扬，一枝袖箭向她右腕打来，满拟打落她手中长剑，再来抢夺水囊。霍青桐挥剑击去袖箭，一提马缰，向前飞驰。关东三魔大声吆喝，随后追来。驰出七八里，霍青桐手脚酸软，再也支持不住，被马一颠，跌了下来。

三魔大喜，催马过来。霍青桐挣扎着想爬起上马，只是手脚酸软，使不出力，人急智生，把水囊的皮带子往巨鹰头颈中一缠，将鹰向上丢出，口中一声唿哨。原来天山双鹰性喜养鹰，把巨鹰从小捉来训练，以为行猎传讯之用，他们夫妇所以得了这个名号，也与爱鹰有关。霍青桐这头鹰是她师父训练好了的，一听唿哨，就带着水囊，振翅向天山双鹰飞去。

滕一雷见水囊被鹰带起，一急非同小可，兜转马头，向鹰疾追。顾金标和哈合台均想："这丫头反正逃不了，追回水囊要紧!"也纵马狂奔。顾金标手一翻，拿了一柄小叉便向巨鹰射去，只听皮鞭噼拍一声响，手腕上一疼，小叉射出去的准头偏了，打在旁边，却是哈合台用马鞭打了他一下。顾金标怒道："干么?"哈合台道："这一叉要是打中了水囊，还有命吗?"顾金标一想不错，俯身马鞍，向前急奔。他是辽东马贼，骑术最精，转眼间已追在滕一雷之前。水囊中装着大半袋水，份量不轻，那鹰带了后飞行不快，与三人始终是不即不离的相差那么一程子路。

三人追出十多里，急驰下马力渐疲，眼见再也追不上了，突然间那鹰如长空堕石，俯冲下去，前面尘头起处，两骑马疾驰而来。那鹰打了两个旋子，落在其中一人肩头。

关东三魔催马上前，见两人一个是秃头的红脸老头，另一个是满头白发的老妇。那老头厉声喝道："霍青桐呢?"三人一楞不答。那老头解下巨鹰颈上水囊，将鹰往空中一抛，大声唿哨，那鹰一声唳鸣，往来路飞去。两个老人不再理睬三魔，跟在巨鹰之后追去。滕一雷知道他们随着巨鹰去救那回女，自恃武艺高强，也不把两个老人放在心上，而且水囊已被他们拿去，非夺回不可，手一摆，三人随后赶来。

那两个老人正是天山双鹰，十多里路晃眼即到，见那鹰直扑下去，霍青桐躺卧在地。关明梅飞身下马抢近，霍青桐投身入怀，哭了出来。关明梅见爱徒落得这副样子，十分骇异，忙问："谁欺侮你啦?"这时关东三魔也已赶到，霍青桐向三人一指，晕了过去。关明梅厉声喝道："老头子还不动手?"左手抱着霍青桐，右手拔去水囊塞子，慢慢倒水到她口里。

陈正德听得妻子呼喝，知道三人是敌，兜转马头，向三魔冲去，奔到临近，长臂探出，向哈合台胸口抓去。哈合台手腕翻转，摔打挡开。陈正德手腕上麻辣辣的一阵疼痛，心中一楞："这点子手下好快，劲道倒也不小。"不等兜转马头，凌空跃起，又向他抓去。哈合台左手挡开，右手反抓对方胸口。陈正德猛喝一声，挥掌劈去，击在他手臂之上。哈合台全身一震，坐身不稳，跌下马来。滕一雷与顾金标大惊，双双来救。哈合台下马时翻了个筋斗，站在地下，一柄匕首已抽在手中，扑上前来。

陈正德左掌在顾金标面前虚晃，右手已抓住他的叉头往外一拧。顾金标只觉虎口发麻，但他身手也极矫健，左手两柄小叉随着飞出。陈正德一低头，猎叉已被他夺了回去，心想："哪里跑出来这三个野种，武功如此了得，怪不得徒儿要吃亏。"

斗觉脑后风生，独足铜人横扫而来。陈正德转身抢攻，一矮身，双掌直取滕一雷下盘。关东大魔铜人回转，向他"玉枕穴"点到。陈正德一惊，咦了一声，跳开两步，说道："你这家伙会打穴。"滕一雷道："不错!"铜人晃动，又点向他肩头"云门穴"。这铜人只有独足，手却有一对，双手过顶合拢，正是一把厉害的闭穴撅。这铜人极为沉重，除点穴外又能横扫直砸，比钢鞭铁锤尤为威猛。陈正德想武林中的打穴器械，不论判官笔、闭穴撅，还是点穴钢环，总是轻巧灵便，取其使用迅捷，认穴准确，他居然能以这笨重武器打穴，自是劲敌，当下提起全副精神，点打劈击，空手与三人拼斗。

关明梅见霍青桐悠悠醒转，这才放心，回头一望，却见丈夫已处于劣势。陈正德长剑放在马背上不及取出，他跃起时那马受惊，奔出十余丈之外。他心傲好胜，不肯过去取剑，以空手斗这三名江湖好手，渐渐不敌。

关明梅长剑出手，加入战团，一招“朔风狂啸”，向滕一雷后心刺去，滕一雷回过铜人一挡，关明梅不等剑招使老，早已变招，刷刷刷三剑，快如电闪。滕一雷没到过西北，不知“三分剑术”的招数，心中惊疑，暗想这瘦瘦小小的老太婆怎地剑法如此凌厉，只得守紧门户，静以待变。关明梅连刺八剑，一剑快似一剑，那是“三分剑术”中的绝招，称为“穆王八骏饮瑶池”，但见滕一雷虽然手忙脚乱，还是奋力挡住，也暗赞他了得。

陈正德这边劲敌一去，立占上风，双掌飞舞，招招不离敌人要害，倏地矮身，抓起顾金标射落在地的两柄小叉，兵器在手，更是如虎添翼，使开蛾眉刺招术，欺身直进，和哈合台快如闪电般拆了七八招，嗤的一声，哈合台左臂中叉，划破了一条口子。

顾金标见情势不利，突向霍青桐奔去。陈正德大惊，撇下哈合台，抢来拦阻。人未赶到，小叉已经脱手，笔直向他后心飞来。顾金标左手一伸，想接住小叉，哪知自己这件兵刃一到敌人手中已大不相同，飞来的劲道大极，虽然拿到了叉尾，却没能抓住，忙屈膝一蹲，小叉飕的一声，从头顶飞过，站起身来时，陈正德已经赶到。哈合台忙奔过来相助，以二敌一，兀自抵挡不住，那边滕一雷自顾不暇，难以相救。

霍青桐坐在地下，见师父师公逐渐得手，甚是喜慰。五人兵刃撞击，愈打愈烈。忽然远处传来长声号叫，声音甚是惨厉，叫声中充满着恐惧、饥饿和凶恶残忍之意，似是百兽齐吼，久久不息。霍青桐一跃而起，惊呼：“师父，你听！”双鹰剧斗正酣，听到这号叫之声，不约而同的跳开数步，侧耳静听。关东三魔正被逼得手忙脚乱，迭遇凶险，忽然一松，只顾喘气，不敢上前追杀。

只听叫声渐响，同时远处一片黑云着地涌来，中间夹着隐隐郁雷之声。天山双鹰脸色大变，陈正德飞纵而出，牵过马匹。关明梅把霍青桐抱起，跃上马背。陈正德拔起身子，站在马背之上，叫道："你上来瞧瞧，哪里可以躲避。"关明梅把霍青桐在马上放好，跳到了陈正德的马上。陈正德双手高举过顶，关明梅在丈夫肩上一搭，纵身站在他手掌之中。

关东三魔见敌人已然胜定，突然住手不战，在马背上叠起罗汉来，不禁面面相觑，愕然不解。顾金标骂道："两个老家伙使妖法？"滕一雷见二老惊慌焦急，并非假装，知道必有古怪，但猜测不出，只得凝神戒备。

关明梅极目四下瞭望，叫道："北面好像有两株大树！"陈正德急道："不管是不是，快去！"关明梅跃到霍青桐马上。二老一提马缰，也不再理会三魔，向北疾驰。

哈合台见他们匆忙中没带走水囊，俯身拾起。这时呼号之声愈响，听来惊心动魄。顾金标突然叫道："是狼群……"说这话时已脸如死灰。三人急跃上马，追随双鹰而去。

跑了一阵，只听得身后虎啸狼嗥，奔腾之声大作，回头望时，烟尘中只见无数虎豹、野骆驼、黄羊、野马疾奔逃命，后面灰扑扑的一片，不知有几千几万头饿狼追赶而来。

万兽之前却有一人乘马疾驰，那马神骏之极，奔在虎豹之前数十丈处，似乎带路一般。晃眼之间，那乘马已从身旁掠过。三魔见骑者一身灰衣，尘沙飞溅，灰衣几已成为黄衣，那人似是个老者，面目却看不清楚。那人回头叫道："寻死吗？快跑呀！"滕一雷的坐骑见到这许多野兽追来，声势凶猛已极，吓得脚都软了，膝盖一弯，把他抛在地下。

滕一雷急跃站起，十几头虎豹已从身旁奔过。群兽逃命要紧，哪里还顾得伤人。滕一雷暗叫："我命休矣！"张口狂呼。顾哈两人听见叫声，忙回马来救，只见迎面饿狼如潮水般涌到。滕一雷手挥铜人护身，明知无用，但临死还要挣扎，霎时间一头巨狼露出雪白利齿，奔到跟前。突然身旁马蹄声响，那灰衣老者纵马过来，左手一伸，已拉住他后领，把他肥大的身躯提了起来，向哈合台马上掷去。滕一雷使出轻功，一个筋斗，坐在哈合台身后。三人兜转马头，疾驰逃命。

天山双鹰带着霍青桐狂奔，他们久处大漠，知道这狼群最是凶恶不过，不论多厉害的猛兽，遇上了无一幸免。再跑一阵，前面果然是两株大树，双鹰暗叫："惭愧！这次总算不致填于饿狼之腹了。"驰到临近，陈正德一跃上树，关明梅把霍青桐递上，陈正德接住，扶她坐上高处的树枝。就这么一耽搁，狼嗥声又近了些。关明梅提起马鞭，在两匹马身上猛抽几下，叫道："自己逃命去吧，可顾不得你们了！"两马急奔而去。

三人刚在树上坐稳，狼群已然迫近，当先一人却是那灰衣老者。关明梅大惊失色，叫道："是他！"陈正德喝道："哼，果然是他。"侧目斜视，见妻子一脸惶急，不禁心头有气，说道："要是我遇险，只怕你还没这么着急。"关明梅怒道："这当口还吃醋？快救人！"右手攀住树枝，身子挂下。陈正德哼了一声，右手拉住她的左手，两人荡了起来。待那灰衣老者坐骑驰到，陈正德直扑而下，左手拦腰把他抱住，提了起来。

那老者出其不意，身子临空，坐骑却笔直向前窜了出去，脚底下全是虎豹、黄羊之属。他一个筋斗翻到树上站住，见是天山双鹰，不由得满脸怒色。陈正德道："怎么？袁兄也怕狼么？"那老者怒道："谁要你多事？"关明梅道："喂，你也别太古怪，咱当家的救你，总没救错。"陈正德听妻子帮他，洋洋得意。那老者冷笑道："救我？你们坏了我的大事啦！"陈正德笑道："你给饿狼吓胡涂了，快息一息吧！"那老者怒道："我袁某岂怕这群畜生！"

这灰衣老者就是陈家洛的师父天池怪侠袁士霄。他幼时与关明梅青梅竹马，一起长大，互生情愫，只是他性子古怪，两人因小事争执，一言不合，袁士霄竟远走漠北，十多年没回来，音讯全无。关明梅只道他永远不归，后来就嫁给了陈正德。不料婚后不久，袁士霄忽然回乡。两人黯然神伤，不在话下。陈正德十分不快，几次去寻袁士霄晦气，但武功不及，若不是袁士霄看在关明梅面上相让，他已吃大亏，一怒之下，便携妻远走回部。哪知袁士霄旧情难忘，也移居天山，虽然素不造访，但觉得与意中人相隔不远，心中较安，也是一番痴情之意。陈正德见他跟来，自然恚怒异常。关明梅为避嫌疑，尽量不与旧日情侣见面，陈正德却总是不免多心，加之关明梅心中郁闷，脾气更加急躁，夫妻数十年来不断龃龉。三人现今都已白发苍苍，然而于这段纠缠不清的情缘，仍是无日不耿耿于怀。

陈正德这次救了袁士霄，很是得意，心想你一向占我上风，今后对我感不感恩？关明梅却听袁士霄说坏了他的大事，不解其意，问道："怎地坏了你的大事?"袁士霄道："这群畜生近来越生越多，实是沙漠中一个大害。好几个回人聚居的部落，给狼群连人带畜，吃了个精光。我布置了一个机关，引狼群去自投死路，哪知却要他来多事?"

陈正德知他所说是实，讪讪的很不好意思。袁士霄见关明梅神色歉然，安慰她道："陈大哥和你也是好意，我谢谢你们就是。"陈正德道："你怎生布置的?"袁士霄忽然叫道："救人要紧!"一跃下树，堕入狼群。

这时关东三魔已被狼群赶上，三人背靠背的奋战，两匹坐骑早已给狼群撕成碎片。三人虽用兵刃打死了十多头狼，但群狼不断猛扑。三人身上都已受了七八处伤，眼见难支，袁士霄突然飞堕，双掌起处，两头饿狼天灵盖已被击碎。他抓起哈合台往树上抛去，叫道："接着!"陈正德一把抓住。袁士霄如法炮制，把滕一雷和顾金标掷了上去，跟着两掌打死两头饿狼，抓住死狼项颈，猛挥开路，冲到树下跃上。关东三魔死里逃生，见他杀狼易于搏兔，手法之快，劲力之重，生平从所未见，等他上树，不住称谢。

数百头饿狼绕着大树打转爬搔，仰头叫嗥。远处数十头虎豹已被狼群追上围住，搏斗吼叫之声，充塞空际。群兽腾挪奔跃，撕打咬啮，惨烈异常。转瞬之间，虎豹都被狼群嚼碎，吃得干干净净。树巅各人都是江湖豪客，但这般可怖的场面也是首次看见，无不心惊。

陈正德接到关东三魔时，随手在树上一放，这时圆睁怪眼，瞪着三人。霍青桐道："师公，这三个不是好人！"陈正德道："好，拿他们喂狼！"双掌一错，就要上前，但见树下群狼嚼食虎豹驼羊的惨状，又有点不忍，就这么一迟疑，滕一雷叫道："这边来！"向旁边一株树上跃了过去，顾、哈两人也跟着纵去。

关明梅向霍青桐道："青儿，怎样？"她要看霍青桐的主意，是不是要赶尽杀绝。霍青桐心肠一软，说道："算了吧！"想起自己的烦恼，长叹一声，流下泪来。她随即定神，朗声向三魔道："我便是翠羽黄衫霍青桐，你们要找我报仇，怎不过来？"滕一雷等三人听说她便是霍青桐，又惊又悔，又是愤怒，却又怎敢过来？

狼群来得快，去得也快，在树下盘旋叫嗥了一阵，又追逐其余野兽去了。

关明梅命霍青桐参见天池怪侠。袁士霄见她一脸病容，从衣囊中拿出两粒朱红色的药丸，说道："给你吧，这是雪参丸。"天山双鹰素知雪参丸之名，乃是用珍奇药材配制而成，真有起死回生之功。关明梅道："快谢！"

霍青桐待要施礼，袁士霄已一跃下树，疾奔而去，有如一条灰线，不一刻在滚滚黄尘中变成了一个黑点。

陈家洛搂住香香公主，双腿一夹，白马腾空窜出。张召重一把拉住白马马尾，用力后拉。但白马向前猛窜，反将他身子拖得扬了起来，带出火圈。

第十六回　我见犹怜二老意
谁能遣此双姝情

关明梅抱着霍青桐下树，叫她先吞服一颗雪参丸。霍青桐吞了下去，只觉一股热气从丹田中直冒上来，登时全身舒泰。关明梅道："你真造化，得了这灵丹妙药，就好得快了。"陈正德冷冷的道："就是不吃这药，也死不了。"关明梅道："难道说你宁愿青儿多受苦楚？"陈正德道："要是我啊，宁可死了，也不吃他的药丸。你呢？就算身上没病，也想吃他给的药。"关明梅怒火上冲，正要反唇相稽，见霍青桐珠泪莹然，楚楚可怜，就忍住不说了，把她负在背上，向北而去。陈正德跟在后面，一路唠唠叨叨的说个不休。

三人回到玉旺昆双鹰的居所。霍青桐服药后再睡了一觉，精神便好得多了。关明梅坐在她床边询问，干么一个人带病出来。霍青桐把计歼清兵、途遇三魔等事详细说了，可是始终没说出走的原因。关明梅性子急躁，不住追问。

霍青桐对师父最为敬爱，不再隐瞒，哭道："他……他和我妹子好，我调兵的时候……爹爹和大伙儿都疑我有私心。"关明梅跳了起来，叫道："就是你送短剑给他的那个什么陈总舵主？"霍青桐点点头。关明梅怒道："这人喜新弃旧，你妹子又如此没姊妹之情。两人都该杀了。"霍青桐急道："不，不……"关明梅道："我去给你算这笔账！"说着冲出房去。陈正德听得妻子大叫大嚷，忙过来看，两人在门边险些一撞。关明梅道："跟我来！去杀两个负心无义之人!”陈正德道:“好!”夫妻俩奔了出去。

霍青桐跳起身来，要追出去说明原委，身上却只穿着内衣，心头一急，晕了过去。待得醒转，师父和师公早已去得远了。她知这两人性子急躁异常，武功又高，陈家洛一人决计敌不过，如真把他和妹子杀了，那如何是好?当下顾不得病中虚弱，上马赶去。

一路上关明梅说天下负心男子最是该杀，气愤愤的道:“青儿这把古剑是罕有的珍物，好心送了给他，对他何等看重?他却将青儿置于脑后，又看上了她的妹子，真该千刀万剐。”陈正德道:“青儿的妹子怎地也如此无耻，抢夺亲姊姊的人，把她气成这副样子。”

双鹰走到第三天上，见前面沙尘扬起，两骑马从南疾驰而来。关明梅“啊”的一声叫了出来。陈正德问道:“什么?”这时也已看清，迎面驰来的正是陈家洛，便即伸手拔剑。关明梅道:“慢着，你瞧他们坐骑多快，纵马一逃，可追不上了。咱们假装不知，慢慢下手不迟。”陈正德点点头，两人迎了上去。

陈家洛也见到了他们，忙催马过来，下马施礼，道:“有幸又见到两位前辈。两位可见到霍青桐姑娘么?”关明梅心中痛骂:“你还假惺惺的装作惦记她。”说道:“不见呀!有什么事情?”忽然眼前一亮，只见一个极美的少女纵马来到跟前。陈家洛道:“那是你姊姊的师父，快下来见礼。”香香公主下马施礼，笑道:“我常听姊姊说起两位。你们见到我姊姊吗?”陈正德心想:“怪不得这小子要变心，她果然比青儿美得多。”关明梅心想:“小小姑娘，居然也如此奸滑。”她不露声色，假问原委。陈家洛说了。关明梅道:“好，咱们一起找去。”四人并辔同行，向北进发。

关明梅见两人都是面有忧色，心想:“做了坏事，内心自然不安，但不知他们找寻青儿为了什么。两人一起来，多半是存心把她气死。”越想越恨，落在后面，悄声对丈夫说道:“待会你杀那男的，我杀那女的。”陈正德点头答应。

到得傍晚，四人在一个沙丘旁宿营，吃过饭后围坐闲谈。香香公主从囊中取出一枝牛油蜡烛点起。双鹰在火光下见两人男的如玉树临风，女的如芍药笼烟，真是一对璧人，暗暗叹息：“这般的人才，心术却如此之坏。”

香香公主问陈家洛道：“你说姊姊当真没有危险?”陈家洛实在也十分担忧，但为了安慰她，说道：“你姊姊武功很好，人又聪明，几万清兵都给她杀了，一定没事。”香香公主对他是全心全意的信任，听他说姊姊没事，就不再有丝毫怀疑，说道：“不过她有病，找到她后，还是劝她回去休息的好。”陈家洛点头道：“是。”

关明梅认定他们是一搭一挡的演戏，气得脸都白了。香香公主忽向陈正德道：“老爷子，咱们来玩个游戏好吗?”陈正德向妻子一望。关明梅缓缓点头，示意别让对方起疑。陈正德说：“好！什么游戏?”香香公主向关明梅和陈家洛一笑，道：“你们也来，好不好?”两人点头同意。

香香公主把马鞍子拿过来放在四人之间，在鞍上放了一堆沙，按得结实，再在沙堆上放一枝小蜡烛，说道：“咱们用这把小刀，将沙堆上的沙一块块的切下来，切到最后，谁把蜡烛弄掉下来，就罚他唱歌、讲故事、或者跳舞。老爷子先来。”把小刀递给了陈正德。

陈正德几十年没玩孩子们的玩意了，这时拿着小刀，脸上神情甚是尴尬。关明梅一推他手肘，道：“切吧!”陈正德嘻嘻一笑，把沙堆切下了一块，将小刀交给妻子。关明梅也切了一块，轮不到三个圈，沙堆变成了一条沙柱，比蜡烛已粗不了多少，只要稍微一碰，蜡烛随时可以掉下。陈家洛拿小刀轻轻在沙柱上挖了一个凹洞。香香公主笑道：“你坏死啦!”接过小刀在另一边挖了个小孔。这时沙柱已有点摇晃，陈正德接过小刀时右手微微颤抖。关明梅笑骂：“没出息。”香香公主笑着代他出主意，道：“你轻轻挑去一粒沙子也算。”

陈正德依言去挑，手上劲力稍大，沙柱一晃坍了，蜡烛登时跌下，陈正德大叫一声。香香公主拍手大笑。关明梅与陈家洛也觉有趣。

香香公主笑道："老爷子，你唱歌呢还是跳舞?"陈正德老脸羞得通红，拼命推搪。关明梅与丈夫成亲以来，不是吵嘴就是一本正经的练武，又或是共同对付敌人，从未这般开开心心的玩耍过，眼见丈夫憨态可掬，心中直乐，笑道："你老人家欺侮孩子，那可不成!"陈正德推辞不掉，只得说道："好，我来唱一段次腔，贩马记!"用小生喉咙唱了起来，唱到："我和你，少年夫妻如儿戏，还在那里哭……"不住用眼瞟着妻子。

关明梅心情欢畅，记起与丈夫初婚时的甜蜜，如不是袁士霄突然归来，他们原可终身快乐。这些年来自己从来没好好待他，常对他无理发怒，可是他对自己一往情深，有时吃醋吵嘴，那也是因爱而起，这时忽觉委屈了丈夫数十年，心里很是歉然，伸出手去轻轻握住了他手。陈正德受宠若惊，只觉眼前朦胧一片，原来泪水涌入了眼眶。关明梅见自己只露了这一点儿柔情，他便感激万分，可见以往实在对他过份冷淡，向他又是微微一笑。

这对老夫妻亲热的情形，陈家洛与香香公主都看在眼里，相视一笑。四人又玩起削沙游戏来。这次陈家洛输了，他讲梁山伯与祝英台的故事。

天山双鹰对这故事当然很熟，但这时两人不约而同的想到，梁祝是有情人而不能成为眷属，自己夫妇却能白首偕老，虽然过去几十年中颇有隔阂龃龉，这时却开始融洽，临到老来两情转笃，确是感到十分甜美。

香香公主第一次听到这故事，她起初不断好笑，说梁山伯不知祝英台是女扮男装，实在笨死啦。陈家洛心想："我不知李沅芷是女扮男装，何尝不笨?"转念又想，也正因此而得与香香公主相爱，却又未免辜负了霍青桐的一番心意，喜愧参半，不由得叹了口气。

接着陈正德又输了一次，他却没有什么好唱的了。关明梅道："我来代你，我也讲一个故事。"香香公主拍手叫好。关明梅讲的是王魁负桂英的故事。

夜已渐深，香香公主感到身上寒冷，慢慢靠到关明梅身边。关明梅见她娇怯畏寒，轻轻把她搂住，又把她被风吹乱了的秀发理了一理。关明梅讲这故事，本想在杀死二人之前教训一顿，让他们自知罪孽，死而无怨，讲到一半，只觉香气浓郁，似乎身处奇花丛中，住口低头看时，见香香公主已在自己怀中睡着了。天山双鹰并无子女，老夫妇在大漠之中有时实在寂寞异常。关明梅忽想："要是我们有这样一个玉雪可爱的女儿，可有多好！"这时烛火已被风吹熄，淡淡星光下见她脸露微笑，右臂抱住自己身体，就如小儿抱着母亲一般。

陈正德道："大家休息吧！"关明梅低声道："别吵醒她！"轻轻站起，把她抱入帐篷，取毡毯给她盖上，只听她在梦中迷迷糊糊的道："妈，拿点羊奶给我小鹿儿吃，别饿坏了它。"关明梅一怔，道："好，你睡吧！"轻轻退出，心想："她明明是个天真无邪、心地善良的孩子，怎会做出这等事来？"见陈家洛另支帐篷，与香香公主的帐篷隔得远远地，微微点头。

陈正德走过来低声道："他们不住一个帐篷。"关明梅点点头。陈正德又道："他还不睡，反来覆去的尽瞧着那柄剑。等他睡了再下手呢，还是过去指明他的罪，给他来个明白的？"关明梅很是踌躇，道："你说呢？"陈正德心中充满了柔情蜜意，浑无杀人的心思，说道："咱们且坐一会，等他睡着了再杀，让他不知不觉的死了吧。"

陈正德携了妻子的手，两人偎倚着坐在沙漠之中，默默无言。不久陈家洛进帐睡了。又过了半个时辰，陈正德道："我去瞧瞧他睡着了没有。"关明梅点点头，可是陈正德并不站起，口里低低哼着不知什么曲调。关明梅道："好动手了吧？"陈正德道："应该干了。"但两人谁也没先动，显是都下不了决心。

天山双鹰生平杀人不眨眼，江湖上丧生于他们手下的不计其数，这时要杀两个睡熟的人，竟然下不了手。渐渐星移斗转，寒气加甚，老夫妻俩互相搂抱。关明梅把脸藏在丈夫的怀里，陈正德轻轻抚摸她的背脊。过不多时，两人都睡着了。

第二天早晨陈家洛与香香公主醒来，见二老已经离去，都感奇怪。香香公主忽道："你瞧，那是什么？"陈家洛转头一看，见平沙上写着八个大字："怙恶不悛，必取尔命"。每个字都有五尺见方，想是用剑尖划的。陈家洛皱起眉头，细思这八个字的含意。香香公主不识汉字，问道："画的什么？"陈家洛不愿令她担心，道："他们说有事要先走一步。"香香公主道："姊姊这两位师父真好……"话未说完，突然跳起，惊道："你听！"

陈家洛也已听得远处隐隐一阵阵惨厉的呼叫，忙道："狼群来啦，快走！"两人匆忙收拾帐篷食水，上马狂奔。就这样一耽搁，狼群已经奔到，幸而两人所乘的坐骑都神骏异常，片刻之间即把狼群抛在后面。群狼饥饿已久，见了人畜，舍命赶来，虽然距离已远，早已望不见踪影，还是循着沙上足迹，一路追踪。

陈家洛和香香公主跑了半日，以为已经脱险，下马喝水，刚生了火要待煮食，狼嗥又近。两人疾忙上马，到天黑时估计已把狼群抛后将近百里，才支起帐篷宿歇，睡到半夜，那白马纵声长嘶，乱跳乱嘶，把陈家洛吵醒，只听得狼群又已逼近。两人不及收拾帐篷，提了水囊干粮，立即上马。这般逃逃停停，在大漠中兜了一个大弧形，始终摆脱不了狼群的追逐，却已累得人困马乏。那红马终于支持不住，倒毙于地，两人只得合骑白马逃生。白马载负一重，奔跑愈慢，到第三日上已不能把狼群远远抛离。

陈家洛心想："若非这马如此神骏，早已累死，全亏得它接连支持了两日两夜，但只要再跑半日，也非倒毙不可。"又行了一个多时辰，见左首有些小树丛，纵马过去，下马说道："且在这里守着，让马休息。"和香香公主合力堆起一堵矮矮的沙墙，采了些枯枝放在墙头，生起火来，霎时间成为一个火圈，将二人一马围在中间。

布置好不久，狼群便已奔到。群狼怕火，在火圈旁盘旋号叫，却不敢逼近。陈家洛道："等马气力养足了，再向外冲。"香香公主道："你说能冲出去么?"陈家洛心中实在毫无把握，但为了安慰她，说道："当然行。"

香香公主见那些饿狼都瘦得皮包骨头，不知有多少天没吃东西了，道："这些狼也很可怜。"陈家洛笑了一笑，心道："这孩子的慈悲心简直莫名其妙，我们快成为饿狼肚里的食物了，她却在可怜它们，还不如可怜自己吧。"望着她双颊红晕，肌肤白得真像透明一般，再见火圈外群狼露出又尖又长的白牙，馋涎一滴滴的流在沙上，呜呜怒嗥，只待火圈稍有空隙，就会扑将上来，不觉一阵心酸。

香香公主见到他这等爱怜横溢的目光，知道两人活命的希望已极微小，走近身去，拉着他手，说道："和你在一起，我什么也不怕。我俩死了之后，在天国里仍是快快活活的永不分离。"陈家洛伸手把她搂在怀里，心想："我可不信有什么天国。那时她在天上，我却在地狱里。"又想："她穿了白衣，倚在天堂里白玉的栏干上。她想着我的时候，眼泪一滴滴的掉下来。她眼泪一定也是香的，滴在花上，那花开得更加娇艳芬芳了……"

香香公主转过头来，见他嘴角边带着微笑，脸上却是神色哀伤，叹了一口气，正要合眼，忽见火圈中有一处枯枝渐渐烧尽，火光慢慢低了下去。她叫了一声，跳起身去加柴，三头饿狼已窜了进来。陈家洛一把将她拉在身后。白马左腿起处，已将一头狼踢了出去。陈家洛身子一偏，抓住一头巨狼的头颈。向另一头灰狼猛挥过去，那狼跳开避过，又再扑上。另外两头狼又从缺口中冲进。陈家洛用力一掷，将手中那狼抛将过去，三头狼滚作一团，互相乱咬狂叫，出了火圈。他拾起地下烧着的一条树枝，向大灰狼打去。那狼张开大口，人立起来咬他咽喉。他手一送，将一条烧红的树枝塞入狼口，两尺来长的树枝全部没入，那狼痛彻心肺，直向狼群中窜去，滚倒在地。

陈家洛在缺口中加了柴，眼见枯枝愈烧愈少，心想只得冒险去捡。好在树木就在身后，相距不过十余丈，于是左手拿起钩剑盾，右手提了珠索，对香香公主道："我去捡柴，你把火烧得旺些。"香香公主点头道："你小心。"可是并不在火中加柴。她知道这一点儿枯枝培养着两人生命之火，火圈一熄，两人的生命之火也就熄了。

陈家洛剑盾护身，珠索开路，展开轻功向树丛跃去。群狼见火圈中有人跃出，猛扑上来，当先两头早被珠索打倒。他三个起落，已奔近树旁，这些灌木甚为矮小，不能攀上避狼，当下左手挥动钩剑盾，右手不住攀折树枝。数十头饿狼圈在他身边，作势欲扑，每次冲近，都被盾上明晃晃的九枝钩剑吓退，他采了一大批柴，用脚踢拢，俯身拿珠索一缚。就在这时，一头恶狼乘隙扑上，他剑盾一挥，那狼登时毙命，但剑上有钩，狼身钩在剑上落不下来，余狼连声咆哮。他急忙用力一扯，把狼尸扯下来掷出。群狼扑上去抢夺咬嚼。他乘机提起那捆树枝，回进火圈。

香香公主见他无恙归来，高兴得扑了上来，纵身入怀。陈家洛笑着揽住了她，把树枝往地下一掷，抬起头来，不由得大吃一惊。原来火圈中竟然另有一人。那人身材魁梧，身上衣服已被饿狼撕得七零八落，手中提剑，全身是血，脸色却颇为镇静，冷冷的望着他，正是死对头火手判官张召重。

两人相互瞪视，都不说话。香香公主道："他从狼群中逃出来，想是瞧见这里的火光，奔了过来。你瞧他累成这样子。"从水囊中倒了一碗水递过。张召重接住，咕嘟咕嘟一口气喝下，伸袖子在脸上一抹，揩去汗血。香香公主"呀"的一声叫了出来，认出他是在兆惠大营中曾与陈家洛打斗的那个武官，后来在沙坑中又曾与文泰来等恶战过的。陈家洛剑盾挡胸，珠索一挥，叫道："上吧！"

张召重目光呆滞，突然仰后便倒，原来他救了和尔大后，出来追踪陈家洛和香香公主，中途也遇上了狼群。和尔大为狼群所吞，他仗着武功精绝，连杀数十头恶狼，夺路逃命，在大漠中奔驰了一日一夜，坐骑倒毙，只得步行奔跑，无饮无食，又熬了一日，远远望见火光，拼命抢了进来。他全仗提着一口内息苦撑，一松劲后再也支持不住，晕了过去。

香香公主要过去救护，陈家洛一把拉住，道："这人阴险万分，别上他当。"过了半晌，见他毫无动静，这才走近察看。

香香公主拿些冷水浇在他额头上，又在他口里灌了些羊乳。张召重悠悠醒来，喝了半碗羊乳，重又睡去。陈家洛心想鬼使神差，教这大奸贼送入我手，这时要杀他不费吹灰之力，但乘人之危，非大丈夫行径，而且喀丝丽心地仁善，见我杀这无力抗拒之人，必定不喜。但要是饶了他，等他养足力气，自己可不是他敌手。一时拿不定主意，转头一望，见香香公主望着张召重，眼中露出怜悯之意。陈家洛一见到她这副眼神，当即决定再饶这奸贼一次，心想眼下三人共处绝境，这厮武功卓绝，待他力气复原，却是杀狼的一个好帮手，两人合力，或能把香香公主救出，单靠自己却万万不能，于是也喝了几口羊乳，闭目养神。

过了一会，张召重醒了过来。香香公主递了一块干羊肉给他，替他用布条缚好腿上几处狼牙所咬的伤痕。张召重见他两人以德报怨，不觉惭愧，垂头不语。陈家洛道："张大哥，咱们现今同在危难之中，过去种种怨仇，只好暂时抛在一边，总要同舟共济才好。"张召重道："不错，咱俩现在一斗，三人都成为饿狼腹内之物。"他休息了一个多时辰，精神力气稍复，暗暗盘算脱困之法，心想："天幸这两人又撞在我手里。三人都被群狼吃了，那没有话说。如能脱却危难，须当先发制人，杀了这陈公子，再把这美娃娃掳去。今后数十年的功名富贵是拿稳的了。"

陈家洛心想如此僵持下去，如何了局，见到火圈外有许多狼粪，想起霍青桐烧狼烟传讯之法，于是用珠索把狼粪拨近，聚成一堆，点燃起来，一道浓烟笔直升向天际。张召重摇头道："就算有人瞧见，也不敢来救。除非有数千大军，才能把这许多恶狼赶开。”陈家洛也知这法子无济于事，但想聊胜于无，不妨寄指望于万一。

天色渐晚，三人在火圈中加了树枝，轮流睡觉。陈家洛对香香公主低声道：“这人很坏，我睡着时，你得加意留心着他。”香香公主点头答应。陈家洛把树枝堆在他与张召重之间，防他在自己睡着时突施暗算，香香公主可无力抵御。

睡到中夜，突然狼嗥之声大作，震耳欲聋，三人惊跳起来。只见数千头饿狼都坐在地下，仰头望着天上月亮，齐声狂嗥，声调凄厉，实是令人毛骨悚然。叫了一阵，数千头饿狼的声音又倏然而止。这是豺狼数万年世代相传的习性，直至后来驯伏为狗，也常在深夜哭叫一阵。

次日黎明，三人见狼群仍在火圈旁打转，毫无走开之意。陈家洛道：“只盼有一队野骆驼经过，才能把这些恶鬼引开。”突然远处又有狼嗥，向这边奔来。张召重皱眉道：“恶鬼越来越多了。”

尘沙飞扬之中，忽见三骑马向这边急奔而来，马后跟着数百头狼。等到马上乘者瞧见这边饿狼更多，想从斜刺里避开，这边的饿狼已迎了上去，登时把三骑围在垓心。马上三人使开兵器，奋力抵挡。

香香公主叫道：“快去接他们进来呀!”陈家洛对张召重道：“咱们救人去。”两人手执兵器，向三骑马冲去，两下一夹攻，杀开一条血路，把三骑接引到火圈中来。只见一匹马上另有一人，双手反绑，伏在马鞍之上，身子软软的不知是死是活，看打扮是个回人姑娘。那三人跳下马来，一人把那回人姑娘抱下。

香香公主忽然惊叫：“姊姊，姊姊!”奔过去扑在那女子身上。陈家洛吃了一惊，香香公主已把那女子扶起，只见她玉容惨淡，双目紧闭，正是翠羽黄衫霍青桐。

原来霍青桐扶病追赶师父师公，不久就遇到关东三魔，她无力抵抗，拔剑要想自尽，被顾金标扑上夺去长剑，登时擒住。关东三魔擒得仇人，欢天喜地。依哈合台说，当场把她杀了，给三位盟兄弟报仇。顾金标却心存歹念，说要擒回辽东，在三位盟兄弟灵前活祭。顾金标是把兄，执意如此，哈合台拗他不过。当下一同回马启程东归。走了一天，被霍青桐故意误指途径，竟在大漠中迷失方向。这天远远看见一道黑烟，只道必有人家，径自奔来，哪知却是陈家洛烧来求救的狼烟。

顾金标见陈家洛纵上来要抢人，虎叉呛啷啷一抖，喝道："别走近来，你要干么？"

霍青桐全身虚弱，在狼群围攻中已晕了过去，这时悠悠醒转，斗然间见到陈家洛与妹子，心中一股说不出的滋味，不知是伤心还是欢喜。

香香公主对陈家洛哭道："你快叫他放开姊姊。"陈家洛道："你放心！"转头对顾金标道："你们是什么人？为什么擒住我的朋友？"滕一雷抢上两步，挡在顾金标身前，冷冷打量对面三人，说道："两位出手相救，在下这里先行谢过。请教两位高姓大名。"陈家洛未及回答，张召重抢着道："他是红花会陈总舵主。"三魔吃了一惊，滕一雷又问："请教阁下的万儿。"张召重道："在下姓张，草字召重。"滕一雷咦了一声，道："原来是火手判官，怪不得两位如此了得。"当下说了自己三人姓名。

陈家洛暗暗发愁，心想群狼之围尚不知如何得脱，接连又遇上这四个硬对头，现下只有设法要他们先行放开霍青桐再说，说道："咱们的恩仇暂且不谈，眼前饿狼环伺，各位有何脱险良方？"这句话把三魔问得面面相觑，答不出来。哈合台道："要请陈当家的指教。"陈家洛道："咱们合力御狼，或许尚有一线生机。要是自相残杀，转眼人人都填于饿狼之腹。"滕哈两人微微点头，顾金标怒目不语。陈家洛又道："因此请顾老兄立即放了我这朋友。大伙共筹退狼之策。"顾金标道："我不放，你待怎样？"陈家洛道："那么咱们七人之中，轮到你第一个去喂狼。"顾金标虎叉一抖，喝道："我却要先拿你去喂狼！"陈家洛道："我这朋友你是非放不可！咱俩不动手，大家也未见得能活，只要一动手，不论谁胜谁败，总是闹个两败俱伤，那就死定了。顾朋友三思吧。”

滕一雷低声道：“老二，先放了再说。”顾金标好容易把一个如花似玉的霍青桐擒到在手，这时宁可不要性命也不肯放，不住摇头。滕一雷心下盘算：“我们三人对他三人，人数是一样。但听说火手判官剑术拳法，是武林中数一数二人物。瞧这姓陈的适才杀狼身手，也着实了得。这美貌少女既与他们在一起，手下想必不弱。当真打起来，只怕不是对手。”他这一思量，不觉气馁，低声道：“老二，你放不放？闹起来我可无法帮你。”

顾金标过不了这色字关，执迷不悟，他也知道张召重的名气，决定单独向形貌文弱的陈家洛挑战，恶狠狠的道：“你如赢得我手中虎叉，把这女子拿去便了。是英雄好汉，咱二人就单打独斗，一决胜败。”陈家洛实不愿这时在狼群之中自相残杀，微微沉吟，尚未答话，张召重已抢着道：“你放心，我谁也不帮就是。”这句话似是对陈家洛说，其实却是说给顾金标听，要他不必疑虑，尽管挑战。

顾金标大喜，叫道：“你要是不敢，那就别管旁人闲事。否则的话，拳脚兵刃，兄弟都可奉陪。我三个盟弟都丧在红花会手里，此仇岂可不报？”最后这句话却是说给滕哈二人听的，意思说我是为了公愤，并非出于私欲，你们可不能袖手不理。

陈家洛向霍青桐姊妹一望，见霍青桐脸露怨愤，香香公主焦虑万状，把心一横，想道：“这姊妹两人都对我有情，我今日为她们死了，报答了她们的恩义，也免得我左右为难，伤了她们手足之情。”慨然道：“这位姑娘是我好朋友，我拼得性命不在，也要你放。”霍青桐眼圈一红，心想他对我倒也不是全无情义。顾金标道：“我也拼得性命不在，决不肯放。”张召重笑道：“好吧，那么你们拼个你死我活吧。”三魔听他语气，已辨出他对陈家洛颇有幸灾乐祸之心。

陈家洛道：“咱二人拼斗，不论是你杀了我，还是我杀了你，对别人都无好处。这样吧，咱二人一起出去杀狼。谁杀得多，就算谁胜。”他想这法子至少可稍减群狼的威胁，不致把御狼的力量互相抵消。哈合台首先赞成，鼓掌叫好。张召重道：“要是陈当家的得胜，顾二哥就把这位姑娘交给他。要是顾二哥杀的狼多，陈当家的不得再有异言。”

陈家洛和顾金标怒目相视，俱不答应，只因杀狼之事，谁都没必胜把握，可是又决不能让霍青桐落入对方手里。陈家洛心想：他使猎虎叉，一定擅于打猎，或许杀狼有高强手段。顾金标却想：他要比赛杀狼，料来有相当把握，我偏不上他的当，说道：“你要和我斗，那就是拼赌性命。轻描淡写的玩意，可没兴致陪你玩。”

张召重忽道：“在下与三位今日虽是初会，但一向是很仰慕的。至于陈当家的呢，我们过去颇有点过节，但此刻也不谈了。我双方谁也不帮。现今我有个主意，既可一决胜败，双方也不伤和气。各位瞧着成不成？”滕一雷听他说与陈家洛有梁子，心中一喜，忙道：“张大哥请说。火手判官威震武林，主意必定是极高明的。”张召重微微一笑，道：“不敢。咱们身处狼群包围之中，自相拼斗，总是不妙。陈当家的你说是不是？”陈家洛点点头。张召重又道：“比赛杀狼吧，这位顾二哥又觉得太过随便，不是好汉行径。我献一条计策：你们两位赤手空拳的一起走入狼群，谁胆小，先逃了回来，谁就输了。”

众人听了，都是心中一寒，暗想此人好生阴毒，赤手空拳的走入狼群，谁还能活着性命回来？张召重又道：“要是哪一位不幸给狼害了，另一位再回进火圈，也算胜了。”陈家洛双眉一扬，说道：“要是咱两人都死了，那怎样？”哈合台道：“我敬重你是条好汉子，着落在我身上，释放这位姑娘就是。”陈家洛道：“哈兄的话我信了，这位姑娘你们可也不能欺侮她。”伸手向香香公主一指。哈合台道：“皇天在上，我答应了陈当家的。如有异心，教恶狼第一个吃我。”陈家洛抱拳道：“好，多谢了。”心中盘算已定，别说狼群围伺，就算一条狼也没有，自己孤身遇上这四个强敌，也必有死无生，现下舍了自己一条性命，如能侥天之幸，救出霍青桐姊妹，那也心愿已足，汉家光复的大业，只好偏劳红花会众兄弟了，把剑盾珠索往地下一掷，向顾金标一摆手道："顾朋友，走吧！"

顾金标拿着虎叉，踌躇不决。他虽是亡命之徒，但要他空手走入狼群，可实在不敢。张召重只怕赌赛不成，激他道："怎么？顾朋友有点害怕了吧？这本来很是危险。"顾金标仍是沉吟。

香香公主不懂他们说些什么，只是见到各人神色紧张。霍青桐却每句话都听在耳里，见陈家洛甘愿为她舍命，心中感动异常，叫道："你别去！宁可我死了，也不能让你有丝毫损伤。"她平素真情深藏不露，这时临到生死关头，情不自禁的叫了出来。只听得当啷一声，一柄猎虎叉掷在地下。

顾金标见她对陈家洛如此多情，登时妒火中烧。他性子狂暴，脾气一发作，那就是天不怕地不怕了，叫道："我就是给豺狼咬掉半个脑袋，也不会比你这小子先回来。走吧！"

陈家洛向霍青桐和香香公主一笑，并肩和顾金标向火圈外走去。霍青桐吓得又要晕去，叫道："别……别去……"香香公主却睁着一双黑如点漆的眼珠，茫然不解。

两人正要走出火圈，滕一雷忽然叫道："慢着。"两人停步转身。滕一雷道："陈当家的，你身上还有把短剑。"陈家洛笑道："对不起，我忘了。"解下短剑，走到霍青桐面前，道："别伤心！你见了这剑，就如见到我一样。"将剑放在她身上。

霍青桐流下泪来，喉中哽住了说不出话，就在这时，一个念头在脑中忽如电光般一闪，低声道："你低下头来。"陈家洛低头俯耳过去。霍青桐低声说道："用火折子！"陈家洛一怔，随即恍然，转头对张召重道："张大哥，刚才我忘了解下短剑，请你公证人再瞧一瞧。"张召重在陈顾两人衣外摸了一遍，说道："顾二哥，请你把暗器也留下吧。"

顾金标气愤愤的把十多柄小叉从怀中摸出，用力掷在地下，把辫子在头顶一盘，神情大变，眼中如要喷出血来，突然奔到霍青桐跟前，一把抱住，正要低头去吻，忽然后心被人抓住，提起来往地下一掼。顾金标平日和盟兄弟练武，大家交手惯了的，知道这一下除了哈合台再无别人，果然听得哈合台喝道："老二，你要不要脸?"顾金标一摔之后，头脑稍觉清醒，大吼一声，发足向狼群中冲去。

陈家洛双足一点，使开轻功，已抢在他之前。

群狼本来在火圈外咆哮盘旋，忽见有人奔出，纷纷扑上。顾金标心知这次遇上了生平从所未有的凶险，只好多挨一刻是一刻，见两头恶狼从左右同时扑到，身子一偏，左手疾探，已抓住左边那狼的项颈，右手抢住它的尾巴，提了起来。武学之中有一套功夫叫做"凳拐"，据说有一位武林前辈夏夜在瓜棚里袒腹乘凉，忽然敌人来袭，一时之间，四面八方都是手执兵刃的强敌。他身无武器，随手提起一条板凳，拦架击打，把敌人打得大败而逃。这套功夫流传下来，武林中学的人着实不少，以备赤手遇敌时防身之用。因长凳所在都有，会了这套武术，便如处处备有兵器。顾金标抓住这狼，灵机一动，便将之当作板凳，展开"凳拐"中的招数，横扫直劈，舞了开来。狼身长短与板凳相近，也有四条腿，他舞得呼呼生风，群狼一时倒扑不近身。

陈家洛使的却是"八卦游身掌"身法，在狼群中东一晃，西一转，四下乱跑。这本是威震河朔王维扬的拿手功夫，在杭州狮子峰上，曾打得张召重一时难以招架。陈家洛当日在铁胆庄与周仲英比武，也曾使过。他的造诣比之王维扬自是远远不及，却也是脚步轻捷，身法变幻。初时群狼倒也追他不上，但饿狼纷纷涌来，四下挤得水泄不通，教他再无发足奔跑的余地。他知这套武功已管不了事，当下从怀中取出火折，迎风一晃，火折点亮，挥了个圈子。火折上的火光十分微弱，群狼却立时大骇，纷纷倒退，虽然张牙舞爪，作势欲扑，终究不敢扑上，只在喉头发出呜咽咆哮之声。

香香公主猛见陈家洛冲入狼群，大惑不解，奔到霍青桐跟前，说道："姊姊，他干什么呀?"霍青桐垂泪道："他为了救咱们姊妹，宁可送掉自己性命。”香香公主先是一惊，随即淡淡一笑，说道：“他死了，我也不活。”霍青桐见她处之泰然，心想她说这句话出乎自然，便似是天经地义之事，既无心情激荡，也不用思索，可见对他的痴爱，已自然而然成为她心灵中的一部分了。

张召重见陈顾两人霎时都被群狼围住，心中暗喜，突见陈家洛取出火折，恶狼吓得后退，不觉一呆，但想火折不久就会烧完，也只不过稍延时刻而已。

滕、哈二人却只瞧着顾金标，先见他大展刚勇，提着一头巨狼舞得风雨不透，各自心喜，忽见他使一招“懒汉闩门”，举起巨狼向外猛碰，跟迎面扑上来的一头狼当头一撞。两头狼都急了，不顾三七二十一张口就咬，一头脸上咬得见骨，另一头颈中鲜血淋漓。群狼见血，更加蜂拥而来，扑上来你一口我一口，将顾金标手中的巨狼撕得稀烂，最后只剩他左手一个狼头，右手连着尾巴的一个狼臀。这么一来，情势登时危急，他想再去抓狼，一头恶狼扭头便咬，若非缩手得快，左手已被咬断，同时右边又有两头饿狼扑了上来。

哈合台解下腰中所缠钢丝软鞭，叫道：“老大，我去救他。”滕一雷还未回答，霍青桐冷冷的道：“关东豪杰要不要脸？”哈合台登时楞住，再看狼群中两人情势，又已不同。

陈家洛见火折子快要点完，忙撕下长衣前襟点燃了，脚下不住移动，奔向灌木。就这么慢得一慢，两头恶狼迎面扑到。他矮身从两狼之间穿了过去，折了一条树枝在手，运劲反手一击，将抢在前面的饿狼打得脑浆迸裂。群狼扑上去分尸而食，追逐他的势头登时缓了。他忙拾起一段枯枝点燃了，拿在手中挥动，驱开群狼，一有空隙，立即又攀折树枝，增大火头，片刻之间，已在身周布置了一个小小火圈，将饿狼相隔在外。

霍青桐和香香公主见他脱险，大喜若狂。那边顾金标却已难于支持，他想仿效陈家洛的法子，身边却没带着火折，只得挥拳与饿狼的利爪锐齿相斗，手上脚上接连被咬。

哈合台大惊，对霍青桐道：“算陈当家的赢了就是!”拔出她身上短剑，割断她手脚上的绳索，又道：“现下我可去救他了!”软鞭挥动，疾冲出去，但奔不到几步，群狼密密层层的涌来，腿上登时被咬了两口，虽然打死了两头狼，却已无法前进。滕一雷大叫：“老四，回来。”哈合台倒跃回来，取了一条点燃的树枝，想再冲出，但相距太远，眼见顾金标就要被群狼扑倒。他提高声音，向陈家洛叫道：“陈当家的，你赢啦，我们已放了你朋友。请你大仁大义，救救顾老二。”

陈家洛远远望去，果见霍青桐已经脱缚，站在当地，心想：“为了对付恶狼，多一个帮手好一个。”拾起一根点燃的树枝，向顾金标掷去，叫道：“接着!”顾金标双臂双腿全是鲜血，眼见树枝投来，纵身跃起，在空中接住，挥了个圈子。豺狼怕火，那是数万年来相传的习性，见他手上有火，立即退开。顾金标挥动树枝，慢慢向陈家洛走来。陈家洛又掷过去一条树枝。顾金标双手有火，走近树丛。

陈家洛道：“快捡柴。”当下两人各用枝条缚了一捆树枝，负在背上，手中拿了点燃的树枝，挥动着向火圈走去。群狼不住怒嗥，让出一条路来。

两人越走越近，陈家洛走在前面，香香公主靠近火圈，张开了双臂，迎他回来。陈家洛脸露微笑，正要纵入，霍青桐叫道：“慢着，让他先进来。”陈家洛登时醒悟，放下柴束，住足回头，让顾金标先进火圈。他想双方曾有约言，谁先进火圈谁输，虽然自己救了他性命，但只怕这类无义小人临时又有反覆。

顾金标满眼红丝，抛下背上枯柴，举起火枝往陈家洛面上一晃，乘他斜身闪避，举掌向他背后猛推，想将他推进火圈。陈家洛侧身闪避，这一掌从衣服上擦过。顾金标右手又是一挥，一根火枝对准了他脸上掷去。

陈家洛头一低，那火枝直飞进火圈之中。顾金标冲面一拳，他八十一路长拳讲究的是势劲锋锐，出手快捷，一拳方发，次拳跟上。陈家洛见他只一转眼间便以怨报德，心中大怒，右手伸出拿他脉门，左手一招“金针渡劫”，直刺他面门，那是“百花错拳”中一招以指当剑之法。顾金标从未见过这古怪拳法，一楞之下，疾忙倒退，左脚踏在一头饿狼身上。那狼痛得大叫，张口便咬，陈家洛一招得势，不容他再有缓手之机，掌劈指戳，全是“百花错拳”中最厉害招数。滕一雷、哈合台站在火圈边观战，见了他这路拳法，都感心惊。

陈家洛左手双指疾向对方太阳穴点去，顾金标伸臂挡格，回敬一拳，料想他定然后退，哪知他竟然不理会，飞起左脚，顾金标胯上早着，一个踉跄，右拳已被抓住。陈家洛运劲一拖，乘着敌人向后一挣之势，突然间改拖为送，顾金标又是一个出其不意，己力再加上敌劲，哪里还站立得定，登时仰跌。这一交只要摔倒，四周环伺的群狼立时涌上，哪里还有完整尸骨？火圈中各人都惊叫起来。

顾金标危急中一个“鲤鱼打挺”，突然身子拔起，左掌挥落，把一头向上扑来的饿狼打落，借势在空中一个筋斗，头上脚下的顺落下来。陈家洛左足一点，从他身侧斜飞而过，右手连挥，已分别点中他左腿膝弯和右腿股上穴道。顾金标双脚着地时哪里还站立得住，暗叫：“完蛋！”双手在地上一撑，又想翻起，群狼已从四面八方扑到。

陈家洛抢得更快，伸出右手抓住他后心，挥了一圈。顾金标凶悍已极，下半身虽然动弹不得，大喝一声，双拳齐发，猛力向陈家洛胸口打到，要和他拼个同归于尽。陈家洛骂了一声：“恶强盗！”左指其快如风，又在他“中府”、“璇玑”两穴上一点。顾金标双拳打到半途，手臂突然瘫痪，软软垂下。陈家洛把他身子又挥了一圈，逼开扑上来的饿狼，便欲向远处狼群中投去。

霍青桐叫道：“别杀他！”陈家洛登时醒悟：“即使杀了此人，还是彼众我寡，且与滕哈二人结了死仇，不如暂时饶他，卖一个好，那么自己与张召重争斗之时，他们或许可以两不相助。”手臂回缩，转了个方向，将他抛入火圈，这才纵身跃回。

哈合台接住顾金标，陈家洛再行着地。这次性命的赌赛，终于是陈家洛赢了。

他正要上前和霍青桐、香香公主叙话，霍青桐忽叫："留神后面！"只觉脑后风生，疾忙低头矮身，两头饿狼从头顶窜过。原来两狼眼见到口的美食又进火圈，饥饿难当之下，鼓起勇气，跳了进来。一头饿狼径向香香公主扑去，陈家洛抢上抓住狼尾，用力疾扯。那狼负痛，回头狂嗥，同时另一头狼也扑了过来。陈家洛反掌斩去，那狼偏头避让，一掌斩在颈里，在地下打了个滚，扑上来又咬。霍青桐掉转短剑剑头，柄前尖后，向陈家洛掷去，叫道："接着！"陈家洛伸手一抄，揽住剑柄，挺剑向左边巨狼刺去。这狼身躯巨大，竟然十分的灵便狡猾，闪避腾挪，陈家洛连刺两剑都被它躲了开去。

这时火圈外又有三头狼跟踪跃入，一头被哈合台用摔跤手法抓住头颈掼出圈外，另一头被张召重一剑斩为两段，第三头却在与滕一雷缠斗。哈合台把顾金标带回来的树枝加旺了火头，群狼才不继续进来。

这边陈家洛挺剑向左虚刺，恶狼哪知他是虚招，向右闪避，短剑早已收回，自右方猛刺而下。恶狼这时万万躲避不开，也是情急智生，突张巨口，咬住了剑锋。陈家洛用力向前一送，那狼舌头虽被划破，但知这是生死关头，仍是忍痛咬紧。陈家洛向后回拔，那狼死不放松，身子被提了起来，两行利齿却在剑锋上犹如生了根一般。陈家洛心中焦躁，身子一侧，飞腿踢中了另一条扑上来的恶狼后臀，那狼汪汪大叫，飞出火圈。他奋力一挣，随着左手一掌，打在巨狼双目之间。那狼向后一仰，他手中顿觉一松，短剑终于拔出。众人只觉寒光一闪，短剑剑锋上紫光四射。

陈家洛这一掌已把巨狼打得头骨破碎而死，可是它口中还是咬着一段剑刃。众人都感奇怪，短剑明明在陈家洛手里，又未断折，狼口中的剑刃又从何而来？

陈家洛走上前去，左手三指平捏半段剑刃向后一拉，岂知那狼虽死，牙齿仍如铁钳般牢牢咬住剑刃。他右手用短剑在狼颚上一划，狼脸筋骨应手而断，直如切豆腐一般。他心感诧异，举起短剑看时，脸上突觉寒气侵肤，不觉毛骨悚然，剑锋发出莹莹紫光，已非霍青桐所赠之剑，但剑柄仍然一模一样。他更是不解，俯身拾起狼口中那段剑刃，这才发觉剑刃中空，宛如剑鞘，把短剑插入剑鞘，全然密合。原来这短剑共有两个剑鞘，第二层剑鞘开有刃口，剑尖又十分锋锐，见者自然以为便是剑刃，岂知剑内另有一柄砍金断玉、锋锐无匹的宝剑。霍青桐赠送短剑之时，曾说故老相传，剑中蕴藏着一个极大秘密，一向无人参透得出。今日若非机缘巧合，巨狼死命咬住，两下用力拉扯，才拔出了第二层剑鞘，否则有谁想得到这柄锋利的短剑之中，竟是剑内有剑？

这时滕一雷已将火圈中最后一头狼打死，先解开顾金标被点的穴道，拔出匕首，割下四条狼腿，在火上烧烤。霍青桐叫道："快拿开，你们不要性命吗？"滕一雷愕然道："什么？"霍青桐道："这些饿狼闻到烤肉香气，哪里还忍耐得住？"滕一雷心想不错，忙把狼腿从火上拿开。顾金标坐着喘息了一会，裹缚了身上六七处给恶狼咬伤的大创口，至于较小的创口，一时也无暇理会，只觉饥饿难当，拿起狼腿，鲜血淋漓的吃了起来。

香香公主将短剑拿在手里把玩，赞叹第二层剑鞘固然设想聪明，而且手工精巧已极，丝毫不露破绽。她向剑鞘里一张，见里面有一粒白色的东西，摇了几摇，却倒不出来。她取过一根细树枝，在鞘里轻轻一拨，一颗白色的小丸滚了出来。陈家洛和霍青桐见了都感奇怪，聚首细看，见是一颗蜡丸。陈家洛问霍青桐道："打开来瞧瞧，好不好？"霍青桐点点头。他手指微一用劲，蜡丸破裂，里面是个小纸团，摊开纸团，却是一张薄如蝉翼的纱纸，纸上写着许多字，都是古文回字，旁边是一张地图，画得密如蛛网。

张召重望见他们发现了这张纸，假装取柴添火，走来走去偷看了几眼，见纸上写的都是回文，一字不识，不禁大失所望。

陈家洛回文虽识得一些，苦不甚精，纸上写的又是古时文字，全然不明其义，于是把纸摊在霍青桐前面。霍青桐一面看一面想，看了半天，把纸一折，放在怀里。陈家洛道："那些字说的什么？"霍青桐不答，低头凝思。香香公主知道姊姊的脾气，笑道："姊姊在想一个难题，别打扰她。"

霍青桐用手指在沙上东画西画，画了一个图形，抹去了又画一个，后来坐下来抱膝苦苦思索。陈家洛道："你身子还弱，别多用心思。纸上的事一时想不通，慢慢再想，倒是筹划脱身之策要紧。"霍青桐道："我想的就是既要避开恶狼，又要避开这些人狼。"说着小嘴向张召重等一努。香香公主听姊姊叫他们作"人狼"，名称新鲜，拍手笑了起来。

霍青桐又想了一会，对陈家洛道："请你站上马背，向西瞭望，是否有座白色山峰。"陈家洛依言牵过白马，跃上马背，极目西望，远处虽有丛山壁立，却不见白色山峰，凝目再望一会，仍是不见，向霍青桐摇摇头。

霍青桐道："照图上所示，那古城离此不远，理应看到山峰。"陈家洛跳下马背，问道："什么古城？"霍青桐道："小时就听人说，这大沙漠里埋着一个古城。这城本来十分富庶繁荣，可是有一天突然刮大风沙，像小山一样的沙丘一座座给风卷起，压在古城之上。城里好几万人没一个能逃出来。"转头对香香公主道："妹妹，这些故事你知道得最清楚，你说给他听。"

香香公主道："关于那地方有许多故事，可是那古城谁也没亲眼看见过。不，有好多人去过的，但很少有人能活着回来。据说那里有无数金银珠宝。有人在沙漠中迷了路，无意中闯进城去，见到这许多金银珠宝，眼都花了，自然开心得不得了，将金银珠宝装在骆驼上想带走，但在古城四周转来转去，说什么也离不开那地方。"

陈家洛问道："为什么？"香香公主道："他们说，古城的人一天之中都变成了鬼，他们喜欢这个城市，死了之后仍然不肯离开。这些鬼不舍得财宝给人拿走，因此迷住了人，不让走。只要放下财宝，一件也不带，就很容易出来。”陈家洛道：“就只怕没一个肯放下。”霍青桐道：“是啊，见到这许多金银珠宝，谁肯不拿？他们说，要是不拿一点财宝，反而在古城的屋里放几两银子，那么水井中还会涌出清水来给他喝。银子放得多，清水也就越多。”陈家洛笑道：“这古城的鬼也未免太贪心了。”

香香公主道：“我们族里有些人欠了债没法子，就去寻那地方，总是一去就永不回来。有一次，一个商队在沙漠里救了一个半死的人。他说曾进过古城，可是出来时走来走去尽在一个地方兜圈子，他见到沙漠上有一道足迹，以为有人走过，于是拼命的跟着足迹追赶，哪知这足迹其实就是他自己的，这么兜来兜去，终于精疲力尽，倒地不起。那商队要他领着大伙儿再去古城，他死不答允，说道：就是把古城里所有的财宝都给了他，也不愿再踏进这鬼城一步。”

陈家洛道：“在沙漠上追赶自己的足迹兜圈子，这件事想想也觉可怕。”香香公主道：“还有更可怕的事呢。他独个儿在沙漠中走，忽然听到有人叫他名字。他随着声音赶去，声音却没有了，什么也没瞧见，就这样迷了路。”陈家洛道：“有人忽然发现这许多财宝，欢喜过度，神智一定有点失常，沙漠中路又难认，很容易走不回来。要是他下了决心不要财宝，头脑一清醒，就容易认清楚路了。倒不一定是有鬼迷人。”

霍青桐静静的道：“剑鞘里藏着的，就是去那座古城的路径地图。”陈家洛“啊”的一声。

香香公主笑道：“我们不想要金银财宝。就算拿到了，那些鬼也不放人走。这张地图没什么用，倒是这口剑好，这般锋利，遇到敌人的兵器时，只怕一碰就能削断。”拔下三根头发，放在短剑的刃锋之上，道：“听爹爹说，真正的宝剑吹毛能断，不知这剑成不成？”对着短剑刃锋吹一口气，三根头发立时折为六段。她喜得连连拍手。霍青桐拿出一块丝帕，往上丢去，丝帕缓缓飘下，举起短剑一撩，丝帕登时分为两截。

张召重和关东三魔齐声喝彩，都不禁眼红身热。

陈家洛叹道："宝剑虽利，杀不尽这许多饿狼，也是枉然。"霍青桐道："地图上画明，古城环绕着一座参天玉峰而建。照图上看来，那山峰离此不远，应该可以望见，怎么会影踪全无，可教人猜想不透。"香香公主道："姊姊你别用这些闲心思啦，就是找到了山峰，又有什么用处?"霍青桐道："那么咱们就可逃进古城。城里有房屋，有堡垒，躲避狼群总比这里好得多。"陈家洛叫道："不错!"跃身而起，又站上马背，向西凝望，但见天空白茫茫的一片，哪里有山峰的影子?

张召重等见他们说个不休，偏是一句话也不懂，陈家洛又两次站上马背瞭望，不知捣什么鬼。四人商量逃离狼群之法，说了半天，毫无结果。香香公主取出干粮，分给众人。

香香公主这时想起了她养着的那头小鹿，不知有没有吃饱，抬起了头，望着天边痴想，突然叫道："姊姊，你看。"霍青桐顺着她手指望去，只见半空中有一个黑点，一动不动的停在那里，问道："那是什么?"香香公主道："是一头鹰，我瞧着它从这里飞过去，怎么忽然在半空中停住不动了。"霍青桐道："你别眼花了吧?"香香公主道："不会，我清清楚楚瞧着这鹰飞过去的。"陈家洛道："倘若不是鹰，那么这黑点是什么?但如是鹰，怎么能在空中停着不动?这倒奇了。"三人望了一会，那黑点突然移动，渐近渐大，转眼间果然是一头黑鹰从头顶掠过。

香香公主缓缓举起手来，理一下被风吹乱了的头发。陈家洛望着她晶莹如玉的白手，在雪白的衣襟前横过，忽然省悟，对霍青桐道："你看她的手!"霍青桐瞧了瞧妹子的手，道："喀丝丽，你的手真是好看。"香香公主微微一笑。陈家洛笑道："她的手当然好看，可是你留意到了吗?她的手因为很白，在白衣前面简直分不出什么是手，什么是衣服。"霍青桐道："嗯?"香香公主听他们谈论自己的手，不禁有点害羞，眼睛低垂的静听。

陈家洛道："那只鹰是停在一座白色山峰的顶上啊!"霍青桐

叫了起来："啊！不错，不错。那边的天白得像羊乳，这高峰一定也是这颜色，远远望去就见不到了。"陈家洛喜道："正是。那鹰是黑色的，所以就看得清清楚楚。"香香公主这才明白，他们谈的原来是那古城，问道："咱们怎么去呢？"霍青桐道："得好好想一想。"取出地图来又看了好一回，道："等太阳再偏西，倘若那真是一座山峰，必有影子投在地上，就能算得出去古城的路程远近。"陈家洛道："可别露出形迹，要教这些坏蛋猜测不透。"霍青桐道："不错，咱们假装是谈这条狼。"

陈家洛提过一条死狼，三人围坐着商量，手中不停，指一下死狼鼻子，又拔一根狼毛细细观察，拉开狼嘴来瞧它牙齿。日头渐渐偏西，大漠西端果然出现了一条黑影，这影子越来越长，像一个巨人躺在沙漠之上。三人见了，都是喜动颜色。霍青桐在地下画了图形计算，说道："这里离那山峰，大约是二十里到二十二里。"一面说，一面将死狼翻了个身。陈家洛把一条狼腿拿在手里，拨弄利爪，道："咱们如再有一匹马，加上那白马，三人当能一口气急冲二十几里。"霍青桐道："你想法儿让他们心甘情愿的放咱们出去。"

陈家洛道："好，我来试试。"随手用短剑剖开死狼肚子。

张召重和关东三魔见他们翻来翻去的细看死狼，不住用回语交谈，很是纳闷。张召重道："这死狼有什么古怪？陈当家的，你们商量怎生给它安葬吗？"陈家洛登时灵机一动，道："我们是在商量如何脱险。你瞧，这狼肚子里什么东西也没有。"张召重道："这狼肚子饿了，所以要吃咱们。"关东三魔听着都笑了起来。哈合台道："我们上次遇到狼群，躲在树上，群狼在树下打了几个转，便即走了。这一次却耐心真好，围住了老是不走。"滕一雷道："上次幸得有黄羊骆驼引开狼群。这当儿只怕周围数百里之内，什么野兽都给这些饿狼吃了个干净，只剩下我们这一伙。"陈家洛道："这些狼肚里空成这个样子，只要有一点东西是可以吃的，哪里还肯放过？"张召重道："你瞧这死狼瞧了半天，原来发现的是这么一片大道理。”陈家洛道：“要逃出险境，只怕就得靠这道理。”

关东三魔同时跳起身来，走近来听。张召重忙问：“陈当家的有什么好法子？”陈家洛道：“大家在这里困守，等到树枝烧完，又去采集，可是总有烧完的时候，那时七个人一齐送命，是不是？”张召重与关东三魔都点了点头。陈家洛道：“咱们武林中人，讲究行侠仗义，舍身救人。此刻大伙同遭危难，只要有一个人肯为朋友卖命，骑马冲出，狼群见这里有火，不敢进来，见有人马奔出，自然一窝蜂的追去。那人把狼群引得越远越好，其余六人就得救了。”张召重道：“这个人却又怎么办？”陈家洛道：“他要是侥幸能遇上清兵回兵大队人马，就逃得了性命。否则为救人而死，也胜于在这里大家同归于尽。”

滕一雷道：“法子是不错，不过谁肯去引开狼群？那可是有死无生之事。”陈家洛道：“滕大哥有何高见？”滕一雷默然。哈合台道：“咱们来拈阄，拈到谁，谁就去。”张召重正在想除此之外，确无别法，听到哈合台说拈阄，心念一动，忙道：“好，大家就拈阄。”

陈家洛本想自告奋勇，与霍青桐姊妹三人冲出，却听他们说要拈阄，如再自行请缨，只怕引起疑心，说道：“那么咱五人拈吧，两位姑娘可以免了。”顾金标道：“大家都是人，干么免了？”哈合台道：“男子汉大丈夫，不能保护两个姑娘，已是万分羞愧，怎么还能让姑娘们救咱们出险？我宁可死在饿狼口里，否则就是留下了性命，终身也教江湖上朋友们瞧不起。”滕一雷却道：“虽然男女有别，但男的是一条命，女的也是一条命。除非不拈阄，要拈大家都拈。”他想多两个人来拈，自己拈到的机会就大为减少。顾金标对霍青桐又爱又恨，心想你这美人儿大爷不能到手，那么让狼吃了也好。

四人望着张召重，听他是何主意。张召重已想好计谋，知道决计不会轮到自己，心想：“这两个美人儿该当保全，一个是皇上要的，另一个我自己为什么不要？”当下昂然说道：“大丈夫宁教名在身不在。张某是响当当的男子汉，岂能让娘儿们救我性命？”滕顾二人见他说得慷慨，不便再驳。顾金标道：“好，就便宜了这两个娘儿。”滕一雷道：“我来作阄！”俯身去摘树枝。

张召重道：“树枝易于作弊。用铜钱作阄为是。”从袋里摸出十几枚制钱，挑了五枚同样大小的，其余的放回袋里，说道：“这里是四枚雍正通宝，一枚顺治通宝，各位请看，全是一样大小。”滕一雷逐一检视，见无异状，说道：“谁摸中顺治通宝，谁就出去引狼。”张召重道：“正是如此。滕大哥，放在你袋里吧。”滕一雷把五枚铜钱放入袋内。

张召重道：“哪一位先摸？”他眼望顾金标，见他右手微抖，笑道：“顾二哥莫怕。生死有命，富贵在天，我先摸！”伸手到滕一雷袋里，手指一捏，已知厚薄，拈了一枚雍正通宝出来，笑道：“可惜，我做不成英雄了。”张开右掌，给四人看了。原来四枚雍正通宝虽与顺治通宝一般大小，但那是雍正末年所铸，与顺治通宝所铸的时候相差了八十年左右。顺治通宝在民间多用了八十年，磨损较多，自然要薄一些。只是厚薄相差甚微，常人极难发觉。张召重在武当门中练芙蓉金针之前，先练钱镖。钱镖的准头手劲，与铜钱的轻重大小极有关系，他手上铜钱捏得熟了，手指一触，立能分辨。

其次是陈家洛摸，他只想摸到顺治通宝，便可带了二女脱身，哪知不如人愿，却摸到一枚雍正通宝。张召重道：“顾二哥请摸吧。”顾金标拾起虎叉，呛啷啷一抖，大声道：“这枚顺治通宝，注定是要我们兄弟三人拿了，这中间有弊！”张召重道：“各凭天命，有什么弊端？”顾金标道：“钱是你的，又是你第一个拿，谁信你在钱上没做记号。”张召重铁青了脸道：“那么你拿钱出来，大家再摸过。”顾金标道：“各人拿一枚制钱出来，谁也别想冤谁。”张召重道：“好吧！死就死啦，男子汉大丈夫，如此小气。”

滕一雷把袋里所剩的三枚制钱拿出来还给张召重，另外又取出一枚雍正通宝，顾哈两人拿出来的也都是雍正通宝。其时上距雍正不远，民间所用制钱，雍正通宝远较顺治通宝为多。陈家洛道："我身边没带铜钱，就用张大哥这枚吧。"张召重道："毕竟是陈当家的气度不同。四枚雍正通宝已经有了，顺治通宝就用这一枚。顾老二，你说成不成?"顾金标怒道："不要顺治通宝！铜钱上顺治、雍正，字就不同，谁都摸得出来。"其实要在顷刻之间，凭手指抚摸而分辨钱上所铸小字，殊非易事，顾金标虽然明知，却终不免怀疑，又道："你手里有一枚雍正通宝是白铜的，其余四枚都是黄铜的，谁拿到白铜的就是谁去。"张召重一楞，随即笑道："一切依你！只怕还是轮到你去喂狼。"手指微一用力，已把白铜的铜钱捏得微有弯曲，和四枚黄铜的混在一起。顾金标怒道："要是轮不到你我，咱俩还有一场架打!"张召重道："当得奉陪。"随手把五枚制钱放在哈合台袋里，说道："你们三位先拿，然后我拿，最后是陈当家的拿。这样总没弊了吧?"他自忖："即使只留下两枚，我也能拿到黄铜的。这姓陈的小子很骄傲，不会跟我争先恐后。"

他这么说，关东三魔自无异言。滕一雷道："老四，你先摸吧。"哈合台道："老大还是你先来。"张召重笑道："先摸迟摸都是一样，毫无分别。"关东三魔见他在生死关头居然仍是十分镇定，言笑自若，也不禁佩服他的勇气。

哈合台伸手入袋，霍青桐忽以蒙古话叫道："别拿那枚弯的。"哈合台一怔，第一枚摸到的果然有点弯曲，忙另拿一枚，取出一看，正是黄铜的。

原来五人议论之时，霍青桐在旁冷眼静观，察觉了张召重潜运内力捏弯铜钱。她见关东三魔中哈合台为人最为正派，先前顾金标擒住了她要横施侮辱，哈合台曾力加阻拦，这次又是他割断她手脚上的绳索，因此以蒙古话示警报德。

第二个是顾金标摸。哈合台用辽东黑道上的黑话叫道："扯抱（别拿）转圈子（弯的东西）。"顾滕两人侧目怒视张召重，心想："你这家伙居然还是做了手脚。"既知其中机关，自然都摸到了黄铜制钱。

陈家洛与张召重先听霍青桐说了句蒙古话，又听哈合台说了句古里古怪的话，什么“扯抱转圈子”，不知是什么意思，脸上都露出疑惑之色。陈家洛眼望霍青桐，香香公主抢着道：“别拿那枚弯的。”霍青桐也用回语道：“白铜的制钱已给这家伙捏弯了。”陈家洛心道：“我们正要找寻借口离去。现下轮到这奸贼去摸，他定会拿了不弯的黄铜制钱，留下白铜的给我。我义不容辞的出去引狼，她们姊妹就跟我走。我们显得被迫离开，决不会引起疑心。”张召重心想：“这次你被狼果腹，死了也别怨我。”便要伸手到哈合台袋中。

陈家洛忽见顾金标目光灼灼的望着霍青桐，心中一凛：“只怕他们用强，不让两姊妹和我一起走，那可糟了。”这时张召重的手已伸入袋口，陈家洛再无思索余地，叫道：“你拿那枚弯的吧，不弯的留给我。”

张召重一怔，将手缩了回来，道：“什么弯不弯的？”陈家洛道：“袋里还有两枚制钱，一枚已给你捏弯了，我要那枚不弯的。”一伸手，已从哈合台袋里把黄铜制钱摸了出来，笑道：“你作法自毙，留下白铜的给你自己！”张召重脸色大变，长剑出鞘，喝道：“说好是我先摸，怎么你抢着拿？”一剑“春风拂柳”，向陈家洛颈中削去。

陈家洛头一低，右手双指戳他颈侧“天鼎穴”。张召重竟不退避，回剑斜撩，一招“斜阳一抹”，反削他手指。陈家洛也不躲缩，手腕翻处，右手小指与拇指中暗夹着的短剑抖将上来，当的一声，已把敌剑拦腰削断，短剑乘势直送，张召重只觉寒气森森，青光闪闪，宝剑直逼面门。他面临凶险，仍欲危中取胜，左手五指突向陈家洛双目抓去，这一招势道凌厉无比。陈家洛举左臂一挡，短剑下刺敌人小腹。这么缓得一缓，张召重已化解了险招，反身一跃，退出三步。关东三魔与霍青桐见两人这几下快如闪电，招招间不容发，不禁骇然。

陈家洛乘势进逼，猱身直上。张召重手中没了兵器，半截长剑突向霍青桐掷去。陈家洛怕她病中无力，不能闪避，如箭般斜身射出，挡在她面前，伸手在剑柄上一击，半截长剑落在地下。哪知张召重这一下却是声东击西，一将他诱到霍青桐身边，立即纵到香香公主身旁，拿住她双手，转身喝道："快出去！"陈家洛一呆，停了脚步。张召重叫道："你不出去，我把她丢出去喂狼！"将香香公主提起来打了个圈子，只要一松手，她立即飞入狼群。

这一下变起仓卒，陈家洛只觉一股热血从胸腔中直冲上来，脑中一乱，登时没了主意。张召重又叫："你快骑马出去，把狼引开！"陈家洛知道这奸贼心狠手辣，说得出做得到，处此情势之下，只得解开白马缰绳，慢慢跨上。

张召重又提着香香公主转了个圈子，叫道："我数到三，你不出火圈，我就抛人。一——二——三！"他"三"字一出口，只见两骑马冲出火圈。

原来霍青桐乘三魔一齐注视陈张两人之际，已割断缰绳，跨上马背，手中挥动火把，纵马冲出，心想："他先前为我拼命而入狼群，现下我为他舍身。我也不去什么古城，让饿狼在大漠中将我咬成碎片，一了百了。但愿他和喀丝丽得脱危难，终身快乐。"就在此时，陈家洛也纵马出了火圈。

关东三魔齐声惊叫，陈家洛已揪住两头扑上来的饿狼头颈，右腿在白马颈侧一推，左腿在马腹上一捺，那马灵敏异常，立即回头转身。陈家洛脚尖在马项下轻轻一点，那马一声长嘶，四足腾空，跃入火圈。陈家洛大喝声中，将两头恶狼向张召重掷去。张召重眼见两狼张牙舞爪的迎面扑到，只得放下香香公主，缩身闪避。陈家洛两把围棋子双手齐发，俯身伸臂，揽住香香公主的纤腰，双腿一夹，那白马又腾空窜出火圈。

张召重反手猛劈，将一头狼打得翻了个身，向前俯身急冲，陈家洛匆忙中所发的围棋子本没准头，都给他避了开去。张召重这一冲守中带攻，左手一把抓住白马马尾，用力后拉，要把白马硬生生拉回。但他身子凌空，无从借力，那白马又力大异常，向前猛窜之际，反将他身子拖得扬了起来，带出火圈。他双腿后挺，一个筋斗正待翻上马背，再行抢夺香香公主，忽觉背后风生，知道不妙，半空中疾忙换势反跃，又倒翻一个筋斗。陈家洛短剑向他后心刺出，只道必定得手，哪知此人武功实在高强，身在空中，于千钧一发之际仍能扭转身躯，只见他右足在一头饿狼头上一点，跃回了火圈。

霍青桐挥舞着火把，早已深入狼群。陈家洛纵马追去，但见有恶狼扑上，都被他短剑一挥，不是刺中咽喉，就是削去了尖嘴，真如砍瓜切菜，爽脆无比。两骑马不一刻已冲出狼群，向西疾驰，众狼不舍，随后赶来。

两匹马奔跑比群狼迅速得多，转瞬就把狼群抛在数里之外。要知冲出狼群不难，难的是在如何摆脱这些饿狼穷日累夜、永无休止的追逐。三人暂脱于难，狂喜之下，情不自禁的拥在一起。霍青桐随即脸上一红，轻轻推开陈家洛手臂，纵马向西疾奔。

二骑三人奔行不久，山石渐多，道路曲折，空中望去山峰不远，地面行走路程却长。直跑到天黑，那白色山峰才巍然耸立在前。霍青桐道："据图中所绘，古城环绕这山峰而建，看来此去不过十多里了！"三人下马休息，取水给马饮了。

陈家洛不住抚摸白马的鬣毛，心想若不是得此骏马之力，自己虽能冲出，香香公主仍在奸贼之手，那么自己也必不忍离去，势非重回火圈不可。霍青桐想起适才和陈家洛拥抱，脸上又是一阵发烧，此刻三人相聚，心中自也消了先前要以死相报的念头。

三人休息片刻，马力稍复，狼群之声又隐隐可闻。陈家洛道："走吧！"跃上了另一匹马。霍青桐望了他一眼，明白他的用意，于是与妹子合乘白马，再向西行。

夜凉如水，明月在天，雪白的山峰皎洁如玉。香香公主望着峰顶，道："姊姊，我想山顶上一定有仙人，你说有吗？"霍青桐右手提缰，左手搂着她，笑道："咱们去瞧瞧吧，不知是男仙还是女仙。"谈笑之间，山峰的影子已投在他们身上。三人仰望峰巅，崇敬之心，油然而生。陈家洛心道：“古人说：高山仰止。咱三人大难不死，这时尤感山川之美。”

山峰虽似触手可及，但最后这几里路竟是十分的崎岖难行。此处地势与大漠的其余地方截然不同，遍地黄沙中混着粗大石砾，丘壑处处，乱岩嶙嶙，坐骑几无落蹄之处，行得数里，一眼望去，山道竟有十数条之多，不知哪一条才是正路。

陈家洛道：“这么许多路，怪不得人们要迷路了。”霍青桐取出地图，在月光下看了一会，说道：“图中说，入古城的道路是‘左三右二’。”陈家洛问道：“什么叫做‘左三右二’?”霍青桐道：“图上也没说明白。”

猛听得万狼齐嗥，凄厉曼长，声调哀伤。三人都是毛骨悚然。香香公主道：“它们哭得这样伤心，不知为了什么?”陈家洛笑道：“想来是为了肚子饿。”霍青桐道：“这时已当子夜，群狼停下来对月嗥叫，只待叫声一停，立即发性狂追。咱们快找路进去。”

陈家洛道：“这里左边有五条路，图上说‘左三右二’，那么就走第三条路。”霍青桐道：“倘若前面是绝路，再退回来就来不及了。”陈家洛道：“那么咱三人死在一起!”香香公主道：“好，姊姊，咱们走吧。”霍青桐听得“三人死在一起”这句话，胸口一阵温暖，眼眶中忽然湿了，一提马缰，从第三条路上走了进去。

路径愈走愈狭，两旁山石壁立，这条路显是人工凿出来的，走了一阵，右边出现三条岔路。霍青桐大喜，道：“得救啦，得救啦。”三人精神大振，催马走上第二条路。只是道路不知已有多少年无人行走，有些地方长草比人还高，有些地方又全被沙堆阻塞，三人下马牵引，才将马匹拉过沙堆。陈家洛随手搬过几块岩石，放在沙堆之上，阻挡群狼的追势。

行不到里许，前面左边又是三条歧路。香香公主忽然惊叫一声，原来路口有一堆白骨。陈家洛下马察看，辨明是一个人和一头骆驼的骸骨，叹道：“这人定是彷徨歧途，难以抉择，以致暴骨于斯。”三人从第三条路进去，这时道路骤陡，一线天光从石壁之间照射下来，只觉阴气森森，寒意逼人。

不多时路旁又现一堆白骨，骸骨中光亮闪耀，竟是许多宝石珠玉。霍青桐道："这人拿到了这么多珠宝，可是终究没能出去。"陈家洛道："我们走的是正路，尚且时时见到骸骨，错路上只怕更是白骨累累了。"香香公主道："咱们出来时谁也不许拿珠宝，好吗？"陈家洛笑道："你怕那些鬼不让咱们出来，是不是？"香香公主道："你答应我吧！"

陈家洛听她柔声相求，忙道："我一定不拿珠宝，你放心好啦。"心想："有你姊妹二人相伴，全世界的珍宝加在一起也比不上。"突然又暗自惭愧："我为什么想的是姊妹二人？"

三人高低曲折的走了半夜，天色将明，人困马乏。霍青桐道："歇一会吧。"陈家洛道："索性找到房子之后，放心大睡。"霍青桐点点头。

行不多时，陡然间眼前一片空旷，此时朝阳初升，只见景色奇丽，莫可名状。一座白玉山峰参天而起，峰前一排排的都是房屋。千百所房屋断垣剩瓦，残破不堪，已没一座完整，但建筑规模恢宏，气象开廓，想见当年是一座十分繁盛的城市。一眼望去，高高矮矮的房子栉比鳞次，可是声息全无，甚至雀鸟啾鸣之声亦丝毫不闻。三人从没见过如此奇特可怖的景象，为这寂静的气势所慑，连大气也不敢喘上一口。隔了半晌，陈家洛当先纵马进城。

这地方极是干燥，草木不生，屋中物品虽然经历了不知多少年月，但大部仍然完好。三人走进最近的一所房屋。香香公主见厅上有一双女人的花鞋，色泽仍是颇为鲜艳，轻轻喊了一声，想拿起来细看，哪知触手间登时化为灰尘，不由得吓了一跳。陈家洛道："这地方是个盆地，四周高山拱卫，以致风雨不侵，千百年之物仍能如此完好，实是罕见罕闻。"

三人沿路只见遍地白骨，刀枪剑戟，到处乱丢。陈家洛道："故事中说这古城是被天降黄沙所埋，看情形完全不像。"霍青桐道："是啊！哪有沙埋的痕迹？倒像是经过了一场大战，全城居民都给敌人杀光一般。"香香公主道："城外千百条岔道，如果不知秘诀，任谁都要迷路。敌人不知怎么进来的。"霍青桐道："那定是有奸细了。"走进一所房子，取出地图放在桌上，伏身细看。哪知桌已朽烂，外形虽仍完整，她双臂一压，立即垮倒。

霍青桐拾起地图，看了一会，道："这些屋子已如此朽坏，只怕禁不起狼群的扑击。"指着图中一处道："这是城子中心，又画着这许多记号，多半是个重要所在，如是宫殿堡垒，建筑一定牢固。咱们到那里去避狼吧。"陈家洛道："好！"

三人循着图中所画道路，向前走去。城中道路也是曲折如迷宫，令人眼花缭乱，如不是有图指示，也真走不出来。

走了小半个时辰，来到图中所示中心，三人不禁大失所望，原来便是玉峰山脚，却哪里有什么宫殿堡垒。只是玉峰近看尤其美丽，通体雪白，莹光纯净，做玉匠的只要找到小小的一块白玉，已然终身吃着不尽，哪知这里竟有这样一座白玉山峰。三人抬头仰望，只觉心旷神怡，万虑俱消，暗暗赞叹造物之奇。

一片寂静之中，远处忽然传来隐隐的狼嗥，香香公主惊叫起来："狼群来啦！难道恶狼也有地图？这真奇了。"陈家洛笑道："恶狼的鼻子就是地图。咱们走过的地方留下了气息，群狼跟着追来，永远错不了。"霍青桐笑道："你身上这么香，别说是狼，就是人，也能跟着来……"话说到一半，突然指着地图，对陈家洛道："你瞧，这明明是山峰，怎么里面还画了许多路？"陈家洛看了，道："难道山峰里面是空的，可以进去？"

霍青桐道："除此之外，再无其他原因……怎样进去呢？"细看图上文字解释，用汉语轻轻读了出来："如欲进宫，可上大树之顶，向神峰连叫三声：'爱龙阿巴生'！"香香公主道："爱龙阿巴生，那是什么？"霍青桐道："是句暗号吧，可是哪里有什么大树了？"听狼嗥之声又近了些，说道："进屋躲起来吧！"

三人转过身来，回头向就近的屋子奔去。陈家洛跨出两步，忽见地下凸起一物，形状有异，俯身看时，盘根错节，却是个极大的树根，叫道："大树在这里！"两姊妹走过来看。香香公主道："那株大树只剩下这个树根。"霍青桐道："爬到树顶一叫，宫门就开，那宫殿必在山峰之内。难道这句话真是符咒，有什么仙法不成？"

香香公主一向相信神仙，忙道："仙法当然是有的。"陈家洛笑道："那时候山峰里有人，一听见暗号，推动里面机关，山峰上就现出洞口来。"

香香公主叹道："过了这许多年，里面的人一定都死啦。"仰望山峰，忽道："只怕洞门就在那边。你们瞧，上面不是有凿出来的踏脚么？"陈家洛和霍青桐也都见到了山峰上有斧凿痕迹，都十分喜欢。

陈家洛道："我上去瞧瞧。"右手握了短剑，凝神提气，往峭壁上奔去，上得丈余，举剑戳入玉峰，一借力，再奔上丈余，已到踏脚的所在。霍青桐和香香公主齐声欢呼。

陈家洛向下挥了挥手，察看峰壁，洞口的痕迹很是明显，只是年深月久，洞口已被沙子堵塞。他左手紧抓峰壁上一块凸出的玉岩，右手用短剑拨去沙子，将洞旁碎块玉石一块块抽出来，抛向下面，不多一刻，抽空的洞口已可容身。他爬进去坐下。从怀中拿出点穴珠索，解开了一条条接将起来，悬挂下去。

霍青桐将珠索缚在妹子腰上。陈家洛双手交互拉扯，把她慢慢提起。

快提到洞口，香香公主忽然惊呼。陈家洛左手向上一挥，将她提近身来，右手伸去，揽住了她纤腰，安慰道："别怕，到啦！"香香公主脸色苍白，叫道："狼！狼！"

陈家洛向下望时，只见七八头恶狼已冲到峰边，霍青桐挥舞长剑，竭力抵拒。那白马振鬣长嘶，向古城房屋之间飞驰而去。

陈家洛忙从洞口抽下几块玉石，居高临下，用重手法将霍青桐身边的几头狼打得四散奔逃，随即挂下珠索。霍青桐怕自己病后虚弱，无力握绳，于是剑交左手，继续挥动，右手把珠索缚在腰里，叫道："好啦！"陈家洛用力一扯，霍青桐身子飞了起来。

两头饿狼向上猛扑，霍青桐长剑一挥，削下一个狼头，另一头狼却咬住了她靴子不放。香香公主吓得大叫。霍青桐在空中弯腿把狼拉近，又是一剑把狼拦腰斩为两截，上半截狼身仍是连着皮靴一起拉上。

陈家洛扶她坐下，去拉半截死狼，竟拉之不脱，忙问："没咬伤么？"霍青桐皱眉道："还好。"从他手中接过短剑，切断狼嘴，只见两排尖齿深陷靴中，破孔中微微渗出血来。香香公主道："姊姊，你脚上伤了。"帮她脱去靴子，撕下衣襟裹伤。陈家洛掉转了头，不敢看她赤裸的脚。香香公主裹好伤后，指着下面数千头在各处房屋中乱窜的狼大骂："你们这些坏东西，咬痛了姊姊的脚，我再不可怜你们啦。"

陈家洛和霍青桐都不禁微笑，转头向山洞内望去，黑沉沉的什么也瞧不见。霍青桐取出火折一晃，吓了一跳，原来下去到地总有十七八丈高，峰内地面远比外面的为低。陈家洛道："这洞久不通风，现在还下去不得。"过了好一会，料想洞内秽气已大部流出，陈家洛道："我先下去瞧瞧。"霍青桐道："下去之后，再上来可不容易了。"

陈家洛微笑道："不能上来，也就算了。"霍青桐脸上一红，目光不敢和他相接。

陈家洛把珠索一端在山石上缚牢，沿着索子溜下，绳索尽处离地还有十丈左右，沿壁又溜数丈，轻飘飘的纵下地来，着地处甚为坚实。他伸手入怀去摸火折，才想起昨日与顾金标在狼群中赌命之时已把火折点完，仰首大叫："有火折么？"霍青桐取出掷下。他接住晃亮，火光下只见四面石壁都是晶莹白玉，地下放着几张桌椅，伸手在桌上一按，桌子居然仍是坚牢完固，原来山洞密闭，不受风侵，是以洞中物事并不朽烂。他折下椅子一只脚点燃起来，就如一个火把。

霍青桐姊妹一直望着下面，见火光忽强，又听陈家洛叫道：

“下来吧！”霍青桐道：“妹妹，你先下去！”香香公主拉着绳索慢慢溜下，见陈家洛张开双臂站在下面，眼睛一闭就跳了下去，随即感到两条坚实的臂膀抱住了自己，再把自己轻轻放在地下。接着霍青桐也跳了下来，陈家洛抱着她时，只把她羞得满脸飞红。

这时峰外群狼的嗥叫隐隐约约，已不易听到。陈家洛见白玉壁上映出三人影子，自己身旁是两位绝世美女，经玉光一照，尤其明艳不可方物，但三人深入峰腹，吉凶祸福，殊难逆料，生平遭遇之奇，实以此时为最了。

香香公主见峰内奇丽，欣喜异常，拿起燃点的椅脚，径向前行。陈家洛又折了七条椅脚捧在手里。三人走过了长长一条甬道，前面山石阻路，已到尽头。陈家洛心中一震，暗想：“难道过去没通道了么？进退不得，如何是好？”只见尽头处闪闪生光，似有一堆黄金，走近看时，却是一副黄金盔甲，甲胄中是一堆枯骨。

那副盔甲打造得十分精致。香香公主道：“这人生前定是个大官贵族。”霍青桐见胸甲上刻着一头背生翅膀的骆驼，道：“这人或许还是个国王或者是王子呢。听说那些古国中，只有国王才能以飞骆驼作徽记。”陈家洛道：“那就像中土的龙了。”从香香公主手中接过火把，在玉壁上察看有无门缝或机关的痕迹，火把刚举起，就见金甲之上六尺之处，有一把长柄金斧插在一个大门环里。

霍青桐喜道：“这里有门。”陈家洛将火把交给了她，去拔金斧，但门环上的铁锈已锈住斧柄，取不出来。他拔出短剑，刮去铁锈，双手拔出金斧，入手甚是沉重，笑道：“如果这柄金斧是他的兵器，这位国王陛下膂力倒也不小。”

石门上下左右还有四个门环，均有两尺多长的粗大铁钮扣住，他削去铁锈，将铁钮一一掀起，抓住门环向里一拉，纹丝不动，于是双手撑门，用力向外推去，玉石巨门叽叽发声，缓缓开了。这门厚达丈许，哪里像门，直是一块巨大的岩石。

三人对望了一眼，脸上均露欣喜之色。陈家洛右手高举火把，左手拿剑，首先入门，一步跨进，脚下喀喇一声，踏碎了一堆枯骨。他举火把四周照看，见是一条仅可容身的狭长甬道，刀剑四散，到处都是骸骨。

霍青桐指着巨门之后，道："你瞧！"火光下只见门后刀痕累累，斑驳凹凸。

陈家洛骇然道："这里的人都给门外那国王关住了。他们拼命想打出来。可是门太厚，玉石又这么坚。"霍青桐道："就算他们有数十柄这般锋利的短剑，也攻不破这座小山般的玉门。"陈家洛道："他们在这里一定想尽了法子，最后终于一个个绝望而死……"香香公主道："别说啦！别说啦！"只觉这情景实在太惨，不忍再听。陈家洛一笑，住口不说了。

霍青桐道："那国王怎么尽守在门外不走，和他们同归于尽？这可令人想不透了。"拿出地图一看，喜道："走完甬道，前面有大厅大房。"

三人慢慢前行，跨过一堆堆白骨，转了两个弯，前面果然出现一座大殿。走到殿口，只见大殿中也到处都是骸骨，刀剑散满了一地，想来当日必曾有过一场激战。香香公主叹道："不知道为什么要这样恶斗？大家太太平平、高高兴兴的过日子不好吗？"

三人走进大殿，陈家洛突觉一股极大力量拉动他手中短剑，当的一声，短剑竟尔脱手，插入地下。同时霍青桐身上所佩长剑也挣断佩带，落在殿上。三人吓了一大跳。霍青桐俯身拾剑，一弯腰间，忽然衣囊中数十颗铁莲子嗤嗤嗤飞出，铮铮连声，打在地下。

这一惊当真是非同小可，陈家洛左手将香香公主一拖，与霍青桐同时向后跃开数步，双掌一错，凝神待敌，但向前望去，全无动静。陈家洛用回语叫道："晚辈三人避狼而来，并无他意，冒犯之处，还请多多担待。"隔了半晌，无人回答。

陈家洛心想："这里主人不知用什么功夫，竟将咱们兵刃凭空击落，更能将她囊中铁莲子吸出。如此高深的武功别说亲身遇到，连听也没听见过。"又高声叫道："请贵主人现身，好让晚辈参见。"只听大殿后面传来他说话的回声，此外更无声息。

霍青桐惊讶稍减，又上前拾剑，哪知这剑竟如钉在地上一般，费了好大的劲才拾了起来，一个没抓紧，又是当的一声被地下吸了回去。

陈家洛心念一动，叫道："地底是磁山。"霍青桐道："什么磁山?"陈家洛道："到过远洋航海的人说，极北之处有一座大磁山，能将普天下悬空之铁都吸得指向南方。他们飘洋过海，全靠罗盘指南针指示方向。铁针所以能够指南，就由于磁山之力。"

霍青桐道："这地底也有座磁山，因此把咱们兵刃暗器都吸落了?"陈家洛道："多半如此，再试一试吧。"

他拾起短剑，和一段椅脚都平放于左掌，用右手按住了，右手一松，短剑立即射向地下，斜插入石，木头的椅脚却丝毫不动。陈家洛道："你瞧，这磁山的吸力着实不小。"拾起短剑，紧紧握住，说道："黄帝当年造指南车，在迷雾中大破蚩尤，就在明白了磁山吸铁的道理。古人的聪明才智，令人景崇无已。"她姊妹不知黄帝的故事，陈家洛简略说了。

霍青桐走得几步，又叫了起来："快来，快来!"陈家洛快步过去，见她指着一具直立的骸骨。骸骨身上还挂着七零八落的衣服，骨格形状仍然完整，骸骨右手抓着一柄白色长剑，刺在另一具骸骨身上，看来当年是用这白剑杀死了那人。霍青桐道："这是柄玉剑!"陈家洛将玉剑轻轻从骸骨手中取过，两具骸骨支撑一失，登时喀喇喇一阵响，垮作一堆。

那玉剑刃口磨得很是锋锐，和钢铁兵器不相上下，只是玉质虽坚，如与五金兵刃相碰，总不免断折，似不切实用。接着又见殿中地下到处是大大小小的玉制武器，刀枪剑戟都有，只是形状奇特，与中土习见的迥然不同。陈家洛正自纳罕，霍青桐忽道："我知道啦!"微微一顿，道："这山峰的主人如此处心积虑，布置周密。"陈家洛道："怎么?"霍青桐道："他仗着这座磁山，把敌人兵器吸去，然后命部下以玉制兵器加以屠戮。"

香香公主指着一具具铁甲包着的骸骨，叫道："瞧呀！这些攻来的人穿了铁甲，更加被磁山吸住，爬也爬不起来了。”见姊姊还在沉思，道：“这不是很清楚了吗？还在想什么呀？”霍青桐道：“我就是不懂，这些手拿玉刀之人既然杀了敌人，怎么又都一个个死在敌人身旁？”陈家洛也早就在推敲这个疑团，一时难以索解。

霍青桐道：“到后面去瞧瞧。”香香公主道：“姊姊，别去啦！”霍青桐一怔，见她脸现恻然之色，伸手挽住她臂膀，道：“别怕！那边或许没死人了。”

走到大殿之后，见是一座较小的殿堂，殿中情景却尤为可怖，数十具骸骨一堆堆相互纠结，骸骨大都直立如生时，有的手中握有兵刃，有的却是空手。陈家洛道：“别碰动了！如此死法，定有古怪原因。”霍青桐道：“这些人大都是你砍我一刀，我打你一拳，同时而死。”陈家洛道：“武林中高手相搏，如果功力悉敌，确是常有同归于尽的。但这许多人个个如此，可就令人大惑不解了。”

三人继续向内，转了个弯，推开一扇小门，眼前突然大亮，只见一道阳光从上面数十丈高处的壁缝里照射进来。阳光照正之处，是一间玉室，看来当年建造者依着这道天然光线，在峰中度准位置，开凿而成。

三人突见阳光，虽只一线，也大为振奋。石室中有玉床、玉桌、玉椅，都雕刻得甚是精致，床上斜倚着一具骸骨。石室一角，又有一大一小的两具骸骨。

陈家洛熄去火把，道：“就在这里歇歇吧。”取出干粮清水，各自吃了一些。霍青桐道：“那些饿狼不知在山峰外要等到几时，咱们跟它们对耗，粮食和水得尽量节省。”

三人数日来从未松懈过一刻，此时到了这静室之中，不禁困倦万分，片刻之间，都在玉椅上沉沉睡去了。

陈家洛和霍青桐、香香公主姊妹二人共入玉峰，想到两姊妹一个是可敬可感，一个是可亲可爱，实在是难分轻重。

第十七回　为民除害方称侠
抗暴蒙污不愧贞

张召重与关东三魔见狼群一窝蜂般疾追陈家洛等三人而去，虽觉两个如花美女膏于狼吻未免可惜，但自身得脱大难，却也不胜庆幸。四人坐下休息，烤食火圈中的死狼。顾金标见树枝又将烧尽，懒得去采，把狼粪拨在火里，添火烧烤狼肉。过不多时，一柱黑烟冲天而起，虽经风吹，仍是袅袅不散。

正在饱餐狼肉之际，忽然东边又是尘头大起。四人见狼群又来，忙去牵马。这时只剩下了两匹马，都是关东三魔带来的。张召重伸手挽住一匹马的缰绳，哈合台纵身扑到，抢住缰绳，喝问："你想干么?"张召重挥掌正待打出，见滕一雷和顾金标都挺兵刃逼上前来。他长剑已被陈家洛削断，手中没了兵刃，急中使诈，叫道："忙什么？那又不是狼!"关东三魔回头一望，张召重已翻身上了马背。他一瞥之下，见烟尘滚滚中竟是大群驼羊，并无饿狼踪迹，随口撒谎，不料说个正着。他本拟上马向西奔逃，这时下不了台，兜转马头，反向烟尘之处迎去，叫道："我上去瞧瞧。"

奔出不及一里，只见迎面一骑马急驰而来，冲到跟前，乘者缰绳一勒，那马斗然停住，再也不动。张召重心中暗赞："好骑术!"乘者是个灰衣老者，见他是清军军官装束，用汉语问道："狼群呢?"张召重向西一指。这时大群驼羊已蜂拥而至，后面一个秃头红脸老者、一个白发矮小老妇骑着马押队，只听羊呼马嘶之声，乱成一片。

张召重正要询问，关东三魔已牵了马过来，见了那灰衣老者立即恭敬施礼，说道：“又见着你老人家啦。你老人家好?”那老者哼了一声，道：“也没什么不好。”原来就是天池怪侠袁士霄。

天山双鹰那天清晨舍下陈家洛与香香公主后，想起霍青桐病体未痊，急着赶回看望，走了两天，只见袁士霄赶着大群驼羊而来。陈正德为了讨好爱妻，过去着实亲热。袁士霄见他忽然改性，关明梅则在一旁微笑，很感奇怪。

陈正德道：“袁大哥，赶这一大群驼羊去哪里啊?”袁士霄白眼一翻，道：“我给你弄得倾家荡产了呀。”陈正德奇道：“怎么啊?”袁士霄道：“上次我买了许多骆驼牛羊，满想把狼群引入陷阱，哪知……”陈正德笑道：“哪知给我这糟老头子瞎捣乱，坏了大事。”袁士霄道：“可不是么?我有什么法子?只好再弄钱去买驼羊啊!”陈正德笑道：“袁大哥花了多少钱?小弟赔还你的。”自那晚起妻子对他温柔体贴，他往常暴躁妒忌的性格竟尔大变，一心要讨妻子欢喜，居然对袁士霄低声下气，加意迁就，实是前所未有。袁士霄道：“谁要你赔?”陈正德笑道：“那么我们给你效一点小劳!听你差遣，同去找狼如何?”袁士霄向关明梅一望，见她微笑点头，就道：“好吧!”于是三人赶了驼羊，循着狼粪踪迹，一路寻来。这天望见远处狼烟，地下狼粪又越来越多，只怕狼群就在左近，有人被困求救，忙朝着烟柱奔来，遇见了张召重与关东三魔。

张召重不知这老者是何等样人，但见三魔执礼甚恭，心知必非寻常人物。袁士霄四下察看了一回，对四人道：“咱们去捉狼，你们都跟我来。”四人吃了一惊，怔住了说不出话来，心想这老儿莫非疯了，见了狼群逃避犹恐不及，居然说去捉狼。关东三魔曾蒙他救命，又知他有一身惊人武功，不敢怎样。张召重却鼻子中哼了一声，说道：“我还想再吃几年饭，恕不奉陪。”说了转身要走。

陈正德大怒，一把向他腰里抓去，喝道：“你不听袁大侠吩咐，莫非想死？”张召重运力右掌，一招“烘云托月”，手腕翻过，下肘转了个小圈，向陈正德手爪上打去，刚要打到，日光下见他五指犹如鹰爪，心里一惊，立即收转手掌，变招握拳，向他手腕猛击。陈正德一抓不中，也是变拳打落。两人双臂相格，功力悉敌，不分上下，各自震开三步，心中都暗暗称奇：怎么在大漠之中竟会遇上如此高手？

张召重喝道：“朋友，请留下万儿来。”陈正德骂道：“凭你也配做我朋友？你到底听不听袁大侠吩咐？”张召重交手一招，已知这老儿武功与自己相若，可是他口口声声称那灰衣老者为“袁大侠”，十分尊敬，看来那人武功更高。到底袁大侠是谁？一时却想不起来，心想武林中尽有浪得虚名之辈，莫给他骗了，但若倔强不从，他们六人联上了手，自己孤身决不能敌，当下不亢不卑的说道：“在下想请教袁大侠的高姓大名，倘若确是前辈高人，自当遵命。”

袁士霄道：“哈哈，你考较起老儿来啦！老儿生平只考较别人，从不受人考较。我问你，刚才你使‘烘云托月’，后变‘雪拥蓝关’，要是我左面给你一招‘下山斩虎’，右面点你‘神庭穴’，右脚同时踢你膝弯之下三寸，你怎生应付？”张召重一呆，答道：“我下盘‘盘弓射雕’，双手以擒拿法反扣你脉门。”袁士霄道：“守中带攻，那也是武当门的高手了。”

张召重一惊，暗想：“我只跟那秃头老儿拆了一招，再答了他一句话，他竟然便知我武功门派。”只听袁士霄道：“当年我在湖北，曾和马真道长印证过武功。”

张召重胸头一震，脸如死灰。袁士霄又道：“我右手以绵掌‘阴手’化解你的擒拿，左肘直进，撞你前胸……”张召重抢着道：“那是大洪拳的‘肘锤’。”袁士霄道：“不错，但是这‘肘锤’只是虚招，待你含胸拔背，我左掌突发，反击你面门。当年马真道长就躲不开这一招，后来是我说了给他听。且看你会不会拆。”

张召重潜心思索，过了一会，道：“要是你变招快，我自然来不及躲，我发‘鸳鸯腿’攻你左胁，使你不得不闪避收招。”袁士霄哈哈一笑，道：“这招不错，当今武当门中，多半武功以你为第一。”张召重道：“我随即点你胸口‘玄机穴’!”袁士霄喝道：“好！攻势绵若江湖，的是高手。我踏西北‘归妹’，攻你下盘。”张召重道：“我退‘讼’位，进‘无妄’，点‘天泉’。”

顾金标和哈合台听他二人满口古怪词句，大惑不解。哈合台一扯滕一雷的衣襟，悄声问道：“他们说的是什么黑话?”滕一雷说道：“不是黑话，是伏羲六十四卦方位和人身穴道。”顾哈二人这才明白，原来这两人是在嘴头比武，从来只听说有“纸上谈兵”，如此口上搏斗却是闻所未闻。

只听袁士霄道：“右进‘明夷’，拿‘期门’。”张召重道：“退‘中孚’，以凤眼手化开。”袁士霄道：“进‘既济’，点‘环跳’，又以左掌印‘曲垣’。”张召重神色紧迫，顿了片刻，道：“退‘震’位，又退‘复’位，再退‘未济’。”

哈合台低声道：“怎么他老是退?”滕一雷向他摇摇手。只听两人越说越快，袁士霄笑吟吟的神色自若，张召重额头不断渗汗，有时一招想了好一阵才勉强化开。关东三魔均想：“倘若真是对敌，哪容你有思索余地，只要慢得一慢，早就给人打倒了。”

两人口上又拆了数招，张召重道：“旁进‘小畜’，虚守中盘。”袁士霄摇手道：“这招不好，你输啦!”张召重道：“请教。”袁士霄道：“我窜进‘贲’位，足踢‘阴市’，又点‘神封’，你解救不了。”张召重道：“话是不错，但你既在‘贲’位，只怕手肘撞不到我的‘神封穴’。”袁士霄道：“不用手肘！你不信，就试试！小心了。”右腿飞起，向他膝上三寸处“阴市穴”踢到，张召重反身跃开，叫道：“你如何伤我……”语声未毕，袁士霄右手一伸，已点中他胸口“神封穴”。张召重胸口一痛，立时咳嗽不止，忙伸手在左胸推宫过血，咳嗽方停。袁士霄笑道：“如何?”

众人见他身子微动，手指一颤之间便已点中对方穴道，武功当真深不可测，尽皆骇然。

张召重神色沮丧，不敢再行倔强，道："在下听袁大侠吩咐就是。"陈正德道："你这功夫，在武林中也算顶儿尖儿的了。请教阁下万儿。"张召重道："在下姓张名召重。不敢请教三位。"陈正德道："啊，原来是火手判官。袁大哥，他是马真道长的师弟。"袁士霄点头道："嗯，他师兄不及他。咱们走吧。"一马当先，向前驰去。

驼羊群中杂着不少马匹，张召重和哈合台挑两匹骑了，六人押着畜队跟着袁士霄而去。驰了一会，张召重问陈正德道："老爷子，狼很多呀，怎么个捉法？"关东三魔也在惴惴不安，很是关切。陈正德道："你们瞧袁大侠的手势行事便是，几头小狼，有什么可怕的，真没出息。"张召重就不再问，心想他既如此十拿九稳，难道我就示弱于他？其实陈正德也不知袁士霄如何捉狼，只是老气横秋的信口胡吹，想起狼群的凶恶，心中实在也是大为栗栗。关明梅知他虚张声势，不禁暗暗好笑。

跑了一阵，袁士霄兜转马头，对众人道："这里的狼粪很新鲜，狼群过去不久，看来向西二十多里，就可和这群恶鬼遇上。再走十里，大家换一匹坐骑。"众人点头答应。袁士霄又道："等追到狼群，我当先领路。你们六位三人在左，三人在右，将驼马赶在中间，别让逃乱了，以免狼群分散。"滕一雷待要询问详情，袁士霄已转头向前。

各人驰了十八九里，狼粪越来越湿。关明梅道："狼群就在前面了。怎么听到了这许多驼马叫声，竟不追来？"陈正德道："这也真奇了。"再走数里，地势陡变，见群山围绕，中间一座白玉高峰参天而起。天山双鹰久在大漠，早听说过这玉峰的诸般神奇传说，不意今日得能亲见，只见阳光斜照玉峰，隐隐泛彩，奇丽无伦。

袁士霄叫道："狼群走进迷宫里去了，大家鞭打驼马！"各人举起马鞭，往驼马身上抽去，一时驼鸣马嘶之声大作。过不多时，一头大灰狼从丛山中奔了出来。

袁士霄长鞭一挥，在空中辟拍抽击，高声大叫，纵马向南疾奔。天山双鹰、张召重、关东三魔六人押着大队驼马跟随其后。奔出数里，后面狼嗥之声大作。陈正德回头一望，只见灰扑扑的一片，不知有几千几万头饿狼张牙舞爪的追来。他纵马追上张召重与关东三魔，见四人虽然强自镇定，但都脸如土色。哈合台眼中如要滴血，狂叫吆喝，催赶驼马，他是牧人出身，熟悉驼马性子，好几匹驼马要离队奔逃，都被他或用口叫，或以鞭打，尽数驱赶归队，竟没走散一头。关明梅赞道："哈大哥，好本事！"

狼群虽然凶狠顽强，但奔跑的长力不够，十多里后，已给抛得不见踪影。再驰出十多里，袁士霄叫道："休息一会吧！"众人下马喝水吃肉。哈合台把驼马赶在一块。袁士霄见他约束牲口的本领极精，笑道："多亏了你。"待得狼群追近，驼马队已休息了好一会。

这般追追停停，向南直跑了七八十余里。前面尘头起处，两名回人驰到，叫道："袁老爷子，成功了么？"袁士霄道："来啦，来啦！你叫大伙儿预备。"两名回人掉头先行。众人见前面有了接应，放下了一大半心。

奔不多时，只见大漠上出现了一座极大的圆形沙城。奔近时，见城墙高逾四丈，墙上有一狭小门口，袁士霄一马当先，进了城门，天山双鹰和哈合台驱赶大队驼马都跟了进去。驼马队将尽，群狼也已奄至。张召重驰到门口，稍一迟疑，一拉马缰，从墙边绕了开去。滕一雷和顾金标见状，也勒马绕开。

成千成万头饿狼蜂拥冲进沙城，向驼马扑咬。等到狼群尽数入城，突然胡笳大鸣，两旁沙沟里猛然抢出数百名回人来。每人背上都负了沙袋，涌向城门，纷纷抛下沙袋，片刻之间，已将门口堵死。

张召重见他们拍手欢呼，心想不知那老头儿怎样了，见数十名回人站在沙城墙顶，于是跃下马来，沿踏级奔上墙顶，只见众回人手持长索，正在把袁士霄等四人吊上来。他向下一望，吓了一跳，那沙城径长百余丈，内面城墙陡削，系以沙砖砌成，外面用细泥垩光，光溜溜的绝无落脚之处，数百匹驼马和千万头饿狼挤在城中，撕咬嗥叫，血流遍地。

袁士霄和天山双鹰站在墙顶，哈哈大笑，得意已极。陈正德道："狼群为害天山南北，杀人无算，数百年来始终难以驱除。袁大哥一举将之灭绝，这番大功造福百世。为民除害，才是真正的大侠。"袁士霄道："咱们在这里吃了回族老哥们几十年饭，今日总算小小有一点报答。"又道："若非众人齐心合力，我一人又怎办得到？单这座沙城，三千多人就整整造了半年时光。今日你们几位也帮了大忙。"关明梅道："要饿死这些恶狼，只怕还得很长一段时候呢。"袁士霄道："可不是么？还有这许多驼马，先让这群畜生饱餐了一顿。"

众回人欢声大作，高歌相庆。几名首领更向袁士霄等极口称谢，拿出羊肉和马乳酒来招待。为首的回人道："翠羽黄衫在黑水围困清兵，我们在这里围困狼群。狼已入伏，大伙儿这就帮她去了……"话未说完，突然望见张召重站在远处，身上却是清官装束，很是疑惑，但想他既与袁士霄同来灭狼，也不便多问。

陈正德道："袁大哥，我有一件事非说不可，你可别见怪。"袁士霄笑道："哈，你临到老了，居然学会了客气。"陈正德道："你的徒弟人品太坏，可得好好管教管教。"袁士霄一楞，道："什么？家洛？"陈正德道："不错！"把他拉在一旁，将陈家洛先骗了霍青桐的心、后来又移爱他妹子的事说了。袁士霄怒道："家洛很讲信义，决无此事。"关明梅道："那是我们亲眼见到的。"说了如何遇到陈家洛与香香公主。

袁士霄呆了半晌，不由得不信，怒火大炽，叫道："我受他义父重托，把他从小抚养长大，哪知他人品如此卑劣，我日后有何面目见于大哥于地下？"关明梅见他愤激气苦，眼中泪珠莹然，自是内心难受失望已极，正想出言相劝，袁士霄叫道："咱们去找这三人来当面对质，我决不容他欺心负义。”

关明梅低声道：“大家当面把话说个明白，那最好不过，别把话憋在心里，一憋就是几十年，害了人家，也害了自己。”袁士霄闻弦歌而知雅意，这数十年来，他日夜深悔少年时意气用事，以致好好一对爱侣不能成为眷属，眼前的关明梅虽然白发满头，在他心中所见，却仍是她十八九岁时那个明眸皓齿、任性爱娇的大姑娘。他眼望远处，叹道：“咱们今日还能见面，我也已心满意足，这一辈子总算是不枉的了。”

关明梅望着渐渐在大漠边缘沉下去的太阳，缓缓说道：“什么都讲个缘法。从前，我常常很是难受，但近来我忽然高兴了。”伸手把陈正德大褂上一个松了的扣子扣上了，又道：“一个人天天在享福，却不知道这就是福气，总是想着天边拿不着的东西，哪知道最珍贵的宝贝就在自己身边。现今我是懂了。”陈正德红光满面，神彩焕发，望着妻子。

关明梅走到袁士霄身边，柔声道：“一个人折磨自己，折磨了几十年，什么罪过也该赎清了，何况本来也没什么罪过。我很快活，你也别再折磨自己了吧！”袁士霄不敢回头，突然飞身上马，说道：“去找他们吧！”天山双鹰乘马随后跟去。

张召重见强敌离去，登时精神大振。皇帝派他来寻访陈家洛和香香公主，这两人不知有否膏于狼吻，必须去访查确实，以便回奏。他想：“姓陈的小子和这两个女人要是都给狼吃了，那没话说。要是还活着，那小子武功只比我稍逊一筹，霍青桐一出手相助，我马上要败，还是窜掇这三魔同去为妙。”于是一扯顾金标的袖子，两人走开几步。张召重低声道：“顾二哥，你想不想你那美人儿?”顾金标只道他存心讥嘲，怒道：“你待怎样?”张召重道：“我和那姓陈的小子有仇，要去杀他，你如同去，那美人就是你的了。”顾金标迟疑道：“只怕这三人都已给狼吃了……老大又不知肯不肯去?”张召重道：“要是给狼吃了，那是你没福消受。你老大吗，我去跟他说。”顾金标点点头，心想：“老大不好女色，不见得肯同去。”

张召重走到滕一雷跟前，说道：“滕大哥，我要去找那姓陈的小子算帐。要是你肯相助一臂之力，他那柄短剑就是你的。”如此宝物，学武的人哪个不爱？滕一雷想：就算陈家洛已葬身狼腹，那短剑也决吃不下去，当下就答应了。张召重大喜，只听滕一雷叫道：“老四，咱们走吧。”哈合台正在沙城墙顶，与众回人兴高采烈的谈论狼群，听老大相呼，转头叫道：“哪里去？”滕一雷道：“去找红花会陈当家他们。要是他们尸骨没给吃完，就给他们葬了，也算是大家相识一场。”哈合台自与余鱼同及陈家洛相识之后，对红花会人物很是钦佩，听滕一雷说要去给陈家洛安葬，自表赞同。当下四人向回人讨了干粮食水，上马向北，循原路回去。

走到半夜，滕一雷想就地宿歇，张召重与顾金标却极力主张连夜赶路，又行了一阵，皓月在天，照得如同白昼一般，忽见路旁一个人影一闪，钻进了一座石砌的大坟之中。四人起了疑心，纵马来到坟前。张召重喝问：“什么人？”

过了半晌，一个头戴花帽的回人脑袋从坟墓的一个洞孔中探了出来，嘻嘻一笑，说道：“我是这坟里的死人！”他说的是汉语，四人都不禁吓了一跳。顾金标喝道：“是死人，这夜晚干么出来？”那人道：“出来散散心。”顾金标怒道：“死人还散心？”那人连连点头，说道：“是，是，诸位说的对。算我错啦，对不住，对不住！”说着把头缩了进去。哈合台哈哈大笑。顾金标大怒，下马伸手入坟，想揪他出来，哪知摸来摸去掏他不着。

张召重道：“顾二哥，别理他，咱们走吧！”四人兜转马头，正要再走，忽见一头瘦瘦小小的毛驴在坟边嚼草。顾金标喜道：“干粮吃得腻死啦，烤驴肉倒还真不坏！常言道：天上龙肉，地下驴肉。”纵马上去，伸手牵住了缰绳，见驴子屁股光秃秃的没有尾巴，笑道：“不知谁把驴尾巴先割去吃了……”

话声未毕，只听得飕的一声，驴背上多了一人，月光下看得明白，正是刚才钻进坟里去的那人。他身手好快，一晃之间，已从坟里出来，飞身上了驴背。四人不敢轻忽，忙勒马退开。这人哈哈大笑，从怀里拿出一条驴子尾巴，晃了两晃，说道："驴子尾巴上今天沾了许多污泥，不大好看，因此我把它割下来了。"

张召重见这人满腮胡子，疯疯癫癫，不知是什么路道，于是一提马缰，坐骑倏地从毛驴旁掠过，右手挥掌向他肩头打去。那人一避，张召重左手已把驴尾夺过，见驴尾上果然沾有污泥，忽然间头上一凉，伸手一摸，帽子却不见了，只见那人捧着自己的帽子，笑道："你是清兵军官，来打我们回人。这顶帽儿倒好看，又有鸟毛，又有玻璃球儿。"

张召重又惊又怒，随手把驴尾掷了过去，那人伸手接住。张召重双掌一错，跳下马来，叫道："你是什么人？来来来，咱们比划比划！"

那人把张召重的官帽往驴头上一戴，拍手大笑，叫道："笨驴戴官帽，笨驴戴官帽！"双腿一夹，毛驴向前奔出。张召重拔步赶去，突听呼的一声响，风声劲急，有暗器掷来，当即伸手接住，冷冰冰，光溜溜，竟是自己官帽上那枚蓝宝石顶子，更是怒不可遏，便这么一阻，驴子已经远去，当即拾起一块石子，对准他后心掷去。

那人却不闪避，张召重大喜，心想这下子可有得你受的，只听当的一声，石子打在一件铁器之上，嗡嗡之声不绝，便似是打中了铁钹铜锣之类的乐器一般。那人大叫大嚷："啊哟，打死我的铁锅啦，不得了，铁锅一定没命啦。"四人愕然相对，那人却去得远了。

隔了良久，张召重才骂道："这家伙不知是人是鬼？"三魔摇头不语。张召重道："走吧，这鬼地方真是邪门，什么怪物都有。"

四人驱马急驰，中途睡了两个时辰，翌日一早赶到了迷城之外，虽见歧路岔道多得出奇，但狼粪一路撒布，正是绝好的指引，循着狼粪兽迹，到了白玉峰前，抬头便见到陈家洛挖的洞穴。

陈家洛睡到半夜，精力已复，一线月光从山缝中照射进来，只见霍青桐和香香公主斜倚在白玉椅上沉沉入睡，静夜之中，微闻两人鼻息之声，石室中弥漫着淡淡清香，花香无此馥郁，麝香无此清幽，自是香香公主身上的奇香了。

他思潮起伏：不知峰外群狼现下是何模样，自己三人能否脱险？脱险之后，那皇帝哥哥又不知能否确守盟言，将满洲胡虏逐出关外？

忽听得香香公主轻轻叹了口气，叹声中满是欣愉喜悦之情，寻思："她身处险地，却如此安心，那是什么原因？自然因她信我必能带她脱离险境，终身对她呵护爱惜了。"

"我心中真正爱的到底是谁？"这念头这些天来没一刻不在心头萦绕，忽想："那么到底谁是真正的爱我呢？倘若我死了，喀丝丽一定不会活，霍青桐却能活下去。不过，这并不是说喀丝丽爱我更加多些……我与忽伦四兄弟比武之时，霍青桐忧急担心，极力劝阻，对我十分爱惜。她妹妹却并不在乎，只因她深信我一定能胜。那天遇上张召重，她笑吟吟的说等我打倒了这人一起走，她以为我是天下本事最大的人……要是我和霍青桐好了，喀丝丽会伤心死的。她这么心地纯良，难道我能不爱惜她？"

想到这里，不禁心酸，又想："我们相互已说得清清楚楚，她爱我，我也爱她。对霍青桐呢，我可从来没说过。霍青桐是这般能干，我敬重她，甚至有点怕她……她不论要我做什么事，我都会去做的。喀丝丽呢？喀丝丽呢？……她就是要我死，我也肯高高兴兴的为她死……那么我不爱霍青桐么？唉，实在我自己也不明白，她是这样的温柔聪明，对我又如此情深爱重。她吐血生病，险些失身丧命，不都是为我么？"

一个是可敬可感，一个是可亲可爱，实在难分轻重。

这时月光渐渐照射到了霍青桐脸上，陈家洛见她玉容憔悴，在月光下更显得苍白，心想："虽然我们相互从未倾吐过情愫，虽然我刚对她倾心，立即因那女扮男装的李沅芷一番打扰，使我心情有变，但我万里奔波，赶来报讯，不是为了爱她么？她赠短剑给我，难道只为了报答我还经之德？尽管我们没说过一个字，可是这与倾诉了千言万语又有什么分别？”又想：“日后光复汉业，不知有多少剧繁艰巨之事，她谋略尤胜七哥，如能得她臂助，获益良多……唉，难道我心底深处，是不喜欢她太能干么？”想到这里，矍然心惊，轻轻说道：“陈家洛，陈家洛，你胸襟竟是这般小么？”又过了半个多时辰，月光缓缓移到香香公主的身上，他心中在说：“和喀丝丽在一起，我只有欢喜，欢喜，欢喜……”

他睁大眼睛望着头顶的一线天光，良久，良久，眼见月光隐去，眼见日光斜射，室中慢慢的亮了。香香公主打了个呵欠醒来，睁开一半眼睛向着他望了望，微微一笑，脸色就像一朵初放的小花。

她缓缓坐起身来，忽然惊道：“你听！”只听得外面甬道上隐隐传来几个人的脚步之声。在这千百年的古宫之中，怎会有人行走？难道真的有鬼？只听脚步声愈来愈近，虽然相距甚远，但在寂静之中，一步一步的听得清清楚楚。两人寒毛直竖，都惊呆了。陈家洛一拉霍青桐的手臂，她从梦中惊醒过来。三人疾奔出去。

奔到大殿，陈家洛捡起三柄玉剑，每人手中拿了一把，低声道：“玉器可以辟邪。”这时脚步声已到殿外。三人躲在暗处，不敢稍动。只见火光闪晃，走进四个人来。当先两人手执火把，却是张召重与顾金标。

忽然当啷、当啷数声响处，张召重等四人兵刃脱手飞出，落在地下。滕一雷的独足铜人虽仍在手，镖囊中的十二只钢镖却激射出去。

陈家洛知道机不可失，乘他们目瞪口呆、惊惶失措之际，大喝一声，手持玉剑，从暗处跳将出来，拍拍两剑，已把张顾两人手中火把打落，殿中登时漆黑一团。张召重双掌护身，返身奔出。关东三魔随后跟出，只听砰的一声，又是一声“啊唷”，不知谁在石壁上重重撞了一头。

四人脚步声渐渐远去，霍青桐忽然惊呼："啊唷，糟糕，快追，快追！"陈家洛立时醒悟，摸索着疾追出去，甬道还未走完，只听得叽叽之声，接着蓬的一声大响，石门已给关上。陈家洛飞身扑到，终于迟了一步，石门后光溜溜的无着手之处，哪里还拉得开来？

霍青桐和香香公主先后奔到。陈家洛回过身来，捡了一块木材点燃，但见石门上刀劈斧砍之痕累累，尽是那些骸骨生前拼命挣扎的遗迹。霍青桐惨然道："完啦！"香香公主拉着她手道："姊姊，别怕！"陈家洛强自笑道："我们三人毕命于此，也真奇怪得紧。"不知何故，心中忽然感到一阵轻松，竟有如释重负之意，拾起地下的一个骷髅头骨，说道："老兄，老兄，你多了三个新朋友啦。"香香公主嗤的一声，笑了出来。霍青桐向两人白了一眼，隔了半晌，说道："咱们回去玉室，静下心来好好想一下。"

三人回归玉室。霍青桐伏身祈祷，然后拿出地图来反复审视，苦苦思索。陈家洛知道处此绝境，若能脱身，不是来了外援，就是张召重等改变心思，进来捉拿自己。但这地方如此隐秘，外援如何能到？而张召重等适才受了这般大惊吓，十九不敢再进来冒险。

香香公主忽道："我想唱歌。"陈家洛道："你唱吧！"她斜坐在白玉椅上，柔声唱了起来。霍青桐似乎全没听到她的歌声。双手捧住了头，皱着眉头出神。香香公主唱了一会，住口不唱了，道："姊姊，你息一忽儿吧！"站起身来，走到白玉床边，对躺在床上的那具骸骨道："对不住啦，请你挪一挪，让点地方出来，给我姊姊休息！"轻轻把骸骨执在一堆，推在床角，忽然"咦"了一声，捡起一卷东西，道："这是什么？"

陈家洛和霍青桐凑近去看，见是一本羊皮册子，年深日久，几已变成了黑色，在阳光下一照，见册中写满了字迹，都是古回文。羊皮虽黑，但文字更黑，仍历历可辨。霍青桐翻几页看了，一指床上的骸骨，说道："是这女子临死前用血写的，她叫玛米儿。"陈家洛道："玛米儿？"香香公主道："那是'很美'的意思。想来她活着的时候生得很美。”

霍青桐放下羊皮卷，又去细看地图。陈家洛道：“难道地图上画着另有出路?”霍青桐道：“似乎什么地方有个秘密通道，不过我就是想不通。”陈家洛叹了一口气，对香香公主道：“你把这玛米儿姑娘的绝命书译给我听，好么?”香香公主点点头，轻轻念了起来：

“城里成千成万的人都死了，神峰里暴君的众卫士和伊斯兰的勇士们都死了。我的阿里已到了真主那里，他的玛米儿也要去了。我把我们的事写在这里，让真主的儿子们将来知道，不管是胜是败，我们伊斯兰的勇士们战斗到底，永不屈服!”

陈家洛道：“原来这位姑娘不但美丽，而且勇敢。”香香公主继续念道：

“暴君隆阿欺压了我们四十年。这四十年中，他征了千万百姓来给他造了这座迷城，在神峰中开凿了宫殿。这些百姓都给他杀了。他死了之后，他的儿子桑拉巴比他更凶狠。伊斯兰教徒养十头羊，每年要给他四头，养五头骆驼，每年要给他两头。我们一年比一年穷了。哪一家有美丽的姑娘，就给他拉进迷城中去。进了迷城之后，没一个能活着出来。

“我们是伊斯兰教的英雄儿女，能受这些异教徒的欺压吗？当然不能！二十年之中，我们的战士曾五次攻打迷城，总是因为不识路径，走不出来。有两次曾攻进了神峰，暴君桑拉巴却不知使什么妖法，把我们战士的刀剑都收去了，终于给他的卫士杀得一个不剩。”

陈家洛道：“那就是大殿下这座磁山作怪了。”香香公主点点头，接着念下去：

“这一年，我刚十八岁，我爸爸妈妈都给桑拉巴手下的人杀了，我哥哥做了伊斯兰教徒的族长。春天，我遇见了阿里。他是我族里的英雄。他杀死过三头老虎，群狼见了他就四散奔逃，天山顶上的兀鹰吓得不敢下来。他抵得过十个好汉，不，抵得过一百个。

他的眼睛像麋鹿那样温柔，他的身体像鲜花那样美丽，可是他的威武却像沙漠中刮的大风……”

陈家洛笑道：“这位姑娘喜欢夸大，把她意中人说得这么了不起。”香香公主神色端严，道：“为什么说她夸大？难道世界上没这样的人么？”又念下去：

“阿里来到我们帐里，和我哥哥商量攻打迷城。他得到了一部汉人写的书，他说他想了一年，懂得了武功的道理，就算空手没有刀剑，也能把桑拉巴的武士们打死。于是他招了五百个勇士，把他想到的道理教给他们，他们又练了一年。这时我已经是阿里的人了。我第一眼见到他，就是他的了。他是我的心，是我的鲜血，是我的容貌。他对我说，他一见了我，就知道这次一定能够打胜。他们练好了武功，可是不知道迷城的路径，更加不知道神峰里的秘密。阿里和我哥哥商量了十天十夜，没有法子。因为外面的人一走进迷城，就给他们杀了。没一个人能活着出来。大伙儿一起又商量了十天十夜，仍然没有法子。本事再大，再勇敢，进不了迷城，总是一场空。

“我说：‘哥哥啊，让我去吧！’他们知道我说的是什么意思。阿里是大勇士，但他忽然流下泪来。于是我带了一百头山羊，在迷城外面放牧。第四天上，桑拉巴手下的人就把我捉去献给了他。我哭了三天三夜才顺从他。他很喜欢我，我要什么就给我什么。”

陈家洛听到这里，对这位古代姑娘不禁肃然起敬。心想她以一个十八岁的姑娘，竟能牺牲自己，真是了不起，而能牺牲宝贵的爱情，那是更加的了不起。只听香香公主又念道：

“起初，桑拉巴不许我走出房门一步，但是他越来越喜欢我了。我每天想念我们的人，想念在大草原中放羊唱歌，那真是快活。我最想念的，是我的阿里。桑拉巴见我一天天的憔悴瘦弱，问我要什么。我说要到各处去逛逛。他忽然大怒，打了我一掌，于是我有七个白天不跟他说话，有七个黑夜不向他笑。第八天上，他带我出去了，以后每隔三天，他带我出去一次，先在迷城各处玩，后来甚至到了迷城的口子上。我把每一条道路都记得清清楚楚，最后，就算我瞎了眼睛，也能在迷城各处来去，不会迷路了。

“这花了大半年时光，我想哥哥和阿里一定已等得很不耐烦，可是我还没知道神峰的秘密，后来，我肚子里有了孩子，那是桑拉巴的孽种。他很喜欢，我却恨得每天哭泣。他问我要什么，我说：‘我给你怀了孩子，但是你一点也不爱我。’他说：‘我不爱你？你要什么东西，难道我不肯给你么？你要大海底下的红珊瑚呢，还是南方的蓝宝石？’我说：‘人家说，你有一座翡翠池，美丽的人在池里洗了澡更加美，丑的人洗了就更加丑。’

“他的脸苍白了，声音颤抖了，问我是谁说的。我骗他说我做了个梦，是神仙说的。其实，我也不知道是不是真的有翡翠池，不过宫里的女人都这样偷偷的说，桑拉巴从来不准谁看到，连说也不许说。他说：‘去洗澡是可以的，不过谁见到这池子之后，就得舌头割掉，以免把秘密说了出去，这是祖宗定下的规矩。’他求我别去，我一定要去。我说：‘你心里一定以为我很丑，我在翡翠池洗了澡，你怕我更加丑了。’终于他带我去了。

“到这翡翠池，要从神峰的宫殿里经过。我身上带了一把小刀，想在翡翠池中刺死他，因为宫里到处都有凶恶的卫士守卫，翡翠池四周却一个人也没有，可是小刀给大殿底下的磁山收去了。这样，我知道了磁山的秘密。我洗了澡后，不知道是不是真的更加美丽些，不过他是更爱我了。但他还是割去了我的舌头，怕我把秘密说出去。我知道了一切，但没法去告诉哥哥和阿里。

“我日日夜夜向真主祈祷，真主终于听见了他可怜女儿的声音。真主赐给了我聪明智慧。桑拉巴有一把短剑，佩在身上从不离开。这柄短剑有两层鞘子，里面一层鞘子就像是一把剑一般。我向他讨了来。我画了一张迷城的地图，把进出的通道仔仔细细的画在上面，我把地图封在一颗蜡丸里，藏在第二层剑鞘里面。在我生了孩子的第三个月，他带我出去打猎。我乘没人见到，就把短剑丢在迷城外面的腾博湖里。我回来之后，放了许多鹰出去，在鹰脚上都写上了‘腾博湖’的名字。”

霍青桐撇下地图，凝神听妹子译读古册：

“有几头鹰被桑拉巴手下人射了下来，他们见到‘腾博湖’的名字，心想腾博湖很出名，大漠上几岁的孩儿也都知道，所以也不起疑心。我知道这许多鹰中，一定会有一两头给我们族里的人捉到，哥哥和阿里就会到腾博湖中去仔细找寻，就会知道迷城的路径。

“唉，哪知道他们虽然找到了短剑，却查不出剑中的秘密，不知道剑鞘中另有剑鞘。哥哥和阿里说，我送这把剑出来，定是叫他们进攻，去杀暴君桑拉巴。他们就攻了进来。大部分勇士都迷了路，转来转去永远没能出来。我的哥哥，我那力气比两头骆驼还要大的哥哥，就这样迷失了。阿里和其余勇士捉到了一个桑拉巴的手下人，迫着他带路，攻进了神峰。在大殿上，他们的刀剑都被磁山收了去，桑拉巴的武士拿玉刀玉剑来杀他们。然而阿里和他的勇士学会了本事，虽然空手，仍是一个个的和他们一起战死。桑拉巴见他手下的武士都死了，阿里又紧紧迫着他，就逃进玉室来，想带我从翡翠池旁逃出去……”

霍青桐跳了起来，叫道：“啊，他们从翡翠池旁逃出去。”香香公主念道：

“阿里追了上来，我一见到他，忍不住就扑上去。我们抱在一起，他用许多好听的名字来叫我，我没了舌头，不能还叫他，可是他懂得我心里的声音。那卑鄙的桑拉巴，可恶的桑拉巴，比一千个魔鬼还要坏一万倍的桑拉巴，突然从后面一斧……”

香香公主念到这里，情不自禁的尖叫一声，把羊皮古册丢在床上，满脸惊惧之色。

霍青桐轻轻拍她肩头，捡起古册，继续译念下去：

“……从后面一斧，将我的阿里的头砍成了两半，他的血溅在我身上。桑拉巴从床上抱起孩子，放在我手里，叫道：‘咱们快走!’我举起那个孽种，用力往地下一摔，他就死在阿里的鲜血堆里。桑拉巴见我摔死了自己的儿子，惊得呆了，举起了黄金的斧头，我伸长了头颈让他砍，他忽然叹了口气，从来路冲了出去。

“阿里到了真主身旁，我也要跟他去。我们的勇士很多，桑拉巴的武士都被我们杀光了，他一定也活不成。他永远不能再来欺压我们伊斯兰教徒。他儿子给我摔死了，他的后代也不能来欺压我们，因为他没后代了。以后我们的人就能在沙漠上草原上平安过活，年轻姑娘可以躺在他心爱的人怀里唱歌。我哥哥、阿里和我都死了，可是，我们已打败了暴君。暴君的堡垒造得再坚固，我们还是能够攻破。愿真神安拉佑护我们的人民。”

霍青桐念到最后一个字，缓缓把古册掩上，三人深为玛米儿的勇敢和贞烈所感动，很久说不出话来。香香公主眼中都是泪水，叹道：“为了使大家不受暴君的欺侮，她竟肯离开自己像心肝一样的人，她愿意舌头给割掉，还亲手摔死自己的儿子……”

陈家洛斗然一惊，身上冷汗直冒，心想：“比起这位古代的姑娘来，我实是可耻极矣。我身系汉家光复大业的成败，心中所想的却只是一己的情欲爱恋。我不去筹划如何驱逐胡虏，还我河山，却在为爱姊姊还是爱妹妹而纠缠不清……我曾逞血气之勇，亲送喀丝丽到清兵营中，全不想万一失手，岂非误了光复大事？现今又陷身这山腹之中。我死不足惜，可是怎对得起红花会数万弟兄，怎对得起天下在鞑子铁蹄下受苦受难的父老姊妹？”越想越是难受，额头汗水涔涔而下。

香香公主见他神色有异，掏出手帕来给他抹去汗水。陈家洛手一格，推开了手帕。香香公主见他忽现厌恶之色，不禁错愕，陈家洛一定神，登时心软，接过她手帕抹汗，打定了主意：“光复大业成功之前，我决不再理会自己的情爱尘缘，她两姊妹从今而后都是我的好朋友，都是我的妹子。”拔出短剑，一剑插入圆桌的桌面，立觉神清气爽，连日来烦恼一扫而空。香香公主见他脸有喜色，这才放心。

这一切霍青桐却如不闻不见，她又在细看地图，揣摸古册中所写的语句，沉吟道："这遗书中说，桑拉巴来到这玉室，要和她一起逃到翡翠池边去，然而这玉室已是尽头，再无通路……后来桑拉巴并没逃出去，仍然从原路杀回。想来他有异常勇力，伊斯兰勇士们挡他不住，被他冲出大门，把伊斯兰战士都关在里面，一直到死……不过地图上明明画着，另有通道通到池边……"

陈家洛心中不再受爱欲羁绊，头脑立时清明，叫道："如有通道，必在这玉室之中。"想起在杭州提督府地道中救文泰来时，张召重曾从墙上密门逸脱，于是点起火把，在玉室壁上细看有无缝隙，上下四周都照遍了，并无发现。霍青桐查察玉床，也不见有何异状。陈家洛又想起文泰来所述在铁胆庄中被捕之事，叫道："难道桌子底下另有地道？"伸手在圆桌桌面下用力一抬，石桌纹丝不动，喜道："定是桌子有古怪。"依他力气，就算石桌有千斤之重，这一抬之下也必稍动，但看那石桌又无特异之处，不论横推直拉，桌脚始终便如钉牢在地下一般。霍青桐拿火把到桌脚下一照，心中登时凉了，原来圆桌是整块从玉石中雕刻出来的，连在地上，自然抬不动了。

三人劳顿半天，毫无结果，肚子却饿了。香香公主拿出腌羊肉和干粮，大家吃一些，靠在椅上养神。

过了大半个时辰，日光渐正，射到了圆桌桌面。香香公主忽道："啊，桌上还刻着花纹。"走近细看，见刻的是一群背上生翅的飞骆驼，花纹极细，日光不正射时全然瞧不出来，刻工甚是精致，然而骆驼的头和身子却并不连在一起，各自离开了一尺多位置。她忍不住拿住圆桌边缘，自右至左一扳，圆桌的边缘与桌心原来分为两截，可以移动，但扳得寸许便不动了。陈家洛和霍青桐一齐使力，慢慢把边缘扳将过去，使得刻在桌缘一圈的骆驼头与刻在桌心的骆驼身子连成一体，刚刚凑合，只听轧轧连声，玉床上出现了一个大洞，下面是一道梯级。三人又惊又喜，齐声大叫。

陈家洛举起火把，当先进入，两人跟在后面。转了四五个弯，再走十多丈路，前面豁然开朗，竟是一大片平地。四周群山围绕，就如一只大盆一般，盆子中心碧水莹然，绿若翡翠，是个圆形的池子，隔了这千百年，竟然并不干枯，想来池底另有活水源头。

三人见了这奇丽的景色，惊喜无已。霍青桐笑道："喀丝丽，遗书上说，美丽的人下池洗澡，可以更加美丽，你去洗一下吧。"香香公主红了脸，笑道："姊姊年纪大先洗。"霍青桐笑道："啊哟，我可越洗越丑啦。"香香公主转头对陈家洛道："你评评这个理。姊姊欺侮人，说她自己不美。"陈家洛微笑不语。霍青桐道："喀丝丽，你到底洗不洗？"香香公主摇摇头。霍青桐走近池边，伸下手去，只觉清凉入骨，双手捧起水来，但见澄净清澈，更无纤毫苔泥，原来圆池四周都是翡翠，池水才映成绿色。就口而饮，甘美沁入心脾。三人喝了个饱，只见洁白的玉峰映在碧绿的池中，白中泛绿，绿中泛白，明艳洁净，幽绝清绝。香香公主伸手玩水，不肯离开。

霍青桐道："现下要想法子怎生避开外面那四个恶鬼。"陈家洛道："咱们先把玛米儿的遗骨去拿出来葬在池边，好吗？"香香公主拍手叫好，又道："最好把她的阿里和她葬在一起。"陈家洛道："好，想来玉室角落里的就是阿里的遗骨。"

三人重回到玉室，捡起骸骨，只见阿里的骸骨旁有一捆竹简。陈家洛提了起来，穿竹简的皮带已经烂断，竹简一提就散成片片，见简上涂了黑漆，简身仍属完整，简上用朱漆写着密密的汉字。

陈家洛心头一喜，却见头一句是"北冥有鱼，其名为鲲"，翻简看下去，见一篇篇都是《庄子》。他初时还道是什么奇书，这《庄子》却是从小就背熟了的，不禁颇感失望。

香香公主问道："那是什么呀？"陈家洛道："是我们汉人的古书，这些竹简虽是古董，可是没什么用，只有考古家才喜欢。"随手掷在地上，竹简落下散开，只见中间有一片有些不同，每个字旁加了密密圈点，还写着几个古回文。陈家洛捡了起来，见是《庄子》第三篇《养生主》中"庖丁解牛"那一段，指着回文问香香公主道："这是些什么字？"香香公主道："破敌秘诀，都在这里。"

陈家洛一怔，道："那是什么意思?"霍青桐道："玛米儿的遗书中说，阿里得到一部汉人的书，懂得了空手杀敌之法，难道就是这些竹简?"陈家洛道："庄子教人达观顺天，跟武功全不相干。"丢下竹简，捧起遗骨走了出来。三人把两副遗骨同穴葬在翡翠池畔，祝告施礼。

陈家洛道："咱们出去吧。那匹白马不知有没逃脱狼口。"香香公主道："全靠它救了我们性命。它很聪明，又跑得快……"陈家洛想起狼群之凶狠，白马之神骏，不禁恻然。

霍青桐忽问："那篇《庄子》说些什么?"陈家洛道："说一个屠夫杀牛的本事很好，他肩和手的伸缩，脚与膝的进退，刀割的声音，无不因便施巧，合于音乐节拍，举动就如跳舞一般。"香香公主拍手笑道："那一定很好看。"霍青桐道："临敌杀人也能这样就好啦。"

陈家洛一听，顿时呆了。《庄子》这部书他烂熟于胸，想到时已丝毫不觉新鲜，这时忽被一个从未读过此书的人一提，真所谓茅塞顿开。"庖丁解牛"那一段中的章句，一字字在心中流过："方今之时，臣以神遇，而不以目视，官知止而神欲行，依乎天理，批大郤，导大窾，因其固然……"再想到："行为迟，动刀甚微，謋然已解，如土委地，提刀而立，为之四顾，为之踌躇满志。"心想："要是真能如此，我眼睛瞧也不瞧，刀子微微一动，就把张召重那奸贼杀了……"霍青桐姊妹见他突然出神，互相对望了几眼，不知他在想什么。

陈家洛忽道："你们等我一下!"飞奔入内，隔了良久，仍不出来。两人不放心了，一同进去，只见他喜容满脸，在大殿上的骸骨旁手舞足蹈。香香公主大急，以为他神智胡涂了，叫道："你干么呀?"陈家洛全然不觉，舞动了一会，又呆呆瞪视另一堆骸骨。香香公主叫道："你别吓人呀，来吧!"只见他依照着一具骸骨的姿势，手足又动了起来。

霍青桐听他在举手投足之中势挟劲风，恍然大悟，原来他是在钻研武功，拉着妹子的手道："别怕，他没事，咱们在外面等他吧！"

两人回到翡翠池畔，香香公主道："姊姊，他在里面干什么呀？"霍青桐道："想是他看了那些竹简之后，悟到了武功上的奇妙招数，在照着骸骨的姿势研探，咱们别去打扰他。"香香公主点点头，隔了一会，又问："姊姊，你怎么不也去练？"霍青桐道："竹简上的汉字很古怪，我不明白，再说，他练的武功很高深，我还不能练。"香香公主叹了一口气，道："现下我知道了。"霍青桐道："什么？"香香公主道："大殿上那许多骸骨，原来生前都会高深武功，他们兵器被磁山吸去之后，就空手和桑拉巴手下的武士对打。"霍青桐道："对啦。不过这些人也未必武功极好，料来他们学会了几招最厉害的杀手，在紧急关头就和敌人同归于尽。"香香公主道："唉，这许多人都很勇敢……啊哟，他学来干什么呢？难道也要和敌人同归于尽吗？"霍青桐道："不，武功好的人，不会和敌人同归于尽的。他总是在钻研这些招数的奇妙之处。"

香香公主微微一笑，道："那我就放心啦！"望着碧绿的湖水，忽道："姊姊，咱们一起下去洗澡好么？"霍青桐笑道："真胡闹。他出来了怎么办？"香香公主笑道："我真想下去洗澡。"望着清凉的湖水呆呆出神，轻轻的道："要是我们三个能永远住在这里，那可有多好！"霍青桐怦然心动，满脸晕红，忙仰头瞧着白玉山峰。

等了良久，陈家洛仍不出来。香香公主脱下皮靴，把脚放在水里，将头枕在姊姊腿上，望着天上悠悠白云，慢慢睡着了。

余鱼同将削断了的金笛拿了出来，说道："师叔，这段笛子倒是纯金的。"李沅芷不肯接，骆冰硬把半截金笛塞在她手里。

第十八回　驱驴有术居奇货
除恶无方从佳人

余鱼同和李沅芷一起出来寻访霍青桐，自然明白七哥派他们二人同行的用意。李沅芷一片深情，数次相救，他自衷心感激，然她越是情痴，自己越是不由自主的想避开她，什么原因可也说不上来。一路上李沅芷有说有笑，他却总是冷冷的。李沅芷恼了，一天早晨，偷偷躲在一个沙丘后面，瞧他是否着急。哪知他见她不在，叫了几声没听得答应，就径自向前走了。李沅芷气苦之极，在沙丘后面哭了一场，打起精神再追上去。余鱼同淡淡的道："啊，你在后面，我还道你先走了呢！"饶是李沅芷机变百出，对这心如木石之人却是束手无策。她打定了主意："他真逼得我没路可走之时，我就一剑抹了脖子。"

行到中午，忽见迎面沙漠中一跛一拐的来了一头瘦小驴子，驴上骑着一人，一颠一颠的似在瞌睡。走到近处，见那人穿的是回人装束，背上负了一只大铁锅，右手拿了一条驴子尾巴，小驴臀上却没尾巴，驴头上竟戴了一顶清兵骁骑营军官的官帽，蓝宝石顶子换成了一粒小石子。那人四十多岁年纪，颏下一丛大胡子，见了二人眉花眼笑，和蔼可亲。

余鱼同心想霍青桐在大漠上英名四播，回人无人不知，便勒马问道："请问大叔，可见到翠羽黄衫么？"却担心他不懂汉语。哪知那人嘻嘻一笑，以汉语问道："你们找她干么呀？"余鱼同道：

“有几个坏人来害她。我们要通知她提防。要是你见着她，给带个讯成不成呀？”那人道：“好呀！怎么样的坏人？”李沅芷道：“一个大汉手里拿个独脚铜人，另一个拿柄虎叉，第三个蒙古人打扮。”那人点头道：“这三个人确是坏蛋，他们想吃我的毛驴，反给我抢来了这顶帽子。”余李两人对望了一眼。余鱼同道：“他们还有同伴么？”那人道：“就是这个戴官帽的了，你们是谁呀？”余鱼同道：“我们是木卓伦老英雄的朋友。这几个坏蛋在哪里？可别让他们撞着翠羽黄衫。”那人道：“听说霍青桐这小妮子很不错哪。要是四个坏蛋吃不到我毛驴，肚子饿了，把这大姑娘烤来吃了，可不妙啦！”

李沅芷心想关东三魔是有勇无谋之辈，一个清军军官，更加不放在心上，不如找上前去，想法子结束了他们，教这瞧不起人的余师哥佩服我的手段，于是问道：“他们在哪里？你带我们去，给你一锭银子。”那人道：“银子倒不用，不过得问问毛驴肯不肯去。”把嘴凑在驴子耳边，叽哩咕噜的说了一阵子话，然后把耳朵凑在驴子口上，似乎用心倾听，连连点头。

二人见他装模作样，疯疯癫癫，不由得好笑。那人听了一会，皱起眉头说道：“这驴子戴了官帽之后，自以为了不起啦。它瞧不起你们的坐骑，不愿意一起走，生怕没面子，失了自己身份。”余鱼同一惊：“这人行为奇特，说话皮里阳秋，骂尽了世上趋炎附势的暴发小人，难道竟是一位风尘异人？”

李沅芷瞧他的驴子又跛又瘦，一身污泥，居然还摆架子，不由得噗哧一笑。那人眼睛一横道：“你不信么？那么我的毛驴就和你们的马匹比比。”余李二人胯下都是木卓伦所赠骏马，和这头跛腿小驴自有云泥之别。李沅芷道：“好呀，我们赢了之后，你可得带我们去找那三个坏蛋。”那人道：“是四个坏蛋。要是你们输了呢？”李沅芷道：“随你说吧。”那人道：“那你就得把这头毛驴洗得干干净净，让它出出风头。”李沅芷笑道：“好吧，就是这样。咱们怎样个比法？”

那人道：“你爱怎样比，由你说便是。”李沅芷见他说话十拿九稳，似乎必胜无疑，倒生了一点疑虑，心想：“难道这头跛脚驴子当真跑得很快？”灵机一动，笑道：“你手里拿着的是什么呀？”那人把驴子尾巴一晃，道：“毛驴的尾巴。它戴了官帽，嫌自己尾巴上有泥不美，所以不要了。”余鱼同听他语带机锋，含意深远，更加不敢轻忽，向李沅芷使个眼色，要她留神。

李沅芷道：“你给我瞧瞧。”那人把驴尾掷了过来，李沅芷伸手接住，随手玩弄，一指远处一个小沙丘，道：“咱们从这里跑到那沙丘去。你的驴子先到是你胜，我的马先到是我胜。”那人道：“不错，驴子先到是我胜，马先到是你胜。”李沅芷对余鱼同道：“你先到那边，给我们作公证！”余鱼同道：“好！”拍马去了。

李沅芷道：“走吧！”语声方毕，猛抽一鞭，纵马直驰，奔了数十丈，回头一望，见那毛驴一跛一拐，远远落在后面。她哈哈大笑，加紧驰骤，突然之间，一团黑影从身旁掠过，定睛看时，竟是那人把驴子负在肩头，放开大步，向前飞奔。她这一惊非同小可，险险坐鞍不稳，跌下马来，疾忙催马急追。但那人奔跑如风驰电掣一般，始终抢在马头之前。不到片刻，两人奔到沙丘，终于是骑人的驴比人骑的马抢先了丈余。李沅芷把手中驴尾用力向后掷出，叫道：“马先到啦！”

那人和余鱼同愕然相顾，明明是驴子先到，怎么她反说马先到？那人道：“喂，大姑娘，咱们说好的：驴子先到我胜，马先到你胜，是不是？”李沅芷伸手掠着在风中飞扬的秀发，说道：“不错。”那人道：“咱们并没说一定得人骑驴子，是不是？”李沅芷道：“不错。”那人道：“不管是人骑驴，还是驴骑人，总之是驴子先到。你得知道，它是戴官帽的，笨驴做了官，可就骑在人头上啦。”

李沅芷道：“咱们说好的，驴子先到你胜，马先到我胜，是不是？”那人道：“对啦！”李沅芷道：“咱们并没说，到了一点儿驴子也算到，是不是？”那人一拉胡子，道：“这我可胡涂啦，什么叫做‘到了一点儿驴子’?”李沅芷指着那条被她远远掷在后面的驴尾巴，道：“我的马整个儿到了，你的驴子可只到了一点儿，它的尾巴还没有到!”

那人一呆，哈哈大笑，说道：“对啦，对啦！是你赢了，我领你们去找那四个坏蛋去吧。”过去拾起驴尾，对驴子道：“笨驴啊，你别以为戴了官帽，就不要你那泥尾巴啦！人家可没忘记啊。你想不要，人家可不依哪。”纵身骑上驴背，道：“笨驴啊，你骑在人头上骑不了多久，人又来骑你啦!”

余鱼同见那驴子虽只几十斤重，就如一头大狗一般，但负在肩头而跑得疾逾奔马，却非具深湛武功不可，忙上前行了一礼，说道：“我这个师妹很是顽皮，老前辈别跟她一般见识。请你指点路径，待晚辈们去找便是，可不敢劳动你老大驾。”那人笑道：“我输了，怎么能赖?”转过驴头，叫道：“跟我来吧!”余鱼同见他肯一同前去，心中大喜。他知关东三魔武功惊人，和自己又结了深仇，若在大漠之中撞到，可实是一桩祸事，有这个大胡子回人相助，那就不怕了。

三人并辔缓缓而行。余鱼同请教他姓名，那人微笑不答，不住疯疯癫癫的说笑话，可是妙语如珠，庄谐并作，或讽或嘲，连李沅芷也不禁暗自钦佩。

跛脚驴子走得极慢，行了半日，不过走了三十里路，只听后面鸾铃响处，徐天宏和周绮赶了上来。余鱼同给他们引见道：“这位是骑驴大侠，他老人家带我们去找关东三魔。”徐天宏听他说得恭敬，忙下马行礼。那人也不回礼，笑道：“你老婆该多歇歇了，干么还这般辛苦赶道啊?”徐天宏愕然不解。周绮却面上一红，扬鞭催马，向前疾奔。

那人熟识大漠中道路，傍晚时分领他们到了一个小镇。将走近时，只见鸡飞狗走，尘扬土起，原来一大队清兵刚刚开到，众回人拖儿携女，四下逃窜。徐天宏奇道：“清兵大部就歼，少数的残余也都已被围，怎么这里又有清兵?”说话之间，迎面奔来二十余个回民，后面有十余名清兵大声吆喝，执刀追来。那些回民突然见到骑驴的大胡子，大喜过望，连叫："纳斯尔丁·阿凡提，快救我们！"徐天宏等不懂他们说些什么，只听见他们不住叫"纳斯尔丁·阿凡提"，想来就是他的名字了。阿凡提叫道："大家逃啊！"一提驴缰，向大漠中奔去，众回人和清兵随后跟来。

奔了一段路，距小镇渐远，几名回人妇女落了后，被清兵拿住。周绮忍耐不住，拔刀勒马，转身砍去，呼呼两刀，将一名清兵的脑袋削去了一半。其余清兵大怒，围了上来。徐天宏、余鱼同、李沅芷一齐回身杀到。周绮突然胸口作恶，眼前金星乱舞。一名清兵见她忽尔收刀抚胸，扑上来想擒拿，周绮"哇"的一声，呕吐起来，没头没脑都吐在那清兵脸上。只见他伸手在脸上乱抹，周绮随手一刀将他砍死，不觉手足酸软，身子晃了几晃。徐天宏忙抢过扶住，惊问："怎么？"

这时余鱼同和李沅芷已各杀了两三名清兵。其余的发一声喊，转头奔逃。阿凡提把背上铁锅提在手中，伸手一挥，罩在一名清兵头上，叫道："锅底一个臭冬瓜！"李沅芷挺剑刺去，那清兵眼被蒙住，如何躲避得开，登时了帐。阿凡提提起铁锅，又罩住了第二名清兵，李沅芷跟着一剑。也不知他用什么手法，铁锅罩下，清兵必定躲避不开。他锅子一罩，李沅芷跟上一剑，片刻之间，两人把十多名清兵杀得干干净净。李沅芷高兴异常，叫道："胡子叔叔，你的锅子真好。"阿凡提笑道："你的切菜刀也很快。"

余鱼同见李沅芷杀了许多清兵，心想："她爹爹是满清提督，她却毫无顾忌的大杀清兵。那么她的的确确是决意跟着我了。"心中一阵为难，不禁长叹一声。

这时徐天宏擒住了一名清兵，逼问他大队官兵从何而来。那清兵跪地求饶，结结巴巴的半天才说清楚。原来他们是从东部开到的援军，听说兆惠大军兵败，正兼程赴援。徐天宏从回民中挑了两名精壮汉子，请他们立即到叶尔羌城外去向木卓伦报信，以便布置应敌，两名回人答应着去了。徐天宏在那清兵臀上踢了一脚，喝道：

“滚你的吧！”那清兵没命的狂奔而去。

徐天宏回顾爱妻，见她已神色如常，不知刚才何以忽然发晕，问道：“什么地方不舒服?”周绮脸上一阵晕红，转过了头不答。阿凡提笑道：“母牛要生小牛了，吃草的公牛会欢喜得打转，可是吃饭的公牛哪，却还在那儿东问西问。”徐天宏大喜，满脸堆欢，笑问：“老前辈你怎知道?”阿凡提笑道：“这也真奇怪。母牛要生小牛，公牛不知道，驴子却知道了。”众人哈哈大笑，上马绕过小镇而行。

到得傍晚，众人扎了帐篷休息。徐天宏悄问妻子：“有几个月啦？我怎不知道?”周绮笑道：“你这笨牛怎会知道。”过了一会，道：“咱们要是生个男孩，那就姓周。爹爹妈妈一定乐坏啦。可别像你这般刁钻古怪才好。”徐天宏道：“以后可得小心，别再动刀动枪啦。”周绮点头道：“嗯，刚才杀了个官兵，血腥气一冲，就忍不住要呕，真受罪。”

第二天早晨，阿凡提对徐天宏道：“过去三十里路，就到我家。我有一个很美的老婆在那里……”李沅芷插嘴道：“真的么?那我一定要去见见。她怎么会喜欢你这大胡子?”阿凡提笑道：“哈哈，那是秘密。”对徐天宏道：“你老婆骑了马跑来跑去，拳打脚踢，对肚里那头小牛只怕不好，还是在我家里休息，等咱们找到那几个坏蛋，干掉之后，再回来接她。”徐天宏连声道谢。周绮本来不愿，但想到自己两个哥哥，一个弟弟都已死了，自己怀的孩子将来要继承周家的香烟，也就答应了。

到了镇上，阿凡提把众人引到家里，他提起锅子，当当当一阵敲。内堂里出来了一个三十多岁的女人，果然相貌甚美，皮肤又白又嫩，见了阿凡提，欢喜得什么似的，口中却不断咒骂：“你这大胡子，滚到哪里去啦？到这时候才回家，你还记得我么?”阿凡提笑道：“快别吵，这我可不是回来了么？拿点东西出来吃啊，你的大胡子饿坏啦。”阿凡提的妻子笑道：“你瞧着这样好看的脸，还不饱么?”阿凡提道:“你说得很对,你的美貌脸蛋儿是小菜,但要是有点面饼什么的,就着这小菜来吃,那就更美啦。”她伸手在他耳上狠狠扭了一把,道:“我可不许你再出去了。”转身入内,搬出来许多面饼、西瓜、蜜糖、羊肉飨客。李沅芷虽不懂他们夫妇说些什么,但见他们打情骂俏,亲爱异常,心中一阵凄苦。

正吃之间,外面声音喧哗,进来一群回人,七张八嘴的对阿凡提申诉纠纷争执。阿凡提又说又笑的给他们排解了,众人都满意而出。人刚走完,又进来两人,一个是童子,一个是脚夫。那童子道:“纳斯尔丁,胡老爷说,你借去的那只锅子该还他啦。”阿凡提向周绮瞧了一眼,笑道:“你去对胡老爷说,他的锅子怀了孕,就要生小锅啦,现下不能多动。”那童子一呆,转身去了。

阿凡提转头问那脚夫:“你找我什么事?”那脚夫道:“去年我在镇上客店里吃了一只鸡,临走时要掌柜结帐。掌柜说:‘下次再算吧,不用急。’我想这人倒很好,便道了谢上路了。过了两个月我去还帐,他扳着手指,嘴里唠唠叨叨的,好似这笔帐有多难算似的。我说:‘你那只鸡到底值多少钱,你说好啦!’掌柜摆摆手,叫我别打扰他。”

阿凡提的妻子插嘴道:“一只鸡吗,就算是最大的肥鸡,也不过一百铜钱!”那脚夫道:“我本来也这么想,哪知掌柜又算了半天,说道:‘十二两银子!’”阿凡提的妻子拍手惊叫:“啊哟,一只鸡哪有这么贵?十二两银子好买几百只鸡啦。”那脚夫道:“是呀,我也这么说。那掌柜说:‘一点儿没错,你倒算算看,要是你不吃掉我的鸡,这鸡该下多少蛋?这些蛋会孵成多少小鸡?小鸡长大了,又会下多少蛋?……’他越算越多,说道:‘十二两银子还是便宜的啦!’我当然不肯给,他就拉我到财主胡老爷那里去评理。胡老爷听了掌柜的话,说很有道理,叫我快还。他说要是不快还帐哪,那些蛋再孵成小鸡,我可不得了哪。纳斯尔丁,你倒给我评评这个理看……”

说到这里,刚出去的童子又回来说道:“胡老爷说,锅子会怀什么孩子？他不相信，叫你快把铁锅还给他！”阿凡提到厨房里拿了一只小铁锅出来，交给童子道：“这明明是锅子的儿子，你拿去给胡老爷吧。”那童子将信将疑，拿了铁锅去了。阿凡提对那脚夫道：“你要胡老爷当众评理。”脚夫道：“要是我输了，岂不是反要赔二十四两银子？”阿凡提道：“别怕，输不了。”

过了半个时辰，那脚夫进来道：“纳斯尔丁大叔，胡老爷已招集了大伙，在评理啦，请你快去。”阿凡提道：“我在这里有事，过一会再来。”坐着和妻子说笑，跟众人聊天。那脚夫很是焦急，接连奔进来催了几次，阿凡提才慢条斯理的去了。

徐天宏等都跟着去看热闹，只见市集上聚着七八百人，一个穿花绸皮袍的大胖子坐在中间，料来就是胡老爷了。这时众人等着阿凡提，已很心焦。胡老爷叫道：“阿凡提，这脚夫说你来帮他说话，怎么这时候才来？”阿凡提施礼问安，笑道：“对不起，因为有一件要紧事，所以来迟了。”胡老爷说：“难道还有比评理更要紧的事么？”阿凡提道：“当然啦，你瞧，我明天要种麦子啦，可是麦种还没炒熟下肚呢，这怎么行？我炒了三斗麦种，吃了老半天才吃完，因此耽搁啦。”说着连连施礼。胡老爷和客店掌柜同时叫了起来：“真是胡说八道，把麦种吃了，怎么还能下种？你这疯子，还来帮人家说话。”

旁听的众人也都哄笑起来，阿凡提却只摸着大胡子，笑眯眯的不作声。过了一阵，嘈杂之声渐息，阿凡提道：“你说吃下去的麦子不能下种，那么脚夫吃下去的鸡，怎么还能下蛋？”众人一想，都叫了起来：“不错，不错，吃下去的鸡怎么还能下蛋？”大家高声欢呼，把阿凡提抬了起来。胡老爷见众意如此，只得宣布：“脚夫吃了客店掌柜一只鸡，应该还一百铜钱。”那脚夫欢天喜地的把一串铜钱交给掌柜，笑道：“以后可再也不敢吃你的鸡啦。”掌柜收了，一言不发就走。众回人笑骂，有些孩子往他背上丢石块。

胡老爷走到阿凡提面前，道：“我借给你的锅子生了个孩子，那很好。什么时候再生第二胎哪？”阿凡提愁眉苦脸的道：“胡老爷，你的锅死啦。”胡老爷怒道：“锅子怎么会死？”阿凡提道：“锅子会生孩子，当然会死。”胡老爷叫道：“你这骗子，借了我铁锅想赖。”阿凡提也叫道：“好吧，大家评评理。”胡老爷想起贪便宜收了他的小铁锅，这时张扬开来大失面子，真是哑子吃黄莲，说不出的苦，连连摆手，挤在人丛中走了。

阿凡提骗倒了平时专门欺压穷人的财主胡老爷，得意非凡，仰天大笑。忽然后面一个声音叫道：“大胡子，又做什么傻事啦？”阿凡提回头一看，见是天池怪侠袁士霄，心中大喜。他二人一回一汉，分居天山南北，所作所为尽是扶危济困、行侠仗义之事，两人素来交好。阿凡提一把拉住袁士霄手臂，笑道：“哈哈，你这老家伙来啦，快到我家里看我老婆去。”袁士霄笑道：“你老婆有什么了不起，成日猴子献宝似的……”

话未说完，徐天宏与余鱼同已抢上来拜见。袁士霄道：“罢了，罢了，我又不是你们师父，磕什么头？家洛呢？”徐天宏道：“总舵主比我们先走一步……呀，陈老爷子和老太太也来啦！”转身向站在袁士霄身后的天山双鹰施礼，见关明梅牵着陈家洛乘坐的白马，心中一惊，问道：“这马老前辈从哪里见到的？”

关明梅道：“我见过你们总舵主骑这马，所以认得，刚才见它在沙漠里乱奔乱闯，我们三人费了好大的劲才拉住了。”徐天宏大惊，说道：“难道总舵主遇险？咱们快去救。”

众人齐到阿凡提家里，饱餐之后，与周绮作别。徐天宏、周绮夫妇成亲以来首次分别，自是依依不舍。阿凡提的妻子见丈夫回家才半天，便又要出门，拉住他胡子大哭大闹。阿凡提笑嘻嘻的安慰，说道：“我找了一位太太来陪你。她跟你一样年轻美貌，肚里又怀了个孩子，那是一共有两个人陪你啦。胜于我一个大胡子。”她只是哭闹不停，叫道：“我不许你大胡子走，不许你大胡子走！”阿凡提笑道：“你要留住我的胡子？好！”突然拔下十几根胡子，塞在她的手里，夺门而出。

阿凡提骑了这头大狗似的驴子，双脚几乎可以碰到地面，远远望去，驴子就如生了六条腿一般。袁士霄道："大胡子，你骑的是什么呀？是老鼠呢还是猫？"阿凡提道："老鼠哪有这么大呀？"袁士霄道："那多半是一头大老鼠。"徐天宏和余鱼同听着二人说笑，心中挂念陈家洛，说什么也笑不出来。李沅芷骑了骆冰的白马，放松缰绳，由它在前领路。

阿凡提的驴子实在走得太慢，行到傍晚，不过走了三十多里路，大家都急了。徐天宏对阿凡提道："老前辈，我们总舵主恐怕遭到了危难，我们想先走一步。"阿凡提道："好吧，好吧。到前面镇上，我另买一头中用些的驴子就是。这头笨驴不中用，它偏偏还自以为了不起。"催驴赶上，与李沅芷并辔而行。

白马比毛驴高出一半，阿凡提仰头问李沅芷道："大姑娘，你为什么整天不高兴呀？"李沅芷忽然想起，这位怪侠虽然假作痴呆，其实聪明绝伦，回人有什么为难之事，向他请教，立即应手而解，便道："胡子叔叔，对付不识好歹的人，你有什么法子？"阿凡提道："我拿铁锅往他头上一罩，你就一剑。"李沅芷摇头道："不成，比如说他是你很……很亲近的人。你待他越是好，他越是发驴子脾气。"阿凡提一扯胡子，已了然于胸，笑道："我天天骑驴子，对付笨驴的倔脾气，倒很有几下子。不过这法子可不能随便教你。"

李沅芷柔声道："胡子叔叔，要怎样才能教呀？"阿凡提道："咱们还得打个赌，你赢了我才教。"李沅芷笑道："好呀，咱们再来赛跑。"阿凡提道："赌别的吧，赛跑你准输。"取出驴尾来一晃，道："我不会再上你当啦。"李沅芷道："你不信就试试。"阿凡提道："好，瞧你又有什么鬼门道。"指着前面的一个小市镇道："谁先到第一间屋子谁赢！"李沅芷道："好呀，胡子叔叔，你又输了！"双腿微微一夹，一提缰，那白马如箭离弦，腾空窜出。

阿凡提负起驴子，发足追来。这白马是数世一见的神驹，这一发力奔驰，直如雷轰电掣一般，他如何追赶得上？还没追得一半路，白马已奔到市镇。阿凡提放下驴子，呵呵大笑道："又上了这小妮子的当。我虽知这是匹好马，哪想得到竟有这么快。”

徐天宏等见他如此武功，尽皆惊佩，一头几十斤的小驴负在背上并不为奇，奇的是他脚下竟如此神速，若非这匹宝马，寻常坐骑非给他追上不可。

穿过市镇，行不多时，蓦地里白马一阵长嘶，腾跃狂奔。李沅芷大惊勒缰，竟然约束不住。众人见白马发狂，都吃了一惊，散开了追赶拦截。只见白马直向大漠中急冲，奔到几个人面前，斗然停住，李沅芷下马与他们说话。远远望去，那些是什么人却瞧不清楚。

突然那白马又回头驰来，奔到半途，徐天宏与余鱼同认出马上之人已换了骆冰，心中大喜，忙迎上去。双方走近，见后面是文泰来、卫春华、章进、心砚四人，最后一人白发苍苍，背负长剑，拉住了李沅芷的手在不住询问，竟是武当派前辈绵里针陆菲青。原来那白马恋主，又有灵性，远远望见骆冰，就没命的奔去。

余鱼同抢到陆菲青跟前，双膝跪下，叫了声：“师叔!”伏地大哭。陆菲青伸手扶起，泪水也不禁扑簌簌的流了下来，呜咽道：“我得知你师父的噩耗之后，连日连夜赶来，途中与文四爷他们遇上，他们也正在追捕这奸贼……你放心，咱爷儿俩定要给你师父报仇!”当下双方厮见了。文泰来等都挂虑陈家洛的安危。

众人到市镇打尖，阿凡提去买驴子，李沅芷悄悄跟在后面。阿凡提也不理她，自行选了一头高头健驴，身高几有原来那头没尾驴的两倍。阿凡提把没尾驴折价让给了驴贩，笑道：“官帽害死了这笨驴，可不能让这畜生再戴了。”把官帽摔在地下，踏得稀烂。李沅芷等他付了银两，替他牵过驴子，笑吟吟的和他并肩而行。

阿凡提道：“我从前养了一头毛驴，那脾气真是倔得吓人。我要它走，它偏偏站住，要它站着呢，这家伙又给你打个圈儿。有一天呀，我要它拉了车儿上磨坊去，就只这么几十步了，哪知忽然说什么也不肯走啦。越是赶，越是后退，哄也不行，打也不行，管它叫亲爷爷亲奶奶呢，也不成，你猜我怎么办?”李沅芷知他在妙语点化，当下用心倾听，不敢嬉笑，道："你老人家总有法子。"阿凡提笑道："好呀，大姑娘想女婿，什么也肯，本来叫我胡子叔叔，现今可叫'你老人家'啦！"李沅芷脸一红，道："我是说你的驴子呀！"

阿凡提道："不错，不错。后来我一想，成啦！我拉这笨驴转了个身，磨坊在东，我让驴子朝着西边，然后使劲的赶，它仍是一步一步的倒退，退呀退的，这可到了磨坊啦。"李沅芷喃喃自语："你要它往东，它偏偏往西……那么你就要它往西。"阿凡提一竖拇指，道："不错，就是这么办。后来哪，我又想出了一个法儿。"李沅芷忙问："什么？"阿凡提道："我在鞭子上挂了一个胡萝卜，伸在笨驴前面。笨驴想吃胡萝卜，不住向前走，一直走了几十里路，到了我要它去的地方，这才把胡萝卜给它吃。"李沅芷立时领悟，笑道："多谢你老人家指教。"阿凡提笑道："现下你去找你的胡萝卜吧！"

李沅芷寻思："余师哥最想得到的，是什么东西？刚才他见到我师父，哭成这个样子，那么对他最要紧的，莫过于杀张召重给马师伯报仇了。这么说来，得想法子去杀张召重。"转念一想："张召重武艺高强，我又怎杀得了他？再说，就算杀了，他也只是感激我而已，不会像驴子望着胡萝卜那样，一路追个不停。"又想："我小时候见到佣人的儿子玩泥娃娃，哭着要，他不肯给，我偏偏一定要。这胡子叔叔说得不错，我越是对他好，他越是避开我。以后倒不如冷冷淡淡的，等他觉得我好时，再让他来尝尝苦苦求人的滋味。驱赶倔脾气的笨驴，就得用大胡子叔叔的法子。"心下打算已定，真的对余鱼同不理不睬起来。骆冰与徐天宏冷眼旁观，都觉奇怪。阿凡提只是拉着大胡子微笑。

阿凡提换了脚力，行得快了数倍，一行人蹄踏黄沙，途随白马，来到白玉峰前。那白马对狼群犹有余怖，到了进入古城的歧道处，就停步不前了。骆冰一再驱赶，白马无论如何不肯再前行一步。袁士霄道："狼群大队曾聚在这里，咱们循着狼粪一路寻进去吧。”众人见到狼粪甚多，想到陈家洛的安危，都是心焦如焚。骆冰下了白马，与文泰来共乘一骑。

曲曲折折的走了半天，忽听得脚步声响，歧路上转出四个人来，当先一人正是张召重。徐天宏一声唿哨，连同卫春华、章进、心砚一齐散开，往四人后路抄去。张召重斗见群雄，一惊非小，尤其看到师兄陆菲青，登时脸色苍白，额上冷汗直冒。余鱼同手挥金笛，便要扑上去拼命。袁士霄左手抓住他臂膀轻轻一拉，余鱼同身不由主的退回。

袁士霄指着张召重骂道：“前几天和你相遇，还道你是武当派的一位高手，哪知竟是个无恶不作的匪类，连自己师兄也忍心害了。爽爽快快，给我自己了断吧。”

张召重见对方至少有五人和自己功力相若，有的甚至在自己之上，以力相拼，必无幸理，当下硬起头皮，道：“我这边只有四人，你们倚多为胜，张某死在此地，又何足为耻?”袁士霄大怒，心想：“那三人能力敌群狼，倒也都是硬手，他们四人齐上，我一人可对付不了，但有大胡子相帮，那也成了。”哼了一声，说道：“要杀你这恶徒，也用得着倚多取胜？你们四人一齐上来，我只和这大胡子兄弟两人接着。你们四个家伙只要能和我们两人打个平手，就放你走路。”

张召重向阿凡提注目打量，见他面容黝黑，一丛大胡子遮住了半边脸，笑得双眼眯成了两条缝，不似身怀绝技的高人，心想：“这姓袁的确是武功惊人，远胜于我，难道这大胡子回人也厉害之极？关东三魔中有一人相助，我或可和这姓袁的打成平手，余下两人对付这个回子，想来也行了。”身处此境，也已不容他有何异言，便道：“那么我们就试一试，请袁……袁大侠手下容情。”袁士霄厉声道：“我手下是毫不容情的。”转头对阿凡提道：“大胡子，在这许多新朋友面前，咱哥儿俩可别出丑了。”阿凡提道：“我乡下佬见官，有点儿怯，只怕不成。”身子一晃，也没见他抬腿动足，已下了驴子。张召重见他身法，蓦地想起，原来就是那晚在墓地中抢他帽子的怪人，不觉凛然一惊。

袁士霄叫道："都上来吧。用心打，别打主意想逃，在我老儿手下可跑不了。"

哈合台走上一步，对袁士霄说："袁大侠于我三兄弟有救命大恩，我们万万不敢接你老人家的招。再说，我们跟这姓张的也只相会，并无交情，犯不上为他助拳。"他见张召重行为卑鄙，早就老大瞧他不起，只是他此刻猝遇众敌，再要出言损他，未免有讨好对方、自图免祸之嫌，是以只说到此处为止。三魔并排站在一旁，竟是摆明了置身事外。

袁士霄眉头一皱，说道："他们不肯动手，只剩下了你一个，那怎么办？我三十岁那一年，曾向祖师爷立过重誓，从此而后，决不跟人单打独斗。"说着向天山双鹰瞥了一眼。原来他当年生怕自己妒火焦焚、狂性大发之下，竟会将陈正德打死，是以立此重誓，约束自己，当下又道："大胡子，只有麻烦你了。"

阿凡提解下背上锅子，笑道："好吧，好吧，好吧。"呼的一声，锅子当头向张召重罩到。张召重向左跃开，凝神瞧他使的是什么兵刃，只见黑黝黝，圆兜兜，一面凹进，一面凸出，凸的一面还有许多煤烟，竟像是只铁锅。阿凡提笑道："你心里一定在想：这是什么呀？倒像是只锅子。跟你说，这正是一只锅子。你们清兵无缘无故的到回部来，打烂了许多锅子，害得我们回人吃不了饭。好哇，现今锅子来打清兵啦！"语声未毕，又是一锅向张召重当头罩下。

张召重一招"仙鹤亮翅"，倏地斜穿闪过，回手出掌，向对方肩头打到。阿凡提身子微挫，左手在锅底一擦，一手煤烟往他脸上抹去。

张召重自出道以来，身经百战，从未遇到过这样的怪人，只见他右手提锅，左手抹烟，脚步歪歪斜斜，不成章法，然而自己攻出的凶狠招数，却每次都被他轻易避开，哪里敢有丝毫怠忽，当下展开无极玄功拳，抱元归一，全身要害守得毫无漏洞。道路本极狭窄，地下又是山石嶙峋，两人挤在这凶险之地，攻守拒击，登时斗得激烈异常。袁士霄叹道："奸贼呀奸贼，凭你这身功夫，本也是难得之极的了，若不是心地如此歹毒，我老头子忍不住要起爱才之心。"余鱼同忙道："不行，老爷子，不行！"

心砚问卫春华道："九爷，这位胡子大爷使的是什么招术？"卫春华摇摇头。这边天山双鹰、陆菲青、文泰来等也不懂阿凡提的武功家数，都暗暗称奇。突然间阿凡提左腿飞起，锅子横击，张召重无处躲避，急从锅底钻出。不料阿凡提左掌张开，正候在锅子底下。张召重待得惊觉，已不及闪避，当下左拳一个"冲天炮"，猛向锅底击去。阿凡提叫道："吃饭家伙，打破不得！"锅子向上一提，随手抹去，张召重脸上已被抹上五条煤烟。

两人均各跃开。阿凡提叫道："来来来，胜负未决，再比一场。"张召重望着他手中铁锅，瞋目不语。阿凡提道："呀，是了，你没带兵刃，输了也不服气。"转头对李沅芷道："大姑娘，你的切菜刀借给胡萝卜用一下。"

两人相斗之时，李沅芷挨得最近，只待张召重一被锅子罩住，立即抢上一剑，岂知自己心事竟被这怪侠说了出来，不觉满脸绯红。阿凡提说话素来疯疯癫癫，旁人听他管张召重叫"胡萝卜"，也都不以为意，哪知中间另藏着一段风光旖旎的女儿情怀。阿凡提见她不动，把嘴俯在她耳边，低声说道："你把切菜刀给他，我仍然能抓住他。"李沅芷点点头，掷出长剑，叫道："剑来了，接着！"

张召重右手一抄接住剑柄，突然转身，左手一扬，一扫芙蓉金针向阻住退路的徐天宏、卫春华诸人迎面掷去。徐天宏等知道厉害，疾忙俯身，只觉头顶风声飒然，张召重已窜了过去。他奔到哈合台身边，伸左手扣住了他右手脉门，叫道："快走！"

哈合台登时身不由主，被他拉着往迷城中急奔。滕一雷与顾金标不及细思，随后跟去。这一来变起仓卒，等徐天宏等站起身来，四人已转了弯。袁士霄和阿凡提均各大怒，倏地拔起身子，如两只大鹤般从徐天宏等头顶跃过。天池怪侠身法好快，人未落地，已一把抓住滕一雷的后领，把他一个肥肥的身躯甩了起来。滕一雷也不知道抓着他的是谁，只觉身子悬空，使不出力，忙挥独足铜人向后疾点，忽觉自己身子被一股极大力量掷了出去，只惨叫得一声，已撞在半山腰里，脑浆迸裂而死。

袁士霄掷死滕一雷，脚下毫不停留，转了个弯，见前面是三条歧路，不知张召重从哪一条路逃走，向右一指，叫道："大胡子，你追这边。"又向左一指，对天山双鹰道："你们两位追这边。"自己从中间那条路上追了下去。片刻之间，四人废然折回，都说只转了一个弯，前面又各出现岔路，无从追寻。

徐天宏在路上仔细察看，说道："这堆狼粪刚给人踏了两脚，他们定是循着狼粪向内逃窜。"袁士霄道："不错，快追。"众人随着狼粪追进，直赶到白玉峰前，仍不见张召重等三人的踪影。

众人在各处房屋中分头搜寻，不久卫春华就发现了峰腰中的洞穴。袁士霄和陈正德首先跃上，接着陆菲青、文泰来、关明梅等也都纵了上去。其他轻功较差的，由陆菲青和文泰来一一用绳子吊上，最后剩下心砚。阿凡提笑道："小兄弟，我试试你的胆子!"一把抓住他后心，喝道："接着!"把他身子向洞口抛去，文泰来一把抱住，阿凡提随即跳上。

这时袁士霄刚推开了石门。那门向内而开，要是外面被人扣住，里面千军万马也冲突不出，但自外入内十分容易。原来当年那暴君开凿山腹玉宫，自恃迷城道路千岔万回，外敌决难侵入，担心的反是变生肘腋，内叛在山腹负隅顽抗，因此把宫门造成如此模样。

袁士霄当先急行，众人在甬道中鱼贯而入。徐天宏折下了桌脚椅脚，点成火炬，各人分着拿了。追到大殿上时，各人兵刃都被磁山吸去，不免大吃一惊。阿凡提身手敏捷，抢上将飞出的铁锅一把抓住，才没打破。众人追敌要紧，也不及细究原因，拾回兵刃，直入玉室，见床边又有一条地道。众人愈走愈奇，在这山腹之内谁都不敢作声，只是跟着袁士霄疾走。突然眼前大亮，只见碧绿的池边六人夹水而立。远远望去，池子那边是陈家洛、霍青桐和香香公主，这边就是张召重、顾金标和哈合台了。

众人大喜，心砚高声大叫："少爷，少爷，我们都来啦！"

文泰来等快步迎上。关明梅大叫："孩子，你怎样？"霍青桐叫道："师父师公，我好！你们快将这奸贼杀了。"说着向顾金标一指。陈正德上次空手出战三魔，险些吃亏，这时再不托大，拔出长剑，向顾金标左肩刺去。顾金标二次进来时已在大殿上拾回兵刃，当下抖动虎叉，和陈正德斗了起来。这边关明梅和哈合台也动上了手。

群雄各执兵刃，慢慢围拢，监视着张召重。李沅芷的剑借了给张召重，陆菲青把在杭州狮子峰上夺自张召重的凝碧剑给了她。

顾哈两人情急拼命，勉强支持了十余招，双鹰的三分剑术愈逼愈紧，两人只有招架的份儿。剑光飞舞中只听陈正德一声猛喝，顾金标胸口见血。陈正德接着又是一剑，指向对方下盘。顾金标向左急避，陈正德飞起一腿，扑通一声，水花四溅，顾金标跌入翡翠池中，一缕鲜血从池水中泛了上来。

那边哈合台也已被关明梅剑光罩住。余鱼同想起哈合台数次相救之德，知道师叔与双鹰交情极好，忙对陆菲青道："师叔，这个不是坏人，你救他一救。"陆菲青道："好。"见关明梅上刺一剑，下刺一剑，左刺一剑，右刺一剑，哈合台满头大汗，脸无人色，不住倒退。陆菲青突然跃出，铮的一声，白龙剑架开了关明梅长剑，叫道："大嫂，这人还不算坏，饶了他吧。"关明梅见陆菲青说情，总得给他面子，当即收剑。陆菲青转过头来，见哈合台不住喘息，因使劲过度，身子抖动，喝道："快谢了关大侠不杀之恩。"

哈合台心想结义六兄弟死剩自己一人，活着又有何意味，叫道："我何必要她饶命！"又要扑上厮杀，忽听水声一响，顾金标从水面下钻了出来，慢慢游近池边，哈合台抛去弯刀，抢过去拉起。顾金标受伤甚重，又喝了不少水，委顿不堪。哈合台不住给他胸口揉搓，毫不理会身边众人。霍青桐奔到临近，骂了声："奸贼！”挺剑向顾金标胸口刺去。

哈合台情急之下，举臂挡格。霍青桐一剑直下，眼见就要将他手臂削断。袁士霄想起他引狼入阱时之功，捡起一块小石子掷出，当的一声，霍青桐手臂发麻，长剑震落在地，不禁一呆。袁士霄道：“料理了那姓张的恶贼再说，这两人逃不了。”

张召重被群雄围住，见顾哈两人恶战之后，束手待缚，文泰来、阿凡提、陈家洛、陆菲青等四下牢牢监视，哪里更有脱身之机，长叹一声，正要抛剑就戮，忽然陆菲青身后一人闪出，正是李沅芷。她手执长剑，直冲过来，骂道：“你这奸贼！”众人一楞，李沅芷已扑到张召重身前，低声道：“我来救你。”刷刷刷数剑，疾刺而至。张召重不明她是何用意。李沅芷忽然脚下假意一滑，向前一扑，低声道：“快拿住我。”张召重大悟，乘她一剑削来，举剑挡格，左手已抓住她手腕，当的一声，自己长剑已被削断，一瞥之下，见她手中所持竟是自己的凝碧剑，真是喜上加喜。

这时文泰来、余鱼同、卫春华、陈正德同时抢上救人。张召重凝碧剑挥了个圈子，金笛双钩一起断折。文泰来和陈正德疾忙收招，兵刃才没受损。张召重将宝剑点在李沅芷后心，喝道：“让道！”这一下变出不意，众人眼见巨奸就缚，哪知李沅芷少不更事，勇猛贪功，反而变成他的护身符。

李沅芷假意软软的靠在张召重肩头，似乎被他点中穴道，动弹不得。张召重见众人面面相觑，不敢来攻，正要寻路出走，李沅芷在他耳边低声道：“回到山腹中去。”他一想不错，大踏步走向地道。

袁士霄和陈正德恼怒异常，一个捡起一粒石子，一个摸出三枚铁菩提，齐向张召重后心打去。张召重弓背俯身，让过暗器，脚下丝毫不停，奔入地道。只听得李沅芷大叫一声：“啊哟！”陆菲青一惊，叫道：“大家别蛮干，咱们另想别法。”他也真怕张召重不顾一切，伤害了他徒儿。

众人紧跟张召重身后，追入地道，只霍青桐手执长剑，怒目望着顾金标。哈合台忙着给盟兄包扎胸前伤口，对身旁一切犹如不闻不见。陈家洛怕霍青桐孤身有失，走到地道口前停了步，对香香公主道："咱们在这里陪你姊姊。"

张召重拉着李沅芷向前忽奔，众人不敢过分逼近，甬道中转弯又多，无法施放暗器。奔完甬道，眼见张召重就要越过石门，袁士霄一挫身，正要窜上去攻他后心，黑暗中只听得一阵嗤嗤嗤之声，忙贴身石壁，叫道："大胡子，铁锅！"阿凡提抢上两步，铁锅倒转，一阵轻轻的铮铮之声过去，铁锅中接住了数十枚芙蓉金针。

阿凡提叫道："炒针儿吃啊，炒针儿吃呀！"就这样缓得一缓，张召重和李沅芷已奔出石门，两人合力将门拉上，将铁条插入门扣。袁士霄和陈正德抢上来拉门，但石门内面无可资施力之处。两人都是火气奇大，这时岂有不破口怒骂之理？

张召重又将金斧斧柄插入铁环，喘了一口长气，对李沅芷道："多谢李小姐相救！"李沅芷笑道："我爸爸和张师叔都是朝廷命官，我自然要救你。"张召重道："李军门近来安好，太夫人安好。"说着打了个千请安，竟是按着官场规矩行起礼来。

李沅芷道："你是师叔，我可不敢当。咱们快想法逃走。师父一定瞧得出是我救你，要是给他追上了，可没命啦。"张召重道："他们人多，咱们快回内地，多约帮手，再来擒拿。"李沅芷道："他们一定回去池边，绕道追过来。张师叔，得快想法子。在这大漠之上，可不容易逃脱啊！"张召重武功甚高，人也奸猾，计谋却是平平，当下皱起了眉头，一时想不出法子。李沅芷似乎焦急异常，伏在石上哭泣起来。

张召重忙加劝慰："李小姐，别怕，咱们一定逃得了。"李沅芷哭道："就算逃出了迷城，不用一两天，又得给他们赶上。妈呀，呜呜……妈呀！"张召重给她哭得心烦意乱，连连搓手。李沅芷忽然破涕为笑，问道："你小时候捉过迷藏吗？"

张召重自幼父母双亡，五岁时就由师父收养学艺，马真和陆菲青都比他年长得多，因此这些孩子的玩意都没玩过，当下脸现迷惘之色，摇了摇头。李沅芷道："咱们在迷城中躲了起来。他们一定找不到，以为咱们逃出去啦，在外面拼命追赶。咱们过得三四天再慢慢出来。"张召重大拇指一翘，道："李小姐真聪明！"随即道："可是咱们没带粮食，三四天……"李沅芷道："外面马背上又有干粮又有水。"张召重喜道："好，咱们快躲起来。"两人缘着长索攀上峰腰洞口。这长索是张召重和三魔上次进出山腹时所留，哈合台是牧人，身上爱带长索。两人转身出洞，再沿山壁溜下，各自牵了一匹马，向外奔出。

走到分歧路口，李沅芷道："你瞧地下这狼粪，本来出外是往左，咱们偏偏往右……"说到这里，见牵着的那匹马尾巴扬起，就要拉粪，忙取下马背上的粮袋水囊，把两匹马的马头牵过向左，猛力一鞭，两马负痛，放蹄疾奔而去。张召重愕然不解，问道："什么？"李沅芷笑道："他们寻到这里，见马蹄印和新鲜马粪都在左边正路上，自然向左边追出去。"张召重大喜，道："妙计，妙计！"

两人从歧路向右。每走上一条岔路，李沅芷都用三块小石子在隐蔽处叠个记号。张召重道："这里道路千叉万支，要是没了这记号，咱俩也真的没法子找路出去。"行了半日，两旁山壁愈逼愈紧，也不知已转了多少弯，走了多少岔路。李沅芷见天色渐暗，说道："就在这里歇吧。"两人吃了干粮，喝了水，坐着休息。张召重道："另一匹马上的粮袋水囊没来得及取下，真是可惜。"李沅芷道："只好省着点儿用。"张召重道："是。"李沅芷把粮袋和水囊放在张召重身边，说："你好好看着，这是咱们的命根子。"张召重点头答应。李沅芷走开十多丈，找了个干净地方睡倒。

睡到半夜，张召重忽听李沅芷一声惊叫，疾忙跳起身来，只见她指着来路，叫道："一只大灰狼，快快！"张召重拔出凝碧剑，飞步追了出去，转了两个弯，不见狼踪，生怕迷路，不敢再追，退回来时，却不见了李沅芷的踪影，叫得一声："李小姐！"只见地下湿了一片，水囊已然倾翻，忙抢上拾起，见囊中只剩点点滴滴，正自懊丧，李沅芷已从那边山道中转了出来，道："那边又有一只狼，冲过来抢水喝。"张召重一举水囊，道："想不到恶狼还不死干净，你瞧！"李沅芷坐在地下，双肩耸动，又哭了起来。张召重道："既没了水，这里没法多待。再熬一天，就冒险出去吧。"李沅芷站起身来，道："我出去探探，你在这里等我。"张召重道："咱们一起去。"李沂芷道："不，再遇上他们，你还有命么？我总好些。"张召重一想不错，道："李小姐可要千万小心。"李沅芷道："嗯，你的宝剑借给我吧。"张召重把凝碧剑递过。

李沅芷接剑回身，循着记号从原路出来，每到一处岔路，便照样摆上三块小石子，只是在真记号边上多撒一堆沙子。张召重如自行出来，见了这些记号，一定分不出真假，东转西转、无所适从之余，非仍回原地不可。她一路布置，心中暗暗好笑，自忖假造狼讯，倒翻水囊，那张召重居然丝毫不觉，这一来可逃不出自己的掌握了。

天色将明，已走上正路，只听得转弯角上有人在破口大骂："瞧我抽不抽这恶贼的筋，剥不剥他的皮？"又有一人笑道："要抽筋剥皮，也得先找到这恶贼才行。"李沅芷大叫一声："啊哟！"倒在地下，假装昏了过去。

说话的正是袁士霄和阿凡提，他们拉不开石门，只得回到池边。霍青桐从地图中找到了秘道，从后山绕了出来，张召重和李沅芷早已不知去向。袁士霄正在大发脾气，忽然听得叫声，寻声过来，见李沅芷倒在地下，又惊又喜，一探尚有鼻息，身上又没伤痕，这才放心，急忙施救，李沅芷却只是不醒。袁士霄焦急起来，阿凡提笑骂："这顽皮女孩，倘若是我女儿呀，不结结实实揍一顿才怪。"见她还在装腔作势，不肯醒转，说道："要是真的晕了过去，那么我打十几鞭都不会动。"一抖驴鞭，刷的一鞭打在她肩上。

袁士霄正要出言怪他鲁莽，李沅芷却怕他再打，睁开了眼睛，"啊"的一声叫了出来。阿凡提得意非凡，笑道："我的鞭子比你什么推宫过血高明多啦，一鞭她就醒了。"袁士霄心想："大胡子倒真有两下子。”忙俯身问道：“没受伤么？那奸贼呢？”李沅芷道：“我给他拿住了，怕得要命，昨晚半夜里他睡得迷迷糊糊了，我才偷偷逃了出来。”袁士霄道：“他在哪里？快带我去找。”李沅芷道：“好。”站起身来，身子一晃一晃的，袁士霄伸手扶住。阿凡提道：“你们两人去吧，我在这里等着。”袁士霄怪目一翻，道：“大胡子想偷懒？好吧，就没有你，我也对付得了。”

两人离去不久，陆菲青、陈正德、陈家洛、文泰来等分头在各处搜索之后都陆续汇齐。阿凡提也不跟他们说起，听他们纷纷议论，只是微笑。章进与心砚押着顾金标与哈合台，远远坐在地下。又过一阵，袁士霄和李沅芷回来了。众人大喜，陆菲青和骆冰忙抢上去慰问。袁士霄向阿凡提道：“大胡子，你又占了便宜，省得白走一趟。她认不出道啦。我们两人转来转去，险些回不出来。”

众人一商量，都说如捉不到张召重决不回去，可是这迷城道路如此变幻，如何寻他得着？徐天宏和霍青桐虽都极富智计，却也想不出善法。徐天宏道：“要是有两头狼犬就好啦……”陈正德道：“我们家里倒有大狼犬，就可惜远水救不得近火。”说话之间，徐天宏见阿凡提嘴角边露着微笑，知他必有高见，走近身去，道：“我们实在不知怎么办，请老前辈指示一条明路。”阿凡提向余鱼同一指，笑道：“明路就在他身上，怎么不要他找去？”余鱼同愕然道：“我？”阿凡提点点头，仰天长笑，跨上驴子，飘然而去。

徐天宏起初还以为他开玩笑，细加琢磨，觉得李沅芷的言语行动之中破绽甚多，心想这事只怕得着落在她身上，于是悄悄去和骆冰说了。骆冰一想有理，倒了一碗水，拿了一块烧羊肉给李沅芷，说道：“李家妹妹，你真有本事，怎么能逃得脱那坏蛋的毒手？”李沅芷道：“那时我都吓胡涂啦，拼命奔跑，只怕给这恶贼追上了，乱闯乱冲，什么路也认不出，真是天保佑，居然瞎摸了出来。”料知骆冰定要查问途径，把她问话先给堵住了。

骆冰本来将信将疑，也不知她是否真的知道张召重藏身之所，待听她推得一干二净，心里反倒雪亮了，暗笑：“小妮子好狡猾！”

说道："妹妹你细细想一想，定能认得出来去的途径。"李沅芷叹道："要是我心境好一点，不这么失魂落魄似的，本来也不会这么胡涂，竟然忘记得没一点儿影子。"骆冰心道："来啦，来啦。"低声悄语："你的心事我都明白，只要你帮我们这个大忙，大伙儿一定也帮你完成心愿。"李沅芷脸上一阵飞红，随即眼圈儿也红了，低声道："我是个没人疼的，逃出来干么呀？还不如给那姓张的杀了干净。"骆冰听她语气一转，竟又撒起赖来，知道自己是劝她不转的了，说道："妹妹你累啦，喝点水歇歇吧。"李沅芷点点头。

骆冰把余鱼同拉在一旁，跟他低声说了好一阵子。余鱼同神色先是颇见为难，后来又是咬牙切齿，终于下了决心，一拍大腿，道："好，为了给恩师报仇，我什么都肯。"

李沅芷自管闭目养神，对他们毫不理会，过了一会，听得余鱼同走到身旁，说道："师妹，你数次救我性命，我并非不知好歹，眼下要请你再帮我一个大忙。"说着施下礼去。

李沅芷道："啊哟，余师哥，怎么行起礼来啦？咱们是同门，要我做什么，你吩咐着不就行了吗？"余鱼同听她语气显得极为生分，这时有求于她，只得说道："张召重那奸贼害死我恩师，只要有谁能助我报仇，我就是一生给他做牛做马，也仍是感他大德。"

李沅芷一听大怒，心想："要是你娶了我，竟是一生做牛做马这么苦恼？"脖子一转，脸上登时便如罩了一层严霜，发作道："眼前放着这许多大英雄大侠客，还有你的什么钟舵主、鼓舵主，你干么不求他们帮去？你一路上避开人家，倒像一见了我，就害了你、累了你似的。我有这份本事帮你么？你再不给我走开些，瞧我用不用好听的话骂你。"

众人正商议如何追寻张召重，也没留心骆冰、余鱼同、李沅芷三人，忽听李沅芷提高了嗓子，面红耳赤的发起怒来，又见余鱼同低下了头讪讪的走开，都感愕然。

徐天宏和骆冰见余鱼同碰了一鼻子灰，只有相对苦笑，把陈家洛拉在一边，低语商量。陈家洛道："咱们请陆老前辈去跟她说，她对师父的话总不能不听……”话未说完，猛听得心砚与章进一个惊叫，一个怒吼，急忙回头，只见顾金标正发狂般向霍青桐奔去。

陈家洛大惊，斜窜出去，却相距远了，难以阻拦。卫春华抢上挡住，被顾金标用力一摔，退出两步。只见他和身向霍青桐扑去，叫道：“你杀了我吧！”霍青桐又惊又怒，举剑向他当胸刺去。他竟不闪避招架，反而胸膛向前一挺，波的一声，长剑入胸。

霍青桐回抽长剑，一股鲜血从他胸前直喷出来，溅满了她黄衫。众人围拢来时，顾金标已倒在地下。哈合台伏在他身边，手忙脚乱的想止血，但血如泉涌，哪里止得住？顾金标叹道：“冤孽，冤孽！”哈合台道：“老二，你有什么未了之事？”顾金标道：“我只要亲一亲她的手，死也瞑目。”熬住一口气，望着霍青桐。

哈合台道：“姑娘，他快死啦，你就可怜可……”霍青桐一言不发，转身走开，脸已气得惨白。顾金标长叹一声，垂首而死。

哈合台忍住眼泪，跳起身来，指着霍青桐的背影大骂：“你这女人也太忍心，你杀他，我不怪你，那是他自己不好。可是你的手给他亲一亲，让他安心死去，又害了你什么？”章进喝道：“别胡说八道，给我闭住了鸟嘴。”哈合台毫不理会，仍是怒骂。章进上前要打，给余鱼同拦住了。

陆菲青说道：“你们那焦文期焦三爷是我杀的，此后许多纠纷，都因此而起。关东六兄弟现下只剩了你一人。我们都知你为人正派，不忍加害，你就去吧。日后如要报仇，只找我一人就是。”哈合台也不答腔，抱着顾金标的尸身大踏步走出去。

余鱼同捡了一只水囊，一袋干粮，缚在马上，牵马追上去，说道：“哈大哥，我仰慕你是条好汉子，这匹马请你带了去。”哈合台点点头，把顾金标的尸身放上马背。余鱼同从水囊中倒了一碗水出来，自己喝了半碗，递给哈合台道：“以水代酒，从此相别。”哈合台仰脖子喝干。余鱼同抽出金笛，那笛子被张召重削去了一截，笛中短箭都已脱落，但仍可吹奏，当下按宫引商，吹了起来。

哈合台一听，曲调竟是蒙古草原之音，等他吹了一会，从怀中摸出号角，呜呜相和。原来当日哈合台在孟津黄河中吹奏号角，余鱼同暗记曲调，这时相别，便吹此曲以送。众人听二人吹得慷慨激昂，都不禁神往。一曲既终，哈合台收起号角，头也不回的上马而去。

骆冰向哈合台与余鱼同的背影一指，对李沅芷道："这两人都是好男儿。"李沅芷道："是么？"骆冰道："你干么不帮他个大忙？"李沅芷叹道："要是我能帮就好了。"骆冰笑道："妹妹，咱们真人面前不说假话。你不肯说，等到陆伯父来逼你，就不好啦！"李沅芷道："别说我认不出路，就算认出，我不爱领又怎样？自古道女子要三从四德，这三从中可没'从师'那一条。"

骆冰笑道："我爹只教我怎样使刀怎样偷东西，孔夫子的话可一句也没教过。好妹子，你给我说说，什么叫做三从四德？"李沅芷道："四德是德容言工，就是说做女子的，第一要紧是品德，然后是相貌、言语和治家之事了。"骆冰笑道："别的倒也还罢了，容貌是天生的，爷娘生得我丑，我有什么法儿？那么三从呢？"李沅芷愠道："你装傻，我不爱说啦。"掉过了头不理她。骆冰一笑走开，去对陆菲青说了。

陆菲青沉吟道："三从之说，出于仪礼，乃是未嫁从父，既嫁从夫，夫死从子。这是他们做官人家的礼教，咱们江湖上的男女可从不讲究这一套。"骆冰笑道："本来嘛，未嫁从父是应该的。从不从夫，却也得瞧丈夫说得在不在理。夫死从子更笑话啦。要是丈夫死时孩子只有三岁，他不听话还不是照揍？"陆菲青摇头叹道："我这徒儿也真刁钻古怪，你想她干么不肯带路？"骆冰道："我想她意思是说，除非她爹叫她说，她才未嫁从父。可是李军门远在杭州，就算在这里，他也不会帮咱们。眼下只有从第二条上打主意啦。"陆菲青道："第二条？她又没丈夫。"骆冰笑道："那么咱们马上就给她找个丈夫。只要丈夫叫她领路，她一定既嫁从夫了。"

陆菲青给她一语点醒，徒儿的心事他早就了然于胸，师侄余鱼同也尽相配得上，他本想在大事了结之后设法给他们撮合，看来这事非赶着办不可了，笑道："讲了这么一大套三从四德，原来是为了这个。那真是城头上跑马，远兜转了。"于是两人和陈家洛商量，再把余鱼同叫过来一谈，当下决定，请袁士霄任男方大媒，请天山双鹰任女方大媒。

袁士霄和双鹰这时都在山壁高处瞭望，想找寻张召重藏身所有的踪迹，但千丘万壑，哪有丝毫端倪？陆菲青把他们请了下来，将此中关键所在简略说了。袁士霄呵呵大笑，说道："陆老哥，难为你教出这样一个好徒儿来，咱们大伙儿全栽在这女娃子手上了。"

众人笑吟吟的走到李沅芷跟前。陆菲青道："沅儿，我跟你师生多年，情同父女。你一个少年女子孤身在外，我很是放心不下，令尊又不在此间，我只好从权，师行父责，要给你找个归宿。"李沅芷低下了头不作声。陆菲青又道："你余师哥自从你马师伯遇害之后，自然也归我照料了。你们两人结为夫妇之后，互相扶持，也好让我放下了这副担子。"

这一切本来全在她意料之中，但这时在众人面前说了出来，还是羞得她满脸通红，低声道："这全凭爹爹作主，我怎知道？"

章进嘴快，冲口而出："你还有不愿意的吗？在天目山时大伙儿到处找你不着，原来躲在他……"卫春华左手一翻，按住了他嘴。

陆菲青道："令尊曾留余师侄在府上住了这么久，青眼有加，早存东床坦腹之选。咱们在这里先下了文定，将来禀明令尊，他必定十分欢喜。"李沅芷垂头不语。

骆冰叫道："好，好，李家妹妹答允了。十四弟，你拿什么东西下定。"余鱼同身上一摸，除了银两之外，什么也没带，正感为难，忽然触手一凉，却是他金笛被张召重所削断的那一段，捡起来想日后再要金匠焊上去的，当下摸了出来。说道："师叔，小侄身边没什么贵重物事。这段笛子倒是纯金的。"陆菲青笑道："这再好也没有，等将来你们大喜之日，再把两段金笛镶在一起。"群雄纷纷向两人道贺。李沅芷不肯接，骆冰硬把半截金笛塞在她手里，笑问："你拿什么回给他呀？"

李沅芷这时满心欢畅，容光焕发，笑道："我什么也没有。"陆菲青笑道："沅儿，你用的暗器不也是纯金的。"骆冰拍手笑道："不错。"将她暗器囊抢了过来，捡了十枚芙蓉金针，交给余鱼同收起。陈家洛笑道："这可称之为'针笛奇缘'了！"

香香公主见大家兴高采烈，问陈家洛做什么。陈家洛说了，香香公主大喜，一手挽了他手臂，一手挽了姊姊，走上前去，除下手上的白玉戒指，套在李沅芷手指上，说道："我们三个，给你，恭喜你。"霍青桐忽然暗自神伤，心想："如不是你女扮男装，搅出这番事来……"陈家洛笑道："咱们若在玉宫里带了几柄玉刀玉剑出来，倒可送给他们作贺礼。"霍青桐微微一笑，点了点头。

袁士霄和天山双鹰已向霍青桐问明了三人自狼群脱险、同入玉宫的经过，又见三人相互间神情亲密，看来陈家洛并非喜新弃旧，忘义负心，霍青桐对他和妹子亦无怨恨之意，三老心中均感欣慰。天山双鹰均想："幸亏当日没鲁莽杀了这二人，否则袁大哥固然不依，连我们徒儿也要……"也要如何，却是难以设想了。

文定道贺已毕，众人分别借故走开。余鱼同见四周已无旁人，说道："师妹，张召重那奸贼在哪里呀？"李沅芷见他全无温存之态、缠绵之意，第一句话就问张召重，心中老大不快，说道："我怎知道呀？"

余鱼同脸色惨白，忽地跪下，咚咚咚的磕了三个响头，哭道："我当年家破人亡，不能自立，幸蒙恩师见怜收留，授我武艺。我未能报答恩师一点半滴恩情，他就惨被张召重害死。师妹，求求你指点一条明路。"这一下大出李沅芷意料之外，见他又磕下头去，不觉狼狈失措，忙伸手拉起，摸出手帕丢给他，柔声道："快擦干眼泪，我带你去就是。"

突然间忽喇一声，骆冰从山后拍手跳了出来，唱道："小秀才，不怕丑，怕老婆，忙磕头！"

李沅芷羞得满脸通红，跳起身来向内急奔。余鱼同一呆。骆冰挥手叫道："快追上去呀!"余鱼同立时醒悟，拔足跟去。骆冰高声大叫，众人随后一齐追去。

张召重苦等李沅芷不回，吃了些干粮，心头思潮起伏，盘算脱险之后如何邀集帮手，大破红花会。又想李沅芷是提督之女，人又美貌，自己壮年未婚，如能娶她为妻，于功名前途大有好处，从回疆回到杭州路途遥远，一路上使点计谋，把她骗上手再说。如意算盘打得正响，前面人影一晃，正是李沅芷笑吟吟的回来。

张召重大喜，迎了上去，忽然李沅芷身后一人倏地扑将上来。张召重一惊，退开一步，左掌"拨云见日"，向旁掠出。那人从他掌下穿过，右手断笛疾戳，左手两指前伸，直扑到他怀里。张召重看清楚那人是马真的徒弟余鱼同，心中一寒，右掌"白露横江"一格，左手迎击，待他闪避，右手已抓住他后心，猛喝一声，将他向山岩上掼了过去。

李沅芷大惊，扑上抱住，但张召重这一掼劲力奇大，带得她也向山石上撞去，突觉背心双掌一挡，推得她和余鱼同一齐摔在地下，虽然跌得狼狈，却未受伤，两人双双跃起，才知是陆菲青出掌相救。余鱼同道："师妹，多谢你又救了我一次。"李沅芷白了他一眼，低声道："你还向我说这个'谢'字?"

张召重眼见强敌齐至，转身要逃，只听身旁呼呼两响，两人已掠过身边，挡在前面，正是袁士霄和陈正德，背后陆菲青喝道："姓张的，你还待怎的?跟我们走吧!"张召重霎时间万念俱灰，哼了一声，转身垂手走出。当下陆菲青、陈家洛、文泰来、霍青桐等在前，袁士霄、陈正德、关明梅等在后，将他夹在中间，走了出来。

张召重本以为李沅芷不慎为敌人发现，众人暗暗跟了进来，只有自认晦气，走了一程路，见前面李沅芷侧身和骆冰说话，笑逐颜开，显见一股子喜气从心中直透出来，这一下子气炸心肺，咬牙切齿的暗骂："好，原来是你这小丫头卖了我！"

各人捕到元凶巨恶，无不欢喜异常，到太阳快下山时，已走出迷城。陈家洛拿出点穴珠索，对章进和心砚道："把他反背捆了。"章进接过珠索。张召重忽地大吼一声，猛窜出去，左手伸出，已勾住李沅芷手腕，夹手把凝碧剑夺过，右掌一招"白虹贯日"，使足全力向她后心击去。李沅芷身子急偏，却哪里避得开，这掌正中左臂，喀喇一响，手臂已断，张召重第二掌随着打到。陆菲青在他夺剑时已知不妙，第一掌打出时不及相救，这时猱身疾上，也是一掌打出，直击他太阳穴。张召重右掌翻转，拍的一声，双掌相抵，各自震退数步。两人自在师门同窗习艺以来，二十余年中从未交过手。各自砥砺功夫，这时双掌相震，都觉对方功力深厚，与在师门时已大不相同。

李沅芷身受重伤，倒在地下。骆冰把她扶起，见她已痛得晕了过去。袁士霄摸出一颗丸药，塞在她口里。群雄见张召重到此地步还要肆恶，无不大怒，团团围住。

张召重心想："人人都有一死，我火手判官可要死得英雄！"横剑当胸，傲然说道："你们是一起来呢？还是一个个依次来？我瞧还是一齐上好些！"

陈正德怒道："你有什么本事，敢说这样的大话？我先来斗斗。"文泰来道："陈老爷子，这奸贼辱我太甚，让在下先上。"余鱼同叫道："他害死我恩师，我本领虽不及他，但要第一个打。四哥，等我不成时你来接着。"众人都恨透了他，纷要争先。陈家洛道："咱们不如来拈阄。"袁士霄道："他不是我对手，我不打了吧。"徐天宏道："我们不是他对手，我和四嫂、九弟、十弟、十四弟、十五弟一起拈。我们六个人合力斗他。"

张召重道："陈当家的，咱们在杭州时曾有约比武，这约会还作不作数呀？"陈家洛知他要挑自己动手，说道："不错，那次在狮子峰上你伤了手，咱们说定比武之约延期三个月，现下正好完了这个心愿。"张召重道："那么我先陪陈当家的玩玩，另外众位缓一步如何?”他和陈家洛多次交手，知他武功还逊自己一筹，如能将他擒住，用以挟制，或可设法脱身，倘若擒他不住，也要打死这个红花会大头脑，自己再死，也算够了本。

徐天宏猜到他心思，叫道：“擒拿你这奸贼，若要总舵主亲自出手，要我们红花会众兄弟何用？九弟、十弟、十四弟，咱们上啊！”卫春华、章进、余鱼同、心砚都欺上两步。

张召重哈哈大笑，说道：“我只道红花会虽然犯上作乱，总还讲江湖上道义。哪知竟是没信没义的匪类！”

陈家洛手一摆，道：“七哥，他不和我见个输赢，死不甘心。姓张的，不论你使什么奸计，今日要想逃命，那叫做痴心妄想。你上来！”张召重凝碧剑一抖，说道：“究竟还是你爽快，露兵刃吧！”陈家洛道：“用兵刃胜你，算得什么英雄？我就是空手接着。”

张召重大喜，有了这可乘之机，那肯放过，忙道：“要是我用剑胜不得你空手，我当场自刎，用不到旁人再动手。要是我胜了你呢?”陈家洛道：“那自有别位前辈和兄弟们接上。你是盼我说：胜了我就放你走路。嘿嘿，到了今天，你还不知已经恶贯满盈么?”张召重长剑一伸，喝道：“人生在世，有谁不死？死活之事，张某也不放在心上。”陈家洛道：“在杭州提督府地牢之中，文四爷和我擒住你后饶你不死；狮子峰上、兆惠大营之外，又曾两次饶你；日前在狼群，再救你一次性命。红花会对你可算得仁至义尽。哪知你至死不悟，今日任凭如何，决不能饶了。”张召重道：“你上吧，我也让你四招不还手就是。”陈家洛道：“好！”纵身而上，劈面两拳。张召重一矮身子，躲了开去，果然没有还手。

陈家洛右脚横踩，乘张召重纵起身来，突然左腿鸳鸯连环，跟着横扫一脚。照一般拳术，对手既然跃起，自然继续攻他身子，使他身在空中，难以躲避，但陈家洛这一腿却踢在他脚下空处，只是时刻拿捏极准，敌人落下时刚好凑上。这正是“百花错拳”中的精微之着，令人难以逆料。袁士霄见爱徒将自己所创拳术运用得十分巧妙，甚是得意，转头向关明梅道："怎样?"陈正德接口道："果然不凡!"

张召重见陈家洛突使怪招，不及闪避，只得一剑"斗柄南指"，向他胸口刺去。陈家洛收腿侧身，两下让过。章进骂道："无耻奸贼，你说让四招，怎么又还手了?"张召重脸一沉，更不打话，凝碧剑寒光起处，嗤嗤嗤一阵破空之声，向陈家洛左右连刺。

陆菲青暗暗心惊："这恶贼剑法竟如此精进，当年师父壮盛之时，似也没如此快捷。"提剑在手，凝神望着陈家洛，只要他稍有失利，立即上前相救。只见两人愈打愈快，陈家洛的人影在剑光中穿来插去，张召重柔云剑法虽精，一时也奈何他不得。

旁边余鱼同和骆冰扶着李沅芷，这时她已悠悠醒转，只觉臂上胸口，阵阵剧痛，睁眼见到余鱼同扶着自己，心中大慰。余鱼同道："痛得还好么?待会请陆师叔给你接骨，你忍一忽儿。"李沅芷微微一笑，又闭上了眼。

香香公主拉着姊姊的手，道："他怎么不用兵器?胜得了么?"霍青桐道："咱们有这许多人，不用怕。"心砚焦急万分，恨不得冲过去插手相助，问霍青桐道："姑娘，你说公子没危险么?"霍青桐记起前事，白了他一眼，转头不理。心砚大急，想要分辩谢罪，一双眼又不敢离开陈家洛身上。

文泰来虎目圆睁，眼光不离凝碧剑的剑尖。卫春华双钩钩头已被削断，但仍紧紧握在手中，全身便如是一张拉满了的弓一般。骆冰腕底扣着三柄飞刀，眼光跟着张召重的后心滴溜溜地打转。

李沅芷又再睁开眼来，忽然轻轻惊呼，向东一指。余鱼同转头望去，只见面前出现了一片奇景：远处一座碧绿的大湖，水波清漪，湖旁白塔高耸，屋宇栉比，竟是一座大城。余鱼同一惊跳起，但随即想到这是沙漠中的海市蜃楼，景色虽奇，却尽是虚幻。其余各人凝神观战，都没见到。

李沅芷道："那是什么啊?咱们回到了杭州吗?"余鱼同低声

道："那是太阳光反射出来的幻象。你闭上眼养一会儿神吧。"李沅芷道："不，这宝塔是杭州雷峰塔。我跟爹爹去玩过的。爹爹呢？我要爹爹。"余鱼同允她婚事，本极勉强，只是为了要给恩师报仇，一切全顾不到了，这时见她身受重伤，神智模糊，怜惜之念不禁油然而生，轻轻拍着她手背道："咱们这就动身回去，我跟你去见你爹爹。"李沅芷嘴角边露出一丝微笑，忽问："你是谁？"余鱼同见她双目直视，脸上没一点血色，害怕起来，答道："我是你余师哥，咱俩今儿定了亲啊。以后我一定好好待你。"李沅芷垂下泪来，叫道："你心里是不喜欢我的，我知道。你快带我见爹爹去，我要死啦。"眼望远处幻象，道："那是西湖，我爹爹在西湖边上做提督，他……他……你认识他么？"

余鱼同心里一阵酸楚，想起她数次救援之德，一片痴情，自己却对她不加理睬，要是她伤重而死，如何是好？一时忘情，伸手把她搂在怀里，低声道："我心里是真正爱你的，你不会死。"李沅芷叹了口气。余鱼同道："快说：'我不会死！'"李沅芷胸口一阵剧痛，又晕了过去。张召重这一掌劲力凌厉，她断臂之外，胸口更受震伤。

这时张召重和陈家洛翻翻滚滚，已拆了一百余招。初时陈家洛的"百花错拳"变招倏出，张召重又在强敌环伺之下，不免气馁，手中虽有兵刃，却也不敢莽进，一面要解拆对方古怪繁复、不成章法的拳术，一面要找寻空隙，想一举将他擒住，再见陆菲青、骆冰、霍青桐等人手中似都扣着暗器，于是更加严守门户，不敢露出丝毫空隙，以防旁人暗袭，这样一分神，双方打成了平手。再拆数招，张召重心想："再耗下去，是何了局？就算胜了这姓陈的小子，他们和我车轮大战，打不死我，也把我拖得累死。"这时对"百花错拳"的格局已大致摸熟，即使对方突使怪招，也可应付得了，胆子一壮，剑法忽变。

他柔云剑术施展开来，连绵不断，记记都是进手招数，登时攻守易势，陈家洛连连倒退。倏地张召重一招"耿耿银河"，凝碧剑一剑横削，随即千头万绪般乱点下来，真若天上繁星一般。陈家洛眼见无法招架，忽地跳出圈子，要避开他这番招招相连的攻势，再行回击。卫春华和章进齐向张召重扑去。

凝碧剑“耿耿银河”招术尚未使完，张召重更不停手，飕飕两剑，卫章两人均已带伤。文泰来猛喝一声，挺刀正要纵前，陈家洛已掠过他身边，轻轻两掌，打向张召重面门。这两掌看来全不使力，但部位恰到好处，他不论低头躲避还是回剑招架，都已不及，只听声音清脆，拍拍两下耳光。张召重又惊又怒，提剑退出三步，瞋目怒视。

众人明见陈家洛已落下风，忽然轻描淡写的上去拍了两记耳光，都是大为惊奇。卫章两人乘机退下，好在受伤均不甚重，骆冰和心砚分别给他们包扎。

陈家洛对余鱼同道：“十四弟，烦你给我吹一曲笛子。”余鱼同脸一红，忙将李沅芷放在地下，横笛口边，问道：“吹什么?”陈家洛微一沉吟，道：“霸王虽勇，终当命丧乌江，你吹《十面埋伏》吧!”余鱼同不明他的用意，但总舵主有命，当下奋起精神，吹了起来。金笛比竹笛的音色本更激越，这曲子尤其昂扬，一开头就隐隐传出兵甲金戈之音。

陈家洛双掌一错，说道：“上来吧!”身子一转，虚踢一脚，犹如舞蹈一般。张召重见他后心露出空隙，遇上了这良机，手下哪里还肯容情，长剑直刺。

众人惊呼声中，陈家洛忽地转身，左手已牵住张召重的辫尾，配合着余鱼同笛中节拍，把辫子在凝碧剑上一拉，一条油光漆黑的大辫登时割断。陈家洛右手拍的一掌，张召重肩头又中。他连挨三掌，虽然掌力不重，并未受伤，然而凭自己武功，非但没能让过，而且竟没看出对方使的是何手法，辫子被截，更是奇耻，但他究是内家高手，虽败不乱，又再倒退数步，凝神待敌。

陈家洛合着曲子节拍，缓步前攻，趋退转合，潇洒异常。霍青桐大喜，对香香公主道：“你瞧，这就是他在山洞里学的武功。”

香香公主拍手笑道："这模样真好看。"陈家洛伸手拍出，张召重举剑挡开，反手一撩，两人又斗在一起。张召重凝剑严守，只要对方稍近，立即快如闪电般还击数下，击刺之后，随即收剑防御。

陈正德对袁士霄道："袁大哥，我今日才当真对你佩服得五体投地。你徒儿已是如此，做兄弟的跟你可实在相差太远了。"袁士霄沉吟不语，心中大惑不解，陈家洛这套功夫非但不是他所授，而且武林中从所未见。他见多识广，可算得举国一人，却浑不知陈家洛所使拳法是何家数，看来与任何流派门户都不相近。他隔了一会，才道："不是我教的，我也教不出来。"天山双鹰知他生平不打诳语，这并非自谦之辞，都是暗暗称奇。

余鱼同越吹越急，只听笛中铁骑奔腾，金鼓齐鸣，一片横戈跃马之声。陈家洛的拳法初时还感生疏滞涩，这时越来越顺，到后来犹如行云流水，进退趋止，莫不中节，打到一百余招之后，张召重全身大汗淋漓，衣服湿透。忽然间笛声突然拔高，犹如一个流星飞入半空，轻轻一爆，满天花雨，笛声紧处，张召重一声急叫，右腕已被双指点中，宝剑脱手。陈家洛随手两掌，打在他背心之上，纵声长笑，垂手退开。这两掌可是含劲蓄力，厉害异常。张召重低下了头，脚步踉跄，就如喝醉酒一般。

章进口中咒骂，想奔上去给他一棒，被骆冰拉住。只见张召重又走了几步，终于站立不稳，扑地倒了。群雄大喜，徐天宏和心砚上去按住缚了。张召重脸色惨白，毫不抵抗。

余鱼同放下笛子，忙看李沅芷时，见她昏迷未醒，甚是着急。陈家洛道："师父，陆老前辈，咱们拿这恶贼怎么办？"余鱼同咬牙切齿的说道："拿去喂狼，他下毒手害死我师父，现今又……又……"袁士霄道："好，拿去喂狼！咱们正要去瞧瞧那批饿狼怎样了。"众人觉得这奸贼作恶多端，如此处决，正是罪有应得。

陆菲青将李沅芷断臂上的骨骼对正了，用布条紧紧缚住。袁士霄又拿一颗参雪丸给她服下，搭了她脉搏，对余鱼同道："放心，你老婆死不了。"骆冰低声笑道："你抱着她，她就好得快些。"

众人向围住狼群的沙城进发，无不兴高采烈。途中袁士霄问起陈家洛的拳法来历，陈家洛详细禀告了。袁士霄喜道："这真是可遇不可求的奇缘。"

数日后，众人来到沙城，上了城墙向内望去，只见群狼已将驼马吃完，正在争夺已死同类的尸体，猛扑狂咬，惨厉异常，饶是群雄心豪胆壮，也不觉吃惊。香香公主不忍多看，走下城墙去自和看守的回人说话。

余鱼同把张召重提到城墙墙头，暗暗祷祝："恩师在天之灵，你的朋友们与弟子今日给你报仇雪恨。"从徐天宏手里接过单刀，割断缚住张召重手足的绳索，左腿横扫，把他踢落。群狼不等他着地，已跃在半空抢夺。

张召重被陈家洛打中两掌，受伤不轻，仗着内功深湛，经过数日来的休养，已好了大半。他被推入狼城，早已不存生还之想，但临死也得竭力挣扎一番，双腿将要着地，四周七八头饿狼扑了上来，他红着双眼，两手伸出，分别抓住一头饿狼的项颈，横扫了一个圈子，登时把群狼逼退数步。他慢慢退到墙边，后心贴墙，负隅拼斗，抓住两头恶狼，依着武当双锤的路子使了开来，呼呼风响，群狼一时倒也难以逼近。

群雄知他必死，虽恨他奸恶，但陈家洛、骆冰等心肠较软，不忍卒睹，走下城墙。

陆菲青双目含泪，又是怜悯，又是痛恨，见张召重使到二十四招"破金锤"时，一头饿狼扑将上来，向他腿上咬去，张召重一缩腿，狼牙撕下了他裤子上长长一条布片。陆菲青脑海中突然涌现了三十余年前旧事：那一日他和张召重两人瞒了师父，偷偷到山下买糖吃，师弟摔了一交，裤子在山石上勾破了。张召重爱惜裤子，又怕师父责骂，大哭起来。他一路安慰，回山之后，立即取针线给师弟缝补破裤。又想到这套"破金锤"锤法也是自己亲自点拨的。当年张召重聪明颖悟，学艺勤奋，师兄弟间情如手足，不料他后来贪图富贵，竟然愈陷愈深。眼见到师弟如此惨状，不禁泪如雨下，心想：“他虽罪孽深重，我还是要再给他一条自新之路，重做好人。”叫道：“师弟，我来救你！”涌身一跃，跳入了狼城。

众人大吃一惊，只见他脚未着地，白龙剑已舞成一团剑花，群狼纷纷倒退，他站到张召重身旁，说道：“师弟，别怕。”张召重眼中如要喷出火来，忽地将手中两狼猛力掷入狼群，和身扑上，双手抱住了他，叫道：“反正是死了，多一个人陪陪也好。”陆菲青出其不意，白龙剑落地，双臂被他紧紧抱住，犹如一个钢圈套住了一般，忙运力挣扎，但张召重兽性大发，决意和他同归于尽，拼死抱住，哪里挣扎得开？群狼见这两人在地下翻滚，猛扑上来撕咬。师兄弟各运内家功力，要把对方翻在上面，好让他先膏狼吻。

陈家洛等在城墙脚下忽听城墙顶上连声惊呼，忙飞步上墙。这时陆菲青想起自己好心反得惨报，气往上冲，手足一软，被张召重用擒拿手法拿住脉门，动弹不得。

张召重左手一拉，右手一举，已将陆菲青遮在自己身上。众人惊呼声中，文泰来与余鱼同双双跃下。文泰来单刀连挥，劈死数狼。群狼退开数步。余鱼同握着从徐天宏手里接来的钢刀，跳落时因城墙过高，立足不稳，翻了个筋斗方才站起，看准张召重肩头，用刀头戳将下去。张召重惨叫一声，抱着陆菲青的双臂登时松了。这时群雄已将长绳挂下，先将陆菲青和余鱼同縋上，随即又縋上文泰来。看下面时，群狼已扑在张召重身上乱嚼乱咬。

众人心头怦怦乱跳，一时都说不出话来，想到刚才的凶险，无不心有余悸。

隔了良久，骆冰道：“陆伯伯，你的白龙剑没能拿上来，很是可惜。”袁士霄道：“再过一两个月，恶狼都死光了，就可拿回来。”

傍晚扎营后，陈家洛对师父说了与乾隆数次见面的经过。袁士霄听了原委曲折，甚感惊异，从怀里摸出一个黄布包来，递给他道："今年春间，你义父差常氏兄弟前来，交这布包给我收着，说是两件要紧物事。他们没说是什么东西，我也没打开来看过，只怕就是皇帝所要的什么证物了。"

陈家洛道："一定是的。义父既有遗命，徒儿就打开来瞧了。"解开布包，见里面用油纸密密裹了三层，油纸里面是一只小小的红木盒子，掀开盒盖，有两个信封，因年深日久，纸色都已变黄，信封上并无字迹。

陈家洛抽出第一个信封中的纸笺，见笺上写了两行字："世倌先生足下：将你刚生的儿子交来人抱来，给我一看可也。"下面签的是"雍邸"两字，笔致圆润，字迹潦草。

袁士霄看了不解，问道："这信是什么意思？哪有什么用，你义父看得这么要紧？"陈家洛道："这是雍正皇帝写的。"袁士霄道："你怎知道？"陈家洛道："徒儿家里清廷皇帝的赐书很多，康熙、雍正、乾隆的都有，因此认得他们的笔迹。"袁士霄笑道："雍正的字还不错，怎地文句如此粗俗？"陈家洛道："徒儿曾见他在先父奏章上写的批文，有的写：'知道了，钦此'。提到他不喜欢的人时，常写：'此人乃大花脸也，要小心防他，钦此'。"袁士霄呵呵大笑，道："他自己就是大花脸，果然要小心防他。"又道："这信是雍正所写，那又有什么了不起？"陈家洛道："写这信时还没做皇帝。"

袁士霄道："你怎知道？"陈家洛道："他署了'雍邸'两字，那是他做贝勒时的府第。而且要是他做了皇帝，就不会称先父为'先生'了。"袁士霄点了点头。

陈家洛扳手指计算年月，沉吟道："雍正还没做皇帝，那时候我当然还没生，二哥也没生。姊姊是这时候生的，可是信上写着'你刚生的儿子'，嗯……"想到文泰来在地道中所说言语，以及乾隆的种种神情，叫道："这正是绝好的证据。"袁士霄道："怎么？"陈家洛道："雍正将我大哥抱了去，抱回来的却是个女孩。这女孩就是我大姊，后来嫁给常熟蒋阁老的，其实是雍正所生的公主。我真正的大哥，现今做着皇帝。”袁士霄道：“乾隆?”

陈家洛点了点头，又抽出第二封来。他一见字迹，不由得一阵心酸，流下泪来。袁士霄问道：“怎么?”陈家洛哽咽道：“这是先母的亲笔。”拭去眼泪，展纸读道：

“亭哥惠鉴：你我缘尽今生，命薄运乖，夫复何言。余所日夜耿耿者，吾哥以顶天立地之英雄，乃深受我累，不容于师门。我生三子，一居深宫，一驰大漠，日夕所伴之二儿，庸愚顽劣，令人神伤。三官聪颖，得托明师，余虽爱之念之，然不虑也。大官不知一己身世，俨然而为胡帝。亭哥，亭哥，汝能为我点化之乎？彼左臂有殷红朱记一块，以此为证，自当入信。余精力日衰，朝思夕梦，皆为少年时与哥共处之情景。上天垂怜，来生而后，当生生世世为夫妇也。妹潮生手启。”

陈家洛看了这信，惊骇无已，颤声问道：“师父，这信……信上的‘亭哥’，难道就是我义父吗?”袁士霄黯然道：“可不是吗?他幼时与你母互有情意，后来天不从人愿，拆散鸳鸯，因此他终生没有娶妻。”陈家洛道：“我妈妈当年为什么要义父带我出来？为什么要我当义父是我亲生爸爸一般？难道……”

袁士霄道：“我虽是你义父知交，却也只知他因坏了少林派门规，被逐出师门。这等耻辱之事，他自己不说，别人也不便相问。不过我信得过他是响当当的好汉子，光明磊落，决不做亏心之事。”一拍大腿，说道：“当年他被逐出少林，我料他定是遭了不白之冤，曾邀集武林同道，要上少林寺找他掌门人评理，险些酿成武林中的一件大风波。后来你义父尽力分说，说全是自己不好，罪有应得，这才作罢。但我直到现今，还是不信他会做什么对不起人的事，除非少林寺和尚们另有古怪规矩，那我就不知道了。”说到这里，犹有余愤。

陈家洛道：“师父，我义父的事你就只知道这些么?”袁士霄道：“他被逐出师门之后，隐居了数年，后来手创红花会，终于轰轰烈烈的做出一番大事来。”陈家洛问的是自己身世，袁士霄却反来覆去，尽说当年如何为于万亭抱不平之事。

陈家洛又问："义父和我妈妈为什么要弟子离开家里，师父可知道么?"袁士霄气愤愤的道："我邀集了人手要给你义父出头评理，到头来他忽然把过错全揽在自己身上。这般给大家当头浇一盆冷水，我的脸又往哪里搁去？因此他的事往后我全不管啦。他把你送来，我就教你武艺，总算对得起他啦。"

陈家洛知道再也问不出结果了，心想："图谋汉家光复，关键在于大哥的身世，中间只要稍有失错，那就前功尽废。此事势所必成，迟早却是不妨。我须得先到福建少林寺走一遭，探问明白。雍正当时怎样换掉孩子？我大哥明明是汉人，雍正为何让他继任皇位？在那儿总可问到一些端倪。"当下把这番意思对师父说了。袁士霄道："不错，去问个仔细也好，就怕老和尚古怪，不肯说。"陈家洛道："那只有相机行事了。"

师徒俩谈论了一会，陈家洛详述在玉峰中学到的武功，两人印证比划，陈家洛更悟到不少精微之处。两人谈得兴起，走出帐来，边说边练，不觉天色已白，这才尽兴。

袁士霄道："那两个回人姑娘人品都好，你到底要哪一个?"陈家洛道："汉时霍去病言道：'匈奴未灭，何以家为?'弟子也是这个意思。"袁士霄点点头道："很有志气，很有志气。我去对双鹰说，免得他们再怪我教坏了徒弟。"言下十分得意。陈家洛道："陈老前辈夫妇说弟子什么不好?"袁士霄笑道："他们怪你喜新弃旧，见了妹子，忘了姊姊，哈哈!"陈家洛回思双鹰那晚不告而别，在沙中所留的八个大字，原来含有这层意思，想来不觉暗暗心惊。

次日，陈家洛告知群雄，要去福建少林寺走一遭，当下与袁士霄、天山双鹰、霍青桐姊妹作别。香香公主依依不舍。陈家洛心中难受，这一别不知何日再能相见？如得上天佑护，大功告成，将来自有重逢之日，否则众兄弟埋骨中土，再也不能到回部来了。霍青桐远送出一程，早也柔肠百结，黯然神伤，但反催妹子回去，香香公主只是不肯。

陈家洛硬起心肠，道：“你跟姊姊去吧！”香香公主垂泪道：“你一定要回来！”陈家洛点点头。香香公主道：“你十年不来，我等你十年；一辈子不来，我等你一辈子。”陈家洛想送件东西给她，以为去日之思，伸手在袋里一摸，触手生温，摸到了乾隆在海塘上所赠的那块温玉，取出来放在香香公主手中，低声道：“你见这玉，就如见我一般。”香香公主含泪接了，说道：“我一定还要见你。就算要死，也是见了你再死。”陈家洛微笑道：“干么这般伤心？等大事成功之后，咱们一起到北京城外的万里长城去玩。”香香公主出了一会神，脸上微露笑意，道：“你说过的话，可不许不算。”陈家洛道：“我几时骗过你来？”香香公主这才勒马不跟。

陈家洛时时回头，但见两姊妹人影渐渐模糊，终于在大漠边缘消失。

群雄控马缓缓而行，这一役虽击毙了张召重，但也伤了李沅芷、卫春华、章进三人，李沅芷伤势尤重。余鱼同大仇得报，甚是欢慰，对李沅芷又是感激，又是怜惜，一路上不避嫌疑，细心呵护。

众人行了数日，又到了阿凡提家中，那位骑驴负锅的怪侠却又出外去了。周绮听说张召重已死，胞弟之仇已报，很是高兴。依陈家洛意思，要徐天宏陪她留在回部，等生下孩子，身子康复之后，再回中原。但周绮一来嫌气闷，二来听得大伙要去福建少林寺，此行可与她爹爹相会，吵着定要回去。众人拗不过，只得由她。徐天宏雇了一辆大车，让妻子及李沅芷在车里休息。

回入玉门关后，天时渐暖，已有春意。众人一路南下，渐行渐热，周绮愈来愈是慵困，李沅芷的伤臂却已大好了。她弃车乘马，一路与骆冰咭咭呱呱的说话。旁人都奇怪这两人谈个没完没了，不知怎地有这许多事儿来说。

余鱼同把张召重提到沙城墙来，暗暗祷祝：“恩师在天之灵，你的朋友们与弟子今日给你报仇雪恨。”割断缚住张召重手足的绳索，把他踢落。

第十九回　心伤殿隅星初落
魂断城头日已昏

这日来到福建境内，只见满山红花，蝴蝶飞舞。陈家洛心想：“要是喀丝丽在此，见了这许多鲜花，可不知有多欢喜。”

又行数天，将近德化城时，行经一座茂密的树林，章进忽然大叫一声，飞奔而前，只见那边树上一人双足凌空，是个投缳自尽的男子。章进抱住那人双足，将他举了起来，大叫：“快来，快来！”骆冰两把飞刀掷出，割断了挂在树枝上的布带。章进将那人横放地下，陆菲青给他胸口推宫过气，过了一阵，那人悠悠醒来，放声大哭。

这人约莫二十四五岁，打扮似是个做手艺的。章进焦躁，骂道：“老子救活了你，干么还哭？”福建话本甚特异，但那人似到外省去过，打着半咸半淡的官话道：“爷们还是让我死的好！”卫春华道：“你是短了钱银呢，还是遭了冤屈？我们可以帮你呀。”那人道：“不是为钱，也没人冤枉小人。”说罢又哭。

骆冰见他颈中挂着一个绣花荷包，色泽鲜艳，用麻绳牢牢系住，似怕死后给人拿走了，猜想此事或与女人有关，问道：“你的情妹子不肯嫁你么？”那人脸露惊奇之色，说道：“她是死路一条，我索性死了爽快。”骆冰道：“她为什么死路一条？”那人道：“方大人今年告老回乡，见银凤生得好看，要娶她做第十一房姨太太……”说着又哭了起来。

章进听得茫然不解，喝道："乱七八糟，老子一点不懂，什么方大人、银凤的？"骆冰笑道："银凤自然是他的情妹子了。他倒是个多情种子呢。"章进道："那方大人在哪里？娶了你的银凤没有？"那人道："德化城里最大的房子就是方大人的，去年他家里盖新房子，小的还去帮过工。他……他今天……今天要讨银凤……"章进道："你这人没出息，干么不和这姓方的去拼命？"骆冰笑道："他有你章十爷的一成本事就好啦！"问那人道："你叫什么名字？做什么手艺？"那人道："小人叫周阿三，是做木匠的。"

周绮听这人也姓周，先有了三分好感，又见他哭得可怜，说道："你带我们去见那姓方的。"周阿三畏畏缩缩的不敢。徐天宏见妻子和章进都是一股莽劲，心里暗笑，说道："你带我们到你家里去，包在我们身上，叫那姓方的不敢娶你的银凤便是。"周阿三将信将疑，领了众人来到德化城内自己家里。

那银凤家里姓包，是开豆腐店的，就在周阿三的隔壁，门外挂灯结彩，一副做喜事的模样。徐天宏命周阿三把银凤的父亲包老头请过来，只见他愁眉苦脸，神色凄惨，哪里有做新丈人的喜色。众人一问，才知那方大人今年已七十多岁，本在安徽做藩台，新近告老回乡，地方上没一个不怕他。包老头的女儿才十八岁，自幼和周阿三情投意合，早有嫁娶之约，嫁给这垂死之人做小自然是一百个不愿意，但惧他权势，不敢不依。依章进和周绮说，就要去杀了那姓方的，但陈家洛道："咱们身有大事，别多生枝节。"叫心砚取出一百两银子来，送给包老头和周阿三，叫他们带了银凤赶紧逃走。包周两人千恩万谢，忙回去收拾。

周绮这时已有七八个月身孕，一路上徐天宏和骆冰管得她紧，不能多动，酒更是半滴不得沾唇，本已厌烦之极，见陈家洛不许跟那姓方的为难，更是气闷，乘徐天宏不防，溜了出来到街上乱走。德化城本来不大，不多一会就来到方宅门口，只见大门中伕役进进出出，把鱼肉鸡鸭及一坛坛酒抬了进去，不觉酒瘾大起，便跟了进去。

方府这天贺客盈门。众仆役见她大模大样的进来，虽然穿得朴素，但气派端严，不敢怠慢，忙让到内堂敬茶。周绮心想他们倒敬重于我，也就喝着武夷清茶，咬着瓜子，自得其乐。不一会开出席来，方府虽是娶妾，但方老太爷方有德在外作官数十年，老来衣锦还乡，存心要显显威风，是以这席午宴也十分丰盛。周绮与那些姑娘太太们语言不通，不去理会旁人，酒到杯干，饮得自由自在，倒也畅快。

喝了十多杯，方老太爷由两个儿子扶着，颤巍巍的到各席来敬酒。周绮见他须眉皆白，还要糟蹋人家女儿，心中暗骂。待他走到临近，见他左颊上有一大块黑记，黑记上稀稀疏疏的生着几根长毛，蓦地想起丈夫先前所说的话来。那日她母亲问他身世，他说他一家都被一个姓方的府台所害，那方府台左脸上有大块黑记，莫非是此人不成？徐天宏是浙江绍兴人，她冲口而出："方老爷，你在绍兴做过府台么？"方老太爷听到她一口北方口音，微感奇怪，说道："你这位太太很面生，老头子记性不好，在绍兴见过我么？"这话正是自认在绍兴做过官。周绮点点头，不言语了。方老太爷也不在意，另去敬酒。

周绮本想上前将他一拳打死，替丈夫报了血海深仇，但身子一动，就感胸口发闷，手足酸软，暗骂肚子里这小孽障害得我好苦，斟了三杯酒仰脖子喝下，大踏步往外走出。众女宾见这女人粗野无礼，交头接耳的窃窃讥笑。周绮回到周阿三家里，不久徐天宏与骆冰也从外面回来，两人到处寻她不见，正自焦急，见了她这才放心，见她脸上红扑扑的酒意盎然，正要开口埋怨，周绮抢先把遇到方老太爷的事说了。

徐天宏想起父母兄姊惨死的情形，眼中冒火，但怕杀错了人，道："我去打听一下。"过了半个多时辰，他直冲进来，对陈家洛道："总舵主，我仇人确是在此，你许不许我报仇？"陈家洛沉吟道："七哥这大仇是非报不可的，这老贼已七十多岁，稍有耽搁，莫要给他得个善终，可成了咱们毕生的恨事。只是咱们另有大事，这番举动可别让人疑心到红花会头上。”说到这里，包老头带了女儿和周阿三过来叩谢，说再过两个时辰，方家就要来迎娶，现下收拾已毕，要赶紧逃走。

李沅芷灵机一动，道：“不如把事情推在他们身上，反正他们是要逃走的了。”余鱼同道：“怎么?”李沅芷笑道：“请你做新娘子哪!”骆冰笑道：“还是他扮新郎，你扮新娘吧。”李沅芷红了脸道：“呸，人家明明出个好主意，你偏来开玩笑。”骆冰道：“好妹子，那你说吧。”李沅芷笑道：“叫他穿了新娘子的衣服，等轿子来时，他就坐了去。咱们都扮作送亲的。”骆冰拍手笑道：“好呀，拜过堂后，等到洞房花烛，大家一齐动手。别人只道是女家出的花样，谁也不会疑心到红花会身上。”徐天宏这时关心则乱，一时想不出主意来，听了李沅芷这个计策，也连声叫好。

陈家洛命卫春华与心砚先把包家父女及周阿三护送出城，让他们远走高飞。大家买了衣物，装扮起来。余鱼同扮女人虽然颇不愿意，但这是李沅芷出的主意，不便拂她之意，又是为七哥报仇雪恨，委屈一下也说不得了。新娘的红衣头罩都是现成的，就是他一双大脚有点碍事，但把裙子放低些，遮掩得一时，也就成了。

申牌时分，方府的轿子与迎亲的喜娘等等都来了。骆冰与李沅芷扶着头披红巾的余鱼同进了轿子。众人在长衣内各藏兵刃，一路跟到方家。男子娶妾，要妾侍向丈夫和正室磕头。余鱼同无奈，只得盈盈拜将下去。方有德喜得呵呵大笑，摸出两个金锞子来做见面礼。余鱼同老实不客气的收了。

喜筵过后，接着是要闹房，众人都拥到新房中来。徐天宏紧紧挤在方有德身边，右手摸着袋里的匕首，眼见时辰将到，正要动手，忽然一名家丁匆匆走进房来，说道：“成总兵和几位客人来向大人道喜。”方有德道：“他怎么到德化来啦?”忙迎出去。徐天宏等寸步不离，只见厅上坐着一位武官，下首四人身穿内廷侍卫服色。

徐天宏脸色登变，认出其中一人是在黄河渡口交过手的清宫侍卫瑞大林，正要招呼各人，文泰来虎吼一声，已向那武官扑去，原来那人便是随同张召重去铁胆庄捉拿他的成璜。这人因立了此功，从记名总兵升为实授，分发闽南。这天瑞大林等四名侍卫奉皇帝密旨前来找他。这五人从永安府来到德化，听说方藩台娶妾，便来扰一杯喜酒，赶场热闹，哪知竟与红花会群雄狭路相逢。

成璜出其不意，随手拿起椅子一挡，喀喇一声，梨花木的椅脚被文泰来一掌劈断了两根。成璜见来势凶恶，从桌底钻了过去，隔桌望见竟是文泰来，这一下吓得魂飞天外，往外直奔。群雄取出兵刃，与瑞大林等四名侍卫交起手来。侍卫们如何能敌？呼啸一声，从人丛中穿了出去，跨上马背飞奔。文泰来等推开吓得东倒西撞的贺客女宾往外追时，五人都已逃得远了。只听内堂惊叫哭喊，乱成一片。

余鱼同穿着大红女服，手挥金笛，旁边一个骆冰，一个李沅芷，从内堂杀将出来。群雄寻方有德时，却已不见。周绮大骂："老不死老奸巨猾，溜得倒快。"卫春华、章进、心砚等前前后后找了一遍，影踪不见。徐天宏对陈家洛道："总舵主，怎么清宫侍卫忽然在此出现？莫非另有奸谋？"陈家洛道："正是，这须得探查明白。"徐天宏道："私仇事小，咱们先查明侍卫的事再说。"陈家洛赞道："七哥深明大义。"当下率领众人，追了出去，一问途人，知那些武官是往东逃去。群雄纷纷上马，出德化城东门疾追。

奔了三四十里，在一家饭铺中打尖，询问饭铺伙计，知道成璜等过去不久。文泰来道："我这马脚力快，冲上去拦住五个狗贼。"骆冰道："他们有五个，别落了单。谅他们也逃不了。"文泰来知道妻子自从他身遭危难，对他照顾特别周到，也不忍让她担心，于是与众人一齐追赶。

当晚群雄在仙游歇夜，次日赶到郊尾，听乡人说五个武官已转而向北。陈家洛笑道："他们逃的路程真好，这里向北正往莆田少林寺，咱们虽然赶人，可没走冤枉路。"驰了数十里，天色将黑，离少林寺已近，群雄在望海镇上找一家客店歇了。陆菲青、文泰来、卫春华、徐天宏、心砚等五人出去分头打听众侍卫的下落。

文泰来查不到成璜等踪迹，心中焦躁。这时天已入夜，蝉声甫歇，暑气未消，他袒开胸口，拿着一柄大葵扇不住扇风，走了一阵，迎风一阵酒香，前面是家小酒店，望见店门兀自开着，寻思正好喝几碗冷酒解渴，走进店内，不觉一怔，正是踏破铁鞋无觅处，得来全不费功夫，成璜、瑞大林及三名侍卫正在饮酒谈笑。

五人斗然见他闯进店来，大吃一惊，登时停杯住口。文泰来有如不见，叫道："店家，拿酒来。"店小二答应了，拿了酒壶、酒杯、筷子放在他面前。文泰来喝道："杯子有什么用？拿大碗来。"当的一声，把一块银子掷在桌上。店小二见他势猛，不敢多说，拿了一只大碗出来，斟满了酒。文泰来举碗喝了一口，赞道："好酒！"店小二道："这是本地出名的三白酒。"文泰来道："宰一口猪，该喝几碗？"店小二不懂他意思，但又不敢不答，随口道："三碗吧！"文泰来道："好，拿十五只大碗，筛满了酒！"抽出长刀，砍在桌上。店小二吓了一跳，依言拿出十五只大碗，摆满了一桌，都倒上了酒。成璜等面面相觑，惊疑不定，见文泰来拦在门口，都不敢出来。

成璜和瑞大林见不是路，站起来想从后门溜走。文泰来大喝一声，宛似半空打了个霹雳，叫道："老子酒还没喝，性急什么？"成瑞两人站着便不敢动。文泰来左足踏在长凳之上，两口就把一碗酒喝干，叫道："好酒！"又喝第二碗。店小二识趣，切了两斤牛肉牛筋，放在盘里托上来。文泰来喝酒吃肉，不一刻，十五碗酒和两斤牛肉吃得干干净净。成璜和瑞大林心惊胆战，相顾骇然。其余三名侍卫互相使个眼色，各提兵刃，猛扑上来。

文泰来酒意涌上，全身淌汗，待三人扑到，右足猛一抬腿，把桌子踢得飞了起来，桌上酒碗盘子，乒乒乓乓的跌成一地。他不及拔刀，提起长凳便向三名侍卫横扫过去。那三名侍卫身手也甚了得，一个展动花枪，避开长凳，分心刺到，另两人一个使刀，一个双手握着蛾眉钢刺，直欺近身。文泰来举凳直上，力敌三人，混战中那使刀的一刀砍在凳上，急切间拔不出来，文泰来左掌一翻，劈面打在他鼻梁正中，只打得五官血肉模糊、头骨震碎而死。这时蛾眉双刺正刺到文泰来右胁，他顺手拔下砍在凳上的单刀，劈将下来。

那人双刺堪堪刺到，忽觉头顶风劲，知道不好，左脚急挫，打滚避开。那使枪的抖起个碗大枪花，“毒龙出洞”，向文泰来小腹刺去。文泰来左手撒去单刀，一把抓住枪杆。那人用力回夺，却怎敌得住文泰来的神力，这一拉之下，反踉踉跄跄的跌将过来。文泰来右手提起长凳，撞在他胸口，发力推出，那人直靠上土墙，再运劲一推，土墙登时倒了，将那人压在砖石泥土之中。

酒店中尘土飞扬，屋顶上泥块不住下堕，文泰来转身再打，见那使蛾眉刺的胖侍卫蜷成一团，一动也不动了，提将起来，见他脸如金纸，早已气绝，却是吓死了的。文泰来长啸一声，找成璜和瑞大林时，却已不见，想是乘乱逃走了。

出得店来，一阵凉风拂体，抬头晓星初现，已是初更时分。他回入酒店，提了单刀，四下找寻，飞身跃上一家高房屋顶，四下瞭望，只见两条黑影向北狂奔，心中一喜，跃下屋来，提刀急追。追出数里，眼前是一大片麻田，麻杆长得正高，两个黑影钻入麻田，就此隐没。他提刀也钻了进去，一路吆喝追逐。麻田走完，见是黑压压的一片树林。

在林中寻了一阵不见，心念一动，跃起身来，抓住一条横枝，攀到树巅，四下观看，见远处似有个小村落，但房屋都甚高大。见两个黑影已奔近房屋，若非身子晃动，黑夜中还真看不出来。文泰来暗叫惭愧，在树林中瞎摸了半天，险些儿给他们逃走了，当即跃下地来，径向那村落奔去。他足下一使劲，耳畔风生，片刻即到，正见那两人越过墙去。

文泰来叫道：“往哪里逃？”冲到墙边，星光稀微下见这些房屋都是碧瓦黄墙，却是一座大丛林，绕到庙前抬头一望，见山门正中金字写着“少林古刹”四个大字。他心中一震：“原来到了少林寺。福建少林寺虽是嵩山下院，素闻寺中僧人武功之强，不下嵩山本寺。这是故总舵主出身之所，我可不能鲁莽了。”但成璜、瑞大林二人昔日实在欺辱太甚，决不能就此罢休，见庙门紧闭，提刀跳上墙头。

墙下是空荡荡一个大院子，侧耳一听，声息全无，不知成璜和瑞大林逃向何处，于是伏下身子，游目察看。忽然大殿殿门呀的一声开了，一个胖大和尚走了出来，倒拖着一柄七尺多长的方便铲，喝道：“好大胆，乱闯佛门圣地！”文泰来拱手道：“弟子追赶两名官府鹰犬，惊动了大师，还请恕罪。”那和尚道：“你既会武，应知少林寺是什么地方，怎地带刀入庙，如此无礼？”文泰来心头火起，转念一想，黑夜之中，持刀乱闯山门，确有不该之处，又一拱手，说道：“在下这里谢过！”当即反跃跳出墙外，袒胸坐在树下，心想：“那两个臭贼总要出来，我在这里等着便了。”

刚坐定不久，那胖和尚跃上墙来，喝道：“你这汉子怎么还不走，赖在这里想偷东西么？”文泰来怒道：“我自坐在树下，干你甚事？”胖和尚道：“你吃了老虎心、豹子胆，到少林寺来撒野！快走快走！”文泰来再也按捺不住，喝道：“我偏不走，你待怎地？”那胖和尚一言不发，举起方便铲，呼的一声，从墙头纵下，只听铲上钢环铮铮乱响，铲随身落，方便铲长达一尺的月牙钢弯已推到他胸前。

文泰来正待挺刀放对，转念一想，总舵主千里迢迢前来，正有求于此，莫因我一时之忿而坏了大事，于是晃身避开铲头，倒提单刀，转身便走。奔不数步，眼前白光闪动，一个和尚使两把戒刀，直砍过来。文泰来不欲交锋，斜向窜出。两个和尚叫道：“掷下兵器，就放你走路。”文泰来更不理会，只待奔入林中，忽听头顶风声响动，忙往左一让，蓬的一声，一条禅杖直打入土中，泥尘四溅，势道猛恶，一个矮瘦和尚横杖挡路。

文泰来道：“在下此来并无恶意，请三位大师放行。明早再来陪罪。”那矮瘦和尚道：“你既敢夜闯少林，必有惊人艺业，露一手再走。”不等他回答，禅杖横扫而至。文泰来低头从杖下钻过。那使戒刀的叫道：“好身手！”双刀直劈过来，使方便铲的也过来夹攻。

文泰来连让三招，对方兵刃都是间不容发的从身旁擦过，知道这三人都是少林寺中的高手，如再相让，黑夜中稍不留神，非死即伤，三僧纵无杀己之意，一世英名不免付于流水，当下呼呼呼连劈三刀，从三件兵器的夹缝中反攻出去，身法迅捷之极。

三个和尚突然同时念了声“阿弥陀佛”，跳出圈子。使禅杖的和尚道：“我们是本寺达摩院上座三僧。”向使戒刀的和尚一指道：“他法名元悲。”指着使方便铲的道：“他法名元痛。我叫元伤。居士高姓大名？”文泰来道：“在下姓文名泰来。”元痛道：“啊，原来是奔雷手文四爷，怪不得如此好本事。文四爷夜入敝寺，可是奉了贵会于万亭老当家的遗命么？”文泰来道：“于老当家并无什么言语，在下追逐鹰爪，误入贵寺，务乞恕罪。”

三个和尚低声商议了几句。元痛道：“文四爷威名天下知闻，今日有幸相会，小僧想请教高招。”文泰来道：“少林寺是武学圣地，在下怎敢放肆？就此告辞。”还刀入鞘，一拱手，转身便走。

三僧见他只是谦退，只道他心虚胆怯，必有隐情，心想红花会故总舵主于万亭是少林寺革逐的弟子，莫非他是来为首领报怨泄愤？互相一使眼色，元痛抖动方便铲，钢环乱响，直戳过来。文泰来是当世英雄，哪能在敌人兵刃下逃走，只得挥刀抵敌。

元痛一柄方便铲施展开来，月牙灿然生光，寒气迫人。文泰来这时酒意已过，精力愈长，刀法招招精奇。元痛渐渐抵敌不住，元伤挺起禅杖，上前双战。斗到酣处，元悲的戒刀也砍将入来。文泰来以一敌三，兀自攻多守少，猛见月光下数十条人影照在地下，对方众僧大集，不由得心惊。

就这么微一分神，元伤禅杖横扫，打中文泰来刀背，火花迸发，那刀飞将起来，直落入林中去了。文泰来身子一挫，奔雷手当真疾如迅雷，右手已抓住元痛斜砸而下的方便铲铲柄，用力一拧，元痛方便铲脱手。文泰来飞出一腿，踢在他膝盖之上，元痛一个肥大的身躯直跌出去。这时元伤的禅杖与元悲的戒刀已同时攻到，文泰来倒抡方便铲，当的一声大响，一铲正打在禅杖之上。两件精钢的长大兵刃相交，只震得山谷鸣响，回声不绝。元伤虎口震裂，满手鲜血，呛啷啷，禅杖落地。文泰来侧身避过戒刀，举铲直进，挺向元悲。元悲吓得忘了抵挡，门户大开，眼见铲头月牙已推到面门。文泰来不欲伤人，正想收铲，突觉头顶嗤嗤有暗器之声，正待闪避，当的一响，手中一震，方便铲被重物撞得荡开尺许，又听叮叮两声轻响，跟着树上掉下两个人来。

文泰来收铲跃开，一回头，见陈家洛等都到了，心中一喜，转过身来，却见对面人丛中一个身材高大、白须飘拂的老者踏步上前，哈哈笑道："文四爷，好好，大家都来啦。"周绮大叫："爹！"奔了上去。那人正是铁胆周仲英。

文泰来一低头，见铲头已被打陷了一块，月牙都打折了，心下佩服铁胆周名不虚传。再看地下两人，不觉大奇，一是成璜，另一个就是瑞大林。原来两人逃入寺中，被监寺逐出，偷偷躲在树上，见文泰来力战三僧得胜，瑞大林在树上暗放袖箭，却被大痴禅师以铁菩提打落，接着又将两人打了下来。

周仲英当下给红花会群雄与少林寺僧众引见。原来当日周仲英和孟健雄、安健刚、周大奶奶离天目山后，南下福建，来到少林寺谒见方丈天虹禅师。南北少林本是一家，武功家数也无多大分别。周仲英在武林中声名极响，南少林僧众素来仰慕。双方印证切磋武功，极是投机。天虹禅师恳切相留，周仲英一住不觉就是数月，这晚听得连连警报，说有一个高手夜闯山门，已与达摩院上座三僧交上了手，于是跟着出来，哪知竟是文泰来。

当下文泰来向监寺大苦大师告了骚扰之罪，要把成璜与瑞大林带走。大苦道："这两位施主既来本寺避难，佛门广大，慈悲为本，文施主瞧在小僧脸上，放了他们走吧！"文泰来无奈，只得依了。大苦遣走成瑞二人，邀群雄入寺。天虹禅师已率领达摩院首座天镜禅师、戒持院首座大癫、藏经阁主座大痴等在大殿上迎接。互通姓名后，天虹向陆菲青道："久仰武当绵里针陆师傅的大名，今日有幸得见，真是山刹之光。"陆菲青逊谢。天虹邀群雄到静室献茶，问起来意。

陈家洛心中一酸，忽地在天虹面前跪倒，双目流泪。天虹大惊，忙伸手扶起，道："陈总舵主有话请说，如何行此大礼？"陈家洛道："在下有个不情之请，按照武林规矩，原是不该出口。但为了亿万生灵，斗胆向老禅师求告。"天虹道："请说不妨。"陈家洛道："于万亭于老爷子是我义父……"一听到于万亭之名，天虹倏然变色，白眉掀动。

陈家洛当下把自己与乾隆的关系原原本本说了，最后说到兴汉驱满的大计，求天虹告知他义父被革出派的原由，要知道此事是否与乾隆的真正身世有关，说到这里，声音已有些哽咽，道："望老禅师念着天下百姓……"

天虹默然不语，长眉下垂，双目合拢，凝神思索，众人不敢打扰。过了一盏茶时分，天虹眼睁一线，但见两道精光直射出来。陆菲青、陈家洛、文泰来等心中都是一凛："这位老方丈内功修为如此深湛。"只听他说道："少林寺数百年向例，本寺弟子违犯清规戒律情由，不得向外人泄露。陈总舵主远道来寺，求问被逐弟子于万亭的俗世情缘。此事按照寺规，本不可行……"群雄听到这里，心中都是一喜，只听他又道："但此事有关普天下苍生气运，本寺破例，请陈总舵主派人往戒持院自取案卷。"陈家洛躬身道谢。知客僧引群雄到客舍休息。

陈家洛正自欣喜，却见周仲英皱起眉头，面露忧色。徐天宏问道："爹，内中另有难处么？"周仲英道："方丈师兄请陈总舵主派人去取案卷，要知前赴戒持院须得经过五座殿堂，每一殿有一位武功极高的大师驻守，要冲过五殿，唉，甚难，甚难！"

众人一听，才知还得经过一场剧斗，文泰来道："周老爷子是两不相助的了。咱们几个勉强试试吧!”周仲英摇头道:“难在须得一个人连闯五殿,若是有人相助,寺中也遣人相助,势成混战,那可大大不妥。这五殿的护法大师一位强似一位。就算过得前面数殿,力斗之余,最后一两殿实难闯过。”

陈家洛沉吟道:“这是我家门之事,或者我佛慈悲,能放我过去也不一定。”当下脱去长衣,带了一袋围棋子,腰上插了短剑,由周仲英领到妙法殿来。

周仲英来到殿口,低声道:“陈当家的,如闯不过去,就请回转。咱们另想别法。千万不可勉强,免受损伤。”陈家洛点头答应。周仲英叫道:“诸事如意!”站在一旁。

陈家洛推门进内,只见殿上烛火明亮,一僧坐在蒲团之上,正是监寺大苦大师。他站起身来,笑道:“是陈总舵主亲自赐教,再好也没有了,我请教几路拳法。”陈家洛站在下首,拱手道:“请!”

大苦左手握拳,翻转挽一大圈,右掌上托。陈家洛识得此招是“只手擎天”,知他是以“醉拳”来和自己过招。他虽曾学过此拳,但想起当日和周仲英在铁胆庄比武,自己用少林拳来对他少林拳,险遭大败,此时再也不敢轻忽,当下双手一拍,倏地分开,一出手便是“百花错拳”的绝招。大苦出其不意,险些中掌,顺势一招“怪鸟搜云”,仰跌在地,手足齐发,随即跳起,只见他脚步欹斜,双手乱舞,声东击西,指前打后,跌跌撞撞,真如醉汉一般。陈家洛识得此拳,当下凝神拆解。两人拳法都是自成一家,不依常规。大苦的“醉拳”虽只一十六路,但下盘若虚而稳,拳招似懈实精,翻滚跌扑,顾盼生姿。

两人斗到酣处,大苦一个飞腾步,全身凌空,落下来足成绞花,一招“铁牛耕地”,右拳冲击对方下盘。陈家洛斜身后缩,知他一击不中,又将上跃成为“鹞子翻身”,看准部位,等他左足落地,突然右脚勾出,伸手在他背上轻轻一按。大苦翻不过来,俯伏跌了下去。陈家洛双手在他肩头一托,大苦借势跃起,才没跌倒,脸上胀得通红，向里一指，道："请进吧!"陈家洛拱手道："承让!"

进去又是一殿，戒持院首座大癫大师坐在正中，见他进来，便即站起，提起身旁一条粗大禅杖在地下一顿，只震得墙壁摇动，屋顶簌簌的落下许多灰尘。陈家洛暗惊：此人力气好大，只见他左手扶杖，右手向左右各发侧掌，左手提杖打横，右手以阳手接住，踏上两步，正是"疯魔杖"的起手式。陈家洛见他发掌时风声飒然，脚步沉凝，不敢轻敌，拔出短剑，脱去外鞘，一阵寒光激射而出。大癫见了剑光，不觉一震，左手斜击，拗杖横击，这"虎尾鞭势"又快又沉。陈家洛矮身从杖下穿过，还了一剑。两人兵器一个极长，一个极短，在殿上回旋激斗。

陈家洛见过蒋四根的桨法，知道这疯魔杖法猛如疯虎，骤若天魔，杖法脱胎于少林寺紧那罗王所传的一百单八路棍法，又摘取大小"夜叉棍"、"取经棍法"等精华，端的厉害。自来杖法多用长手，使者必具极大勇力，大癫尤其天生神武，只见他"翻身劈山"、"夜叉探海"、"雷针轰木"，招招狠极猛极，犹如发疯着魔，将一根数十斤镔铁禅杖狂舞乱打。

陈家洛心下暗赞，要如此使杖，才当得起"疯魔"两字，当下不敢抢入力攻，一味腾挪闪避，料想他如此勇悍，定然难以持久，只待他锐气稍挫，再行攻入。哪知大癫内功深湛，根基极固，恶斗良久，杖法中丝毫不见破绽，反而越舞越急，毫无衰象，竟把陈家洛直逼向墙角里去。大癫见他无处退避，双手抡杖，一招"回龙杖"向下猛击。

陈家洛心想以后还有三位高手，不可恋战耗力，见这狠招下来，决意险中求胜，竟不闪避。大癫虽然勇猛，平素从不杀生，哪肯无故伤人性命？禅杖砸到离他头顶二尺之处，斗然提起，改砸为扫，满拟将他扫倒，叫他知难而退，也就罢了。陈家洛本待禅杖将到头顶时突然扑入对方怀中，以短攻近，忽见他半路改势，劲力微滞，当即随机应变，左手抓住杖头，右手短剑划出，禅杖登时断为两截，两人各执了一段。

大癫大怒，扑上又斗，陈家洛跃开丈余，一躬到地，说道："大师手下容情，在下感激不尽。"大癫不理，挺着半截禅杖直逼过来，但毕竟使不顺手，不数合又被短剑削断。

陈家洛心中歉然，只怕他要空手索战，径自奔入后殿。大癫只因一念之仁反遭挫败，甚是气忿，数步追不上，大叫一声，将半截禅杖猛力掷在地下，火花四溅。

陈家洛来到第三殿，眼前一片光亮，只见殿中两侧点满了香烛，何止百数十枝。藏经阁主座大痴大师笑容可掬，说道："陈当家的，你我来比划一下暗器。"陈家洛躬身道："请大师指教。"大痴笑道："你我各守一边，每边均有九枝蜡烛，九九八十一炷香，谁先把对方的香烛全部打灭，谁就胜了。这比法不伤和气。"向殿心拱桌一指道："袖箭、铁莲子、菩提子、飞镖，各种暗器桌上都有，用完了可以再拿。"

陈家洛在衣囊中摸了一把棋子，心想："这位大师在暗器上必有独到的功夫。我若平时向赵三哥多讨教几下，这时也可多一点把握。"说道："请吧！"大痴笑道："客人先请。"陈家洛寻思："我先显一手师父教的满天花雨，来个先声夺人。"拿起五颗棋子，一把掷了出去，对面墙脚下五炷香应声而灭。大痴赞道："好俊功夫。"颈中除下一串念珠，扯断珠索，拿了五颗念珠在手，也是一掷打灭五香。

风声起处，陈家洛又打灭五炷线香。大痴连挥两下，九烛齐熄。烛火一灭，黑暗中香头火光看得越加清楚，那就易取准头。陈家洛心想："正该如此，我怎么没想到？"九颗棋子分三次掷出，直奔烛头，只听叮叮叮一阵响，烛火毫无动静，九颗棋子都在半途被大痴打了下来，不觉一呆，大痴却乘机打灭了四炷线香。待他再发，陈家洛也掷棋子去迎击念珠，但因自己这边烛火已灭，香头微光，怎照得清楚细小的念珠？对方五颗念珠只击中了两颗，其余三颗却又打灭了三炷香。

对比之下，大痴已胜了九烛二香，他以念珠极力守住九枝烛火，一面乘隙灭香，再交锋数合，又多胜了十四炷香。陈家洛出尽全力，也只打灭了两枝蜡烛。他心里一急，大痴乘势直攻，一口气打灭了十九炷香。

陈家洛见对面烛火辉煌，自己这边只剩下寥寥二十多炷香，心想："难道第三殿便闯不过去?"危急中忽然想起赵半山的飞燕银梭，当下看准方位，把三颗棋子猛力往墙边掷去。大痴见他乱掷，暗笑毕竟是年青人沉不住气，一输就大发脾气。哪知三颗棋子在墙上一碰，反弹转来，一颗落空，余下两颗把两枝烛火打灭。大痴吃了一惊，不由得喝彩。

陈家洛如此接连发出棋子，撞墙反弹，大痴无法再守住烛火，好在他已占先了数十枝香，这时再不去理会对方灭烛，双手连挥，加紧灭香。突然间殿中一片黑暗，陈家洛已将蜡烛尽行打熄，但他这一边点燃的线香却也只剩下七枝，对面却点点星火，何逾三数十枝，正自气沮，忽听大痴叫道："陈当家的，我暗器打完啦，大家暂停，到拱桌上拿了再打。"

陈家洛一摸衣囊，也只剩下五六粒棋子，只听大痴道："你先拿吧。"陈家洛走到拱桌之前，灵机一动，心想："这是大事所系，只好要一下无赖了。"左手兜起长衫下襟，右手在拱桌桌面上一抹，把桌上全部暗器都攞入衣襟，跃回已方，笑道："一、二、三，我要发暗器啦。"大痴扑到桌边伸手一摸，桌上空空如也。陈家洛铁莲子、菩提子一连串射将出去，片刻之间，把对面地下的香火灭得一星不留。

大痴手中没有暗器，眼睁睁的无法可施，哈哈大笑，道："陈当家的，真有你的，这叫做斗智不斗力！你胜了，请吧！"陈家洛道："惭愧，惭愧。在下本已输了，只因事关重大，出于无奈，务请原谅。"大痴大师脾气甚好，不以为忤，笑道："后面两殿是我两位师叔把守，我两位师叔武功深湛，还请小心。"陈家洛道："多谢大师指点。"心下感激，再入内殿。

里面一殿也是烛火明亮，殿堂却较前面三殿小得多。殿中放了两个蒲团，达摩院首座天镜禅师盘膝坐在左侧蒲团上，见陈家洛进来，起立相迎，道："请坐吧！"陈家洛不知他要如何比试，依言坐上右侧蒲团，心想大癫、大痴已如此功力，天镜是他师叔，又是达摩院首座，武功之精，不言可喻，自己多半不是敌手，只好随机应变了。

天镜禅师身材极高，坐在蒲团上比常人也矮不了多少，两颊深陷，全身似乎无肉，瞧上去不怒自威。天镜道："你连过三殿，足见高明。虽然你义父已不属少林门下，但说来你总是晚辈，我也不能跟你平手过招。这样吧，你能和我拆十招不败，就让你过去。"陈家洛站起施礼，道："请老禅师慈悲。"天镜哼了一声，道："请坐，接着！"

陈家洛刚坐上蒲团，只觉一股劲风当胸扑到，忙运双掌相抵，只和他手掌一碰，立觉猛不可当，如是硬接，势非跌下蒲团不可，忙使招"分手"，想把劲力引向一旁消解。哪知天镜的掌力刚猛无俦，"分手"竟然黏他不动，只得拼着全身之力，强接了这招。

陈家洛这一招虽然接住了，但已震得左膀隐隐作痛。天镜禅师叫道："第二招来了。"陈家洛不敢再行硬架，待得掌到，身子一偏，反拳拦打他臂弯，这是"百花错拳"中的妙着，敌人势须收掌相避。不料天镜右臂"横扫千军"，肘弯倏地对准他拳面横推过来。这一下来势快极，陈家洛拳力未发，已被对方肘部抵住，忙脚上使劲，身子直拔起来，避开了这一推，落下来仍坐在蒲团之上。天镜见他变招快捷，能坐着急跃，点了点头，反掌回抓。

陈家洛见他一招招越来越是厉害，心想这十招只怕接不完，忽听钟声镗镗，原来天已微明，寺中撞动巨钟，心念一动，左掌轻飘飘的随着钟声拍了过去。天镜"咦"了一声，回掌拨开。陈家洛使出在玉峰中学到的掌法，回旋如意，随着钟声一掌一掌的拍去。天镜全神贯注，出掌相敌，拆到钟声止歇，陈家洛收掌道："再拆下去，晚辈接不住了。"

天镜道：“好好，已拆了四十余招，果然掌法精妙，请吧。”陈家洛站起身来，正要走动，突然一晃，立足不稳，忙扶壁站住，只觉眼前金星乱闪。天镜扶他坐下，说道：“你最初硬接我第一招时伤了气，静静的调匀一下呼吸，不碍事。”陈家洛闭目坐在蒲团上，依言运气，过了一会，这才内息顺畅，但双掌双臂都已微肿，隐隐胀痛，心想这位老禅师真个厉害。天镜道：“你这路掌法是哪里学来的？”陈家洛说了。天镜道：“西域有此精妙掌法，令我大开眼界。你如一上来就用这掌法，手臂也不会受伤了。”

陈家洛道：“弟子受了伤，最后一殿是一定闯不过去了，求老禅师指点明路。”天镜道：“过不去，就回头。”陈家洛心想：“释家叫人回头，我们豪侠之辈却讲究一往无前，死而不悔。”于是行了个礼，鼓勇踏入后殿。

一进门，吃了一惊，原来里面是小小一间静室，少林寺方丈天虹禅师端坐禅床，心想天镜已如此厉害，天虹是少林寺第一高手，自己如何能敌？这静室甚是窄隘，比试的一定不是拳脚暗器之类，多半是较量内功，那更无取巧余地了，正自惊疑不定，天虹禅师合什躬身，说道：“请坐。”陈家洛在禅床一边坐了。见两人之间有张小几，几上小香炉中檀香青烟袅袅上升，对面壁上挂着一幅白描的寒山拾得图，寥寥不多几笔，却画得两位高僧神采栩栩。

天虹禅师沉吟了一会，道：“从前有一人善于牧羊，以至豪富，可是这人生性悭吝，不肯用钱……”陈家洛听他忽然讲起故事来，不觉大为诧异，当下凝神倾听，听他继续讲道：“有一人很是狡诈，知他愚鲁，而且极想娶妻，就骗他道：‘我知道有一女子十分美貌，替你娶做妻子吧。’牧羊人很是喜欢，给了他许多财物。过了一年，那人又道：‘你妻子已给你生了一个儿子。’牧羊人从未见过妻子，但听说已生儿子，更加高兴，又给了他许多财物。后来那人又道：‘你儿子已经死啦！’牧羊人大哭不已，万分悲伤。”陈家洛颇务杂学，听他说到这里，已知是引述佛家宣讲大乘法的《百喻经》，听他又道：“其实世上的事无不如此，皇位、富贵，便如那牧羊人的妻子儿子一般，都是虚幻。又何必苦费心力以求，得了为之欢喜，失了为之悲伤呢？”

陈家洛道：“从前有一对夫妇，有三个饼。每人各吃了一个，剩下一个。两人约定，谁先说话，谁就没饼吃。”天虹听他也在引述《百喻经》，点了点头。陈家洛接着道：“两人僵住了不说话。不久有一个贼进来，把他们家里的财物都拿了。夫妇俩因有约在先，眼睁睁的瞧着不说话。那贼见他们如此，大了胆子，就在丈夫面前侵犯他的妻子。丈夫仍然不理。妻子忍不住叫了起来。贼人拿了财物逃走了。那丈夫拍手笑道：‘好啊，你输啦，饼归我吃。’”天虹禅师本来就知这故事，但听到此处，也不禁微笑。陈家洛道：“为了一点小小的安闲享乐，反而忘却了大苦。为了口腹之欲，却不理会贼子抢己财物，侵犯自己亲人。佛家当普渡众生，不能忍心专顾一己。”

天虹叹道：“诸行无常，诸法无我。人之所滞，滞在未有。若托心本无，异想便息。”陈家洛道：“众生方大苦难。高僧支道林曾有言道：桀纣以残害为性，岂能由其适性逍遥？”天虹知他热心世务，决意为生民解除疾苦，也甚敬重，说道：“陈当家的满腔热血，可敬可佩。老衲再问一事，就请自便。”陈家洛道：“请老禅师指点迷津。”

天虹道：“从前有个老婆婆，卧在树下休息，忽有大熊要来吃她。老婆婆绕树奔逃，大熊伸掌至树后抓拿，老婆婆乘机把大熊两只前掌捺在树干之上，熊就不能动了，但老婆婆也不敢放手。后来有一人经过，老婆婆请他帮忙，一同杀熊分肉。那人信了，按住熊掌。老婆婆脱身远逃，那人反而为熊所困，无法脱身。”陈家洛知他寓意，说道：“救人危难，奋不顾身，虽受牵累，终无所悔。”

天虹拂尘一举，道：“请进吧。”陈家洛跨下禅床，躬身行礼，说道：“弟子擅闯重地，方丈恕罪。”天虹点了点头。陈家洛转身入内，只听身后数声微微叹息之声。

转过长廊，来到一座殿堂，殿中点着两支巨烛，微微摇晃，四壁都是一座座的木柜，柜上贴着黄纸标签。他拿了烛台，一路找去，找到了“天”字辈的木柜，打开柜门，见有三个黄布包袱，左首一个包袱上朱笔写着“于万亭”三字，不觉手一晃动，数滴烛油溅了出来，当下镇慑心神，轻轻将包袱提出，心中默祝，解了开来。

包中是一件绣花的男人背心，还有一件撕烂了的白布女衣，上面点点斑斑，似乎都是血迹，年深日久，早已变黑，此外便是一个黄纸大折。陈家洛打开折子，登时心中酸痛，上面写的正是他义父的笔迹。

陈家洛从头读起：“福建莆田少林寺院门下第二十一代天字辈俗家弟子于万亭带罪敬白。弟子出身农家，自幼贫苦，从小与左邻徐家女儿潮生相识，两人年长后甚相亲爱……”陈家洛读到这里，心中突突乱跳，想道：“难道义父犯规之事和我姆妈有关？”再看下去：“……我二人后来私订终身，约定弟子非徐女不娶，徐女非弟子不嫁。先父过世后，连年天旱，田中没有收成，弟子出外谋生，蒙恩师慈悲，收在座下。缴上绣花背心，乃弟子离乡时徐女所赠。”

陈家洛越看越是惊疑，再看下去：“弟子未入本派武学堂奥，即便下山，只因挂念徐女恩情，尘缘不能割舍，待归故乡，惊悉徐女之父竟已将女嫁于当地豪族陈门。弟子伤痛之际，夜入陈府探视。仗师门所授武艺，为一己私情而擅闯民居，此所犯戒律一也。及后徐女随夫移居都门，弟子恋念不舍，三年后复去探望，是夜适逢徐女生育，得一男儿，纷纭之中，弟子仅在窗外张望数眼。四日后弟子重去，徐女神色仓皇，告以所生之子已为四皇子胤祯掉去，归还者竟为一女。未及竟谈，楼外突来雍邸血滴子四人，皆为高手，显为胤祯派来视察者，想是陈府如有人泄露机密，即杀之灭口。弟子惊而逃逸，为其追及，激战中弟子额间中刀受伤，拼死尽杀血滴子，回楼晕倒。徐女以内衣为弟子裹伤。所呈血衣，即为该物。弟子预闻皇室机密，显露少林武功，为师门惹祸，此所犯戒律二也。”

陈家洛读到这里，拿着母亲的旧衣，不禁泪如泉涌，过了一会，再读下去：“……此后十余年间，弟子虽在北京，但潜心武学，不敢再与徐女会面。及至雍正暴毙，乾隆接位。弟子推算年月，知乾隆即为徐女之子，心恐雍正阴险狠毒，预遣刺客加害徐女灭口，故当夜又入陈府，藏于徐女室内。是夜果来刺客两人，皆为弟子所杀，并在其身上搜出雍正遗旨，现一并呈上。”

陈家洛翻到最后，果见黄折末端黏着一张字条，上面写着：“如朕大归之时，陈世倌及其妻徐氏未死，速杀之。”正是雍正亲笔，字后盖着个小小朱印，是篆文“武威”两字。陈家洛曾听义父说起，雍正手下养着一批密探刺客，号称“血滴子”，专为皇帝干暗杀的勾当。雍正密令血滴子杀人，便以“武威”朱印为记。心想：“那时义父武功已经极高，两名血滴子自然不是他敌手，他为了救我姆妈，连我爸爸也无意中救了，想必雍正知他在世之时，我父母决计不敢吐露此事，是以一直忍到死后。”

再读折子：“乾隆大抵不知此事，是以再无刺客遣来。但弟子难以放心，乃化装为佣，在陈府操作贱役，劈柴挑水，共达五年，确知已无后患，方始离去。弟子以名门弟子，大胆妄为，若为人知，不免贻羞师门，败坏少林清誉，此弟子所犯戒律三也。”

陈家洛看到这里，眼前一片模糊，过去种种不解之事：母亲为什么要自己随义父出走，母亲为什么写了给自己的遗书又复烧毁，为什么母亲去世之后义父即伤心而死，对母亲遗书上“威逼嫁之陈门”，“半生伤痛”等零碎字句，登时全都了然，只觉一股说不出的滋味，不知是痛心，还是怜惜？心想义父为了保护姆妈，居然在我家甘操贱役五年之久，实是情深义重。其时我年稚幼，不知家中数十佣仆之中，竟然有此一位一代大侠。

出了一会神，拭泪再看：“弟子犯此三大戒律，深自惶恐，谨将经过始末，陈于恩师座前，跪求开恩发落。”于万亭的供词至此而止，下面是两行朱笔的批文，想是他师父所写的了，文曰：“于万亭犯三戒律，如幡然悔改，皈依三宝，则我佛十恶尚恕，岂不恕此乎？若恋尘缘，不能具大智慧力斩断情丝，则立即逐出我派。愿好自为之，善哉善哉！”折子到这里，以后就没有文字了。

陈家洛心想：“总是我义父心头放不下我姆妈，不能出家为僧，终于被革出少林派。他自知过失在己，因此我师父邀集江湖好汉来给他出头评理，他要一力推辞。”

这时心里疑团尽解，抬起头来，只见天边晓星初沉，东方已现曙色，于是吹灭烛火，将各物仍然包入黄布，提了布包，关上柜门，慢慢出院，只见迎面一尊弥勒佛笑容可掬，俯视着出院之人。心想：“当年我义父被逐出山门，从戒持院出来之时见到这尊佛像，不知心里是何滋味？”一路经过五殿，各殿阒无一人。

出得最后一殿时，周仲英、陆菲青，及红花会群雄一齐迎上。众人心神不定，等候了半夜，见他安然无恙，手中提着布包，俱各大喜，等走近时，却见他神态疲惫，双目红肿，又都感惊异。陈家洛把经过约略说了，只是于义父和母亲一段情谊，有关名节，却不明言，又道：“这里的事已经了结，咱们就去找那两名鹰爪，还要给七哥报仇。”众人称是。周仲英陪陈家洛入内向天虹、天镜两位禅师辞行，收拾起行。

刚出寺门，周绮忽然脸色苍白，险些晕倒。周仲英忙扶她入内休息，想是怀孕之身，旅途劳顿，前日又在方家大饮一场，动了胎气，少林寺精通医理的僧人给她一搭脉，说不能再行长途跋涉，须得就地静养，等待生产，周绮到此地步也只有苦笑点头了。

众人一商量，决定周仲英夫妇师徒及徐天宏五人留着相陪照料，待她产后将息康复，再来京师会齐。周仲英在寺西五里处租了几间民房居住。陆菲青、陈家洛等一行取道北行。

群雄在德化大闹之后，不敢再行入城。晚间文泰来、卫春华、余鱼同、心砚四人改装进城探访，不但瑞大林与成璜的消息打探不到，方家也已举家避祸，不知逃奔到哪里去了。

一路向北，这天到了山东泰安，在分舵中得报刑堂香主石双英从北京赶到。群雄一听大喜，忙迎出去。心砚奔上前去，叫道："十二爷，那奸贼死啦！"石双英一楞。心砚又道："张召重，张召重！"石双英喜道："张召重死了？"心砚道："正是，给饿狼吃得干干净净。"石双英不及细问，向陈家洛等众人行过了礼，进入内堂。陈家洛道："十二哥，你伤势可全好了？"石双英道："多谢总舵主挂怀，已全好了。陆老前辈、总舵主、各位哥哥一路辛苦。"陈家洛道："京里可有什么消息？"

石双英神色黯然，道："京里倒没事。我是赶来禀报木卓伦老英雄全军覆没的讯息。"陈家洛大惊失色，站起身来，定了定神，问道："什么？"群雄无不震惊。骆冰道："咱们离开回部之时，兆惠的残兵败将在黑水营被围得水泄不通，清兵怎又会得胜？"

石双英叹了一口气，道："清军突然增兵，从南疆开来大批援军，与被围的兆惠残部内外夹击。据逃出来的回人说，那时霍青桐姑娘正在病中，不能指挥。木卓伦老英雄和他儿子力战而死，霍青桐姑娘下落不明。"陈家洛心中一痛，跌坐在椅。陆菲青道："霍青桐姑娘一身武艺，清军兵将怎能伤害于她？"

陈家洛等都知这是他故意宽慰，乱军之中，一个患病的女子如何得能自保？骆冰问道："霍青桐姑娘有个妹子，回人叫她为香香公主，你可听到她的消息么？"说着使眼色。石双英会意，但又不能凭空捏造，只得道："这倒没听见。她既是著名人物，如有损伤，京都必有传闻。我在京里没听到什么，想必没事。"

陈家洛岂不知众人是在设词相慰，说道："兄弟入内休息一会。"众人都道："总舵主请便。"陈家洛入内之后，骆冰对心砚道："你快进去照料。"心砚急奔进去。众人想到木卓伦和霍阿伊竟尔战死，虽然保乡卫土，捐躯疆场，也自不枉了一世豪杰，但总不免为之伤感。霍青桐姊妹生死未卜，想来也是凶多吉少了。大家心情沮丧，默默无言。

过不多时，陈家洛掀帘而出，说道："咱们快吃饭，早日赶到北京去吧。"群雄见他忽然开朗，都感诧异。陆菲青低声对文泰来道："以前我见你们总舵主总有点儿女情长，英雄气短。这番如此看得开，放得下，真乃是领袖群伦的豪杰，这个我真的服了。"文泰来大拇指一翘，加紧吃饭。

一路上群雄见陈家洛虽强作笑语，但神色日见憔悴，都感忧急，却也难以劝慰。不一日到了北京。石双英已在双柳子胡同买下一所大宅第。无尘、常氏双侠、赵半山、杨成协五人已先在宅中相候。众人约略谈过别来情由。

陈家洛道："赵三哥，请你带同心砚去见白振。你把皇帝给我的'来凤'琴和四嫂盗来的玉瓶送了去，要白振转呈，皇帝就知咱们来了。"赵半山与心砚遵嘱而去，过了半日，回来覆命。

心砚道："我和赵三爷……"赵半山笑道："怎么还是爷不爷的?"心砚道："是了。我和赵三……赵三哥到白振家里找他。今儿他没当值，正在家里，见了三哥的名帖，忙迎出来，拉着我们到前门外喝了好一阵子酒，才放我们回来，着实亲热。"陈家洛点点头，心知白振是感念自己在钱塘江边救他一命，是以与前全然不同了。

次日一早，白振过来回拜，与赵半山寒暄了一阵，然后求见陈家洛，神态甚是恭谨，悄声道："皇上命我领陈公子进宫。"陈家洛道："好，请白老前辈稍待片刻。"入内与陆菲青等商议。众人都说该当严加戒备，以防不测。当下陆菲青、无尘、赵半山、常氏双侠、卫春华等六人随陈家洛进宫。文泰来率领余人在宫外接应。

七人有白振在前导引，各处宫门的侍卫都恭谨行礼。各人见皇宫气象宏伟，宫墙厚实，重重防卫，均感肃然。走了好一刻，两名太监急行而来，向白振道："白大人，皇上在宝月楼，命你带陈公子朝见。"白振道："是。"转头对陈家洛道："此去已是禁宫，请公子命各位将兵刃留下。"众人虽觉此事甚险，也只得依言解下刀剑，放在桌上。

白振带领众人穿殿过院，来到一座楼前。那楼画梁雕栋，金碧辉煌，楼高五层，甚是精雅华美。两名太监从楼上下来，叫道："传陈家洛。"陈家洛一整衣冠，跟着进楼，无尘等六人却被阻在楼外。

陈家洛随太监拾级而上，走到第五层，进入房去，只见乾隆笑吟吟的坐着。陈家洛跪下行君臣之礼，甚是恭敬。乾隆笑道："你来啦，很好。坐吧。"一挥手，太监都走了出去。陈家洛仍是垂手站立。乾隆道："坐下好说话。"陈家洛才谢了坐下。

乾隆笑道："你瞧我这层楼起得好不好?"陈家洛道："若不是皇宫内院，别处哪有这般精致的高楼华厦?"乾隆笑道："我是叫他们赶工鸠造的，前后还不到两个月呢。要是时候充裕，还可再造得考究些。不过就这样，也将就可以了。"陈家洛应道："是。"心想起这座宝月楼，又不知花了多少民脂民膏，为了赶造，只怕还杀了不少不得力的工匠与监工呢。乾隆站起身来，道："你刚去过回部，来瞧瞧，这像不像大漠风光。"陈家洛跟着他走到窗边，向外望去，不觉吃了一惊。

这本是个万紫千红、回廊曲折的御花园，先前从东面来时，只觉一片豪华景色，富贵气象，但登高西望，情景却全然不同，里许的地面上全铺了黄沙，还有些小小沙丘，仔细看来，尚看得出拆去亭阁、填平池塘、挖走花木的种种痕迹。这当然没有大漠上一望无际的雄伟气势，但具体而微，也有一点儿沙漠的模样。

陈家洛道："皇上喜欢沙漠上的景色?"乾隆笑而不答，反问："怎样?"陈家洛道："那也是极尽人力的了。"只见黄沙之上，还搭了十几座回人用的帐篷，帐篷边系着三头骆驼，想起霍青桐姊妹，不由得一阵心酸，再向前望，只见数百名工人还在拆屋，想是皇帝嫌这沙地不够大，还要再加扩充。陈家洛心中奇怪："这一片干澄澄、黄巴巴的沙地有什么好看?在繁花似锦的御花园中搭了回人帐篷，像什么样子?他的心思真是令人难以捉摸。"

乾隆从窗边走回，向几上的"来凤"古琴一指，道："为我再抚一曲如何?"陈家洛见他始终不提正事，也不便先说，于是端坐调弦，弹了一曲《朝天子》。乾隆听得大悦。陈家洛弹奏之间，微一侧头，忽然见到一张几上放着那对回部送来求和的玉瓶，瓶上所绘的香香公主似在对自己含睇浅笑，铮的一声，琴弦登时断了。

乾隆笑道："怎么？来到宫中，有些害怕么？"陈家洛站起身来，恭恭敬敬的说道："天威在迩，微臣失仪。"乾隆哈哈大笑，甚是得意，心想："你终于怕了我了。"陈家洛低下头来，忽见乾隆左手裹着一块白布，似乎手上受伤。乾隆脸上微红，将手缩到背后，说道："我要的东西，都拿来了么？"陈家洛道："是我的朋友拿着，就在楼下。"乾隆大喜，拿起桌上小槌在云板上轻敲两下，一名小太监走了进来。乾隆道："叫跟随陈公子的人上来。"小太监答应了下楼。

陆菲青等在楼下等着，不知陈家洛和皇帝谈得如何，过了一会，听得楼头隐隐传下琴声，稍觉放心。小太监下楼传见，六人跟着他上楼。走到第二层楼梯，忽然身后脚步声急，两人快步走上楼来。无尘与卫春华走在最后，往两旁一让路，那两人从中间抢上，见常氏双侠并不让路，低叱一声："让开!"各伸手臂，插向常氏双侠腰部，向外猛推。

常氏双侠均想："哪一个龟儿子如此无礼?"当下运劲反撞。那两人一推，见常氏双侠纹丝不动，却有一股极大劲力反撞出来，都吃了一惊。这时常氏双侠也已向两旁侧身，让出路来，见这两人太监打扮，一人空手，一人捧着一只盒子，刚才这一出手，显然武功精湛。内侍中居然有此好手，倒也出人意外。一瞥之间，两名太监已走到陆菲青与赵半山身后。两人互望了一眼，各伸右掌向陆赵两人肩头抓去，喝道："让开吧!"陆赵两人忽觉有人来袭，陆菲青使招"沾衣十八跌"，赵半山使了半招"单鞭"，当即把来势化解。

两名太监所抓不中，却受到内劲反击，当下抢上楼头，回头向陆赵二人怒目横视。一人对白振道："白老二，皇上又选侍卫么?"白振笑道："这几位是武学高人，哪能像咱们这般俗气。"两名太监哼了一声，上楼去了。

陆菲青等见这两名太监身怀绝艺，却是操此贱役，而对白振又是毫不客气，都是心中怀疑，不知两人是什么来头。

转眼间上了第五层楼。白振在帘外禀道："陈公子的六名从人在这里侍候。"一名小太监掀帘出来，道："在这里等一下。"过了一会，那两名会武功的太监空着手出来，向六人打量了一会，下楼去了。那小太监道："进去吧。"

六人随着白振进去，见乾隆居中而坐，陈家洛坐在一旁。陈家洛一使眼色，站了起来。陆菲青等无奈，只得向乾隆跪倒磕头。无尘肚里暗暗咒骂："臭皇帝！那日在六和塔上，吓得你魂不附体，今日却摆这臭架子。老道若不是瞧着总舵主的面子，一剑在你身上刺三个透明窟窿。"

陈家洛从赵半山手里接过一个密封的小木箱来，放在桌上，说道："都在这里了。"乾隆道："好，你先去吧！我看了之后再来传你。"陈家洛磕头辞出。乾隆道："这琴你拿回去。"陈家洛应道："是。"抱起了琴，交给卫春华，说道："皇上既已破了回部，臣求圣恩，下旨不要杀戮无辜。"乾隆不答，挥手命众人走出。

陈家洛无奈，只得率众随白振出房。到了楼下，那两名会武的太监迎了上来，叫道："白老二，是什么好朋友呀？给咱哥俩引见引见。"

白振对这两名太监似乎颇为忌惮，对陈家洛等道："我给各位引见两位宫里的高手。这位是迟玄迟公公，这位是武铭夫武公公。"陈家洛欲图大事，对宫里每个人都不愿得罪，拱手微笑道："幸会，幸会。"白振向迟武两人道："这位陈公子，是皇上巡幸江南时相遇的，皇上着实宠幸，这回特地召见，不久准要大用了。"迟玄笑道："这般漂亮的后生哥儿，做大学士怕还早着点吧？"陈家洛听他语气轻薄，隐忍不言。常氏兄弟怒目而视，就差"龟儿子"没骂出口。白振又替陆菲青、无尘等逐一引见。

原来迟武二人都是雍正手下血滴子的儿子。雍正差遣姓迟姓武两名血滴子暗杀了王公大臣后，怕泄露秘密，又将二人暗害，把他们儿子净了身收为太监。迟武两人自幼进宫，得父亲身前僚友指点，学了一身武艺，但江湖上的著名人物却全无所知，听了无尘等响当当的名头，毫不在意。

武铭夫笑道："咱们亲近亲近。"两人各自伸手，来握陆菲青与赵半山的手。他们上楼时抓陆赵二人肩头不中，很不服气，这时要再试一试。迟玄学的是六合拳，武铭夫专精通臂拳。两人一握上手，使劲力捏，存心要陆赵叫痛。哪知迟玄用力一捏，赵半山的手滑溜异常，就如一条鱼那样从掌中滑了出去。陆菲青绰号"绵里针"，武功外柔内狠。武铭夫一使劲，登时如握到一团棉花，心知不妙，疾忙撤手，掌心已受到反力，总算撤手得早，未曾受伤，强笑道："陆老儿好精的内功。"

迟玄向常氏兄弟道："这两位生有异相，武功必更惊人，咱亲近亲近。"

常氏兄弟让迟武两人握住了手，均想："这两个没卵子的龟儿，手下倒还挺硬，给点颜色他们瞧瞧。"当下使出黑沙掌功夫，迟武二人脸上失色，额头登时一粒粒黄豆大的汗珠渗了出来。

迟武两人是皇太后的心腹近侍，仗着皇太后的宠幸，颇为骄横，平时和侍卫们颇有点面和心不和。这时白振见他们吃苦，故作不见，心中暗暗高兴。

常氏兄弟微微一笑，放开了手。迟武二人痛彻心肺，低头见到手上深深的黑色指印，向双侠恨恨的瞪了一眼，转头就走。卫春华心想："以张召重如此武功，当日在乌鞘岭上被常五哥一握，尚且受创甚重，何况你这两个家伙？"

白振直送到宫门外。文泰来和杨成协、章进等人在外相迎。

乾隆等陈家洛走后，屏退太监，打开小木箱，见了雍正谕旨和生母亲笔所写的书信，心想自己左臂上确有殷红斑记，若非亲生之母，焉能得知？此事千真万确，更无丝毫怀疑，追怀父母生养之恩，不禁叹息良久，命小太监取进火盆，把信件证物一一投入火里，眼见烈焰上腾，心下甚是轻松愉快，一转念间，把小木箱也投入火盆，只烧得满室生温。

乾隆望着几上玉瓶出了一会神，对小太监道："传那人上来。"小太监下楼半晌，回上来跪禀："奴才该死，娘娘不肯上来。"乾隆一笑，接着又微微叹了口气，向几上的玉瓶一指，起身下楼。两名小太监抱了玉瓶跟来。

走到下面一层，站在门外的宫女挑起门帘，乾隆走进房去，满楼全是鲜花，进了内室，两名宫女从太监手里接过玉瓶，轻轻放在桌上。

室内一名白衣少女本来向外而坐，听得脚步声，倏地转身面壁。乾隆一挥手，众宫女退了出去，正要开口说话，门帘掀开，迟玄与武铭夫两名太监走了进来，垂手站在门边。乾隆怒道："你们来干什么？快出去。"迟玄道："奴才奉太后懿旨，保护皇上。"乾隆道："我好好的，保护什么？"迟玄道："皇太后知道她……娘娘性子不……性子刚强，怕再伤了皇上万金之体。"乾隆望了望自己受伤的左手，喝道："不用！快出去！"迟武二人只是磕头，却不退出。乾隆知道他们既奉太后之命，无论如何是不肯出去的了，便不再理会，转头对那白衣少女道："你回过头来，我有话说。"说的却是回语。

那少女不理不睬，右手紧紧握着一柄短剑的剑柄。乾隆叹了口气道："你瞧桌上是什么。"那少女本待不理，但终究好奇，过了一会，侧头斜眼一望，见到了那对羊脂白玉瓶。她这一回头，乾隆和迟武两人只觉光艳耀目，原来这少女就是香香公主。

木卓伦兵败之后，香香公主为兆惠部下所俘。兆惠记得张召重的话，知道皇帝要这女子，于是特遣清兵，香车宝舆，十分隆重的送到北京皇宫来。

当日乾隆见了玉瓶上香香公主的肖像，便即神魂颠倒。后来玉瓶为骆冰所盗，乾隆大怒，杀了两名看守玉瓶的侍卫，但思念瓶上美人愈加热切，于是派张召重去回部传令，务必要将此美人送京。

他一遣出张召重，就日日盼望，忽想美人到来，言谈不通，岂非减了情趣，亏他倒也一片诚心，竟传了教师学起回语来。他人本聪明，学得又甚专心，数月间便已粗通，曾赋诗一首云："万里驰来卓尔齐，恰逢嘉夜宴楼西。面询牧盛人安否，那更传言藉译鞮。"在诗下自注道："蒙古回语皆熟习，弗藉通事译语也。"于学会了说回语，颇为沾沾自喜。

但香香公主一缕情丝，早已牢牢缚在陈家洛身上，乾隆又是她杀父大仇，怎肯相从？她几次受逼不过，想图自尽，但每次总想到陈家洛曾答允过，要带她上长城城头玩耍。她自与陈家洛相识，见他采雪莲、逐清兵、救小鹿、出狼群、赴敌营、进玉峰，在危难中干过无数惊险之事，对他的说话已无丝毫怀疑，他既说过带她到长城上去，定然会去，是以不论乾隆如何软诱威逼，她始终充满信心，坚定抗拒，心想："我就像当时给狼群困住一样，这头狼要吃我，但我那郎君总会来救我出去。"

乾隆眼见她一天天的憔悴，怕她郁闷而死，倒也不敢过分逼迫，又招集京师巧匠，建造了这座宝月楼给她居住。楼宇落成后他大为得意，自撰《宝月楼记》，写道："名之宝月者，抑亦有肖乎广寒之庭也"，并有"叶屿花台云锦错，广寒乍拟是瑶池"的《宝月楼诗》，把香香公主大捧而特捧，比之为嫦娥，比之为仙子。

但香香公主毫不理会，宝月楼中一切珍饰宝物，她视而不见，只是望着四壁郎世宁所绘的工笔回部风光，呆呆出神，追忆与陈家洛相聚那段时日中的醉心乐事。

乾隆有时偷偷在旁形相，见她凝望想念，嘴角露着微笑，不觉神为之荡，这天实在忍不住了，伸手过去拉她手臂，突然寒光一闪，一剑直刺下来。总算香香公主不会武艺，而乾隆身手又颇敏捷，急跃避开，但左手已被短剑刺得鲜血淋漓。他吓得脸青唇白，全身冷汗，从此再也不敢对她有丝毫冒渎。这事给皇太后知道后，命太监去缴她短剑。香香公主拔剑当胸，只要有人走近，立即自杀。乾隆只得令众人退开，不得干扰。

香香公主又怕他们在饮食中下药迷醉，除了新鲜自剖的瓜果之外，一概不饮不食。乾隆在武英殿旁造了一座回人型式的浴池供她沐浴，她却把自己衣衫用线缝了起来。她生有异征，多日不沐，身上香气却愈加浓郁。一个本来不懂世事、天真烂漫的少女，只因身处忧患，独抗宫中无数邪恶之人的煎迫，数十日之内，竟变得精明坚强，洞悉世人的奸险了。

她这时乍见玉瓶，心头一震，怕乾隆又施诡计，回头面壁，紧紧握住剑柄。乾隆叹道："我以前见了玉瓶上你的肖像，只道世上决无如此美人，不料见了真人，实是天下任何画工所不能图绘于万一。"香香公主不理。乾隆又道："你整日烦恼，莫要闷出病来。你可想念家乡吗？到窗边来瞧瞧。"吩咐太监，取铁锤来起下钉住窗户的钉子，打开了窗。原来乾隆怕她伤心愤慨，跳楼自尽，是以她所住的这一层的窗户全部牢牢钉住。

香香公主见乾隆和两名太监站在窗边，哼了一声，嘴唇扁了一扁。乾隆会意，站起来走到东首，又挥手命迟武两人走开。香香公主见他们远离窗边，才慢慢走近，向外一望，只见一片平沙，搭了许多回人的帐幕，远处是一座伊斯兰教的礼拜堂，心里一酸，两颗泪珠从面颊上缓缓滚下，想起父亲哥哥及无数族人都惨被乾隆派去的兵将害死，一股怨愤，从心底直冲上来，一回头，抓起桌上一只玉瓶，猛向乾隆头上摔去。

武铭夫一个箭步抢在前面，伸出左手相接，岂知玉瓶光滑异常，虽然接住了，还是滑在地下，跌成了碎片。一瓶刚碎，第二瓶跟着掷到，迟玄双手合抱，玉瓶仍从他手底溜下，一声清脆之声过去，稀世之珍就此毁灭。

武铭夫怕她再出手伤害皇帝，纵上去伸手要抓。香香公主回过短剑，指在自己咽喉，乾隆急叫："住手！"武铭夫顿足缩手。香香公主急退数步，丁冬一声，身上跌下了一块东西。武铭夫怕是暗器之属。忙俯身拾起，见是一块佩玉，转过身来交给皇帝。

乾隆一拿上手，不觉变色，只见正是自己在海宁海塘上送给陈家洛的那块温玉，上面用金丝嵌着“情深不寿，强极则辱，谦谦君子，温润如玉”四句铭文。他给陈家洛时曾说要他将来赠给意中人作为定情之物，难道这两人之间竟有情缘？忙问：“你识得他？”顿了一顿，又道：“这玉从哪里来的？”

香香公主伸出左手，道：“还我。”乾隆妒意顿起，问道：“你说是谁给你的，我就还你。”香香公主道：“是我丈夫给我的。”这一句回答又大出他意料之外，忙问：“你嫁过人了？”香香公主傲然道：“我的身子虽然还没嫁他，我的心早嫁给他了。他是世上最仁慈最勇敢的人。你捉住我，他定会将我救出去。你虽是皇帝，他不怕你，我也不怕你。”

乾隆越听越不好受，恨恨的道：“我知道你说的人是谁！他是红花会总舵主陈家洛，只是个江湖匪帮的头子，有什么希奇了？”香香公主听他提到陈家洛的名字，心中喜悦，登时容光焕发，道：“是么？你也知道他。你还是放了我的好。”

乾隆一抬头，猛见对面梳妆台上大镜中自己的容貌，想起陈家洛丰神俊朗，文武全才，自己哪一点能及得上他？不由得又妒又恨，猛力一挥，温玉掷出，将镜中自己的人影打得粉碎，玻璃片撒满了一地。香香公主抢上去拾起佩玉，用衣襟拂拭抚摸，甚是怜惜。乾隆更是恼怒，一顿足，下楼去了。

他回到平时读书作诗的静室，看到案头一首做了一半的《宝月楼诗》，那两句“楼名宝月有嫦娥，天子昔时梦见之”，平仄未叶，才调稍欠，本想慢慢推敲，倘若圣天子洪福齐天，百神呵护，忽然笔底下自行钻出几句妙句来，也未可知，但这时气恼之下，随手将诗笺扯得粉碎，坐了半天，满腔愤怒才慚慚平息，心想：“我贵为天子，奄有四方，这个异族女子却如此倔强，不肯顺从，原来竟是这陈家洛在中间作怪……他劝我驱逐满洲人出关，回复汉家天下，本是美事，只是画虎不成反类犬，别要大事不成，反而断送了自己的性命。这件事这几个月来反复思量，难以决断，到底如何是好？”

想到此事，心底一个已盘算了千百遍的念头又冒将上来：“现今我要怎样便怎样，何等逍遥自在，这件大事就算能成，亦不免处处受此人挟制，自己岂非成了傀儡？又何必舍实利而图虚名？”再想：“这回族女子一心一意都放在他身上，好，咱们两件事一并算帐。”当下心意已决，命太监召白振进来。

不一刻白振进来听旨。乾隆道：“在宝月楼每层楼上各派四名一等侍卫，楼外再派二十名侍卫，不许露出半点痕迹。”白振答应了。乾隆又道：“宣陈家洛来此，我有要紧说话，命他别带从人。”白振接旨，先行分派侍卫，然后去召陈家洛。

陈家洛又闻宣召，入内与众人商议。陆菲青、文泰来等都很担忧，均说为什么不许随带从人，只怕内有阴谋。陈家洛道：“从回部与少林寺拿来的证物，我都已呈给皇上。他刚见过我，立即又叫我去，定为商议此事。这是我汉家山河兴复大业，就是刀山油锅，也要去走一遭。”对无尘道：“道长，要是我不能回来，红花会就请道长统领，给兄弟报仇。”无尘慨然道：“总舵主放心。”陈家洛又道：“你们这次别去接应，他如存心害我，在宫外接应也来不及，反而多有损折。”群雄见情势如此，只得应了。

陈家洛与白振再进禁城，已是初更时分，两名太监提了灯笼前导。只见月上树梢，照得地下一片花影，陈家洛随着太监又上宝月楼来，这次是到第四层，太监一通报，乾隆立命入内。那是楼侧的一间小室，乾隆坐在榻上呆呆出神。陈家洛跪拜了。乾隆命坐，半晌不语。

陈家洛见对面壁上挂着一幅仇十洲绘的汉宫春晓图，工笔庭院，人物意态如生，旁边是乾隆所写的一副对联：“企圣效王虽励志，日孜月矻祇惭神”，隐然有自比汉皇之意。乾隆见他在看自己所写的字，笑问：“怎样？”陈家洛道：“皇上胸襟开阔，自是神武天子气象。将来大业告成，则汉驱暴秦，明逐元虏，都不及皇上德配天地、功垂万代。”

乾隆听他歌功颂德，不禁怡然自得，捻须微笑，陶醉了一阵，笑道："你我分虽君臣，情为兄弟，以后要你好好辅佐我才是。"陈家洛听了这话，知他看了各件证物与书信之后，已承认二人的兄弟关系，同时话中显然并非背盟，正是要共图大事之意，不禁大喜，疑虑顿消，跪下磕头道："皇上英明圣断，真是万民之福。"

乾隆待他站起，叹道："我虽贵为天子，却不及你的福气。"陈家洛愕然不解。乾隆道："去年八月间，我在海宁塘边曾给你一块佩玉，这玉你可带在身边？"陈家洛一楞，道："皇上命臣转送他人，臣已经转赠了。"乾隆道："你眼界极高，既然能当你之意，那必是绝代佳人了。"陈家洛眼眶一红，道："可惜她现今生死未卜，不知流落何方。待皇上大事告成，臣走遍天涯海角，也要找到她。"乾隆道："这个姑娘是你十分心爱之人了？"陈家洛低声道："是。"

乾隆道："皇后是满洲人，你是知道的？"陈家洛又道："是。"乾隆道："皇后侍我甚久，为人也很贤德。要是我和你共图大事，她必以死力争，你想怎么办？"这句话陈家洛如何能答，只得道："皇上圣见，微臣愚鲁，不敢妄测。"乾隆道："家国不能两全，日来教我大费踌躇。眼下我有一件心事，可惜无人能替我分忧。"陈家洛道："皇上但有所命，臣万死不辞。"乾隆叹道："本来君子不夺人之所好，但这是命中注定的冤孽。唉，情之所钟，奈何奈何？你到那边去瞧瞧吧！"说着向西侧室门一指，站起身来，上楼去了。

陈家洛听了这番古里古怪的言语，大惑不解，定了定神，掀开厚厚的门帷，慢慢走了进去，见是一间华贵的卧室，室角红烛融融，一个白衣少女正望着烛火出神。

他在深宫之中斗然见到香香公主，登时呆住，身子一晃，说不出话来。香香公主听得脚步声，先把手中的短剑紧紧一握，抬起头来，只见对面站着的竟是自己日思夜想的情郎，满脸怒色立时变为喜容，欢叫一声，忽奔过去，投身入怀，喊道："我知道你一定会来救我的。我耐心等着，你终于来了。"陈家洛紧紧抱着她温软的身体，问道："喀丝丽，咱们是在做梦么？"香香公主仰脸摇了摇头，两滴珠泪流了下来。

陈家洛满怀感激，心想这皇帝哥哥真好，知道她是我的意中人，万里迢迢的把她从回部接来，让我和她在这里相会，使我出其不意，惊喜交集。他揽着香香公主的腰，低下头去，情不自禁的在她唇上亲吻。两人陶醉在这长吻的甜味之中，登时忘却了身外天地。

过了良久良久，陈家洛才慢慢放开了她，望着她晕红的脸颊，忽见她身后一面破碎的镜子，两人互相搂抱着的人影在每片碎片中映照出来，幻作无数化身，低声道："你瞧，世界上就是有一千个我，这一千个我总还是抱着你。"

香香公主斜视碎镜，从袋里摸出那块佩玉，说道："他把我这玉抢去打碎了的。幸好没砸坏了玉。"陈家洛惊问道："谁?"香香公主道："那坏蛋皇帝。"陈家洛一惊更甚，忙问："为什么?"香香公主道："他逼迫我，我说我不怕，因为你一定会救我出去。他就很生气，想拉我，但我有这把剑。"

陈家洛脑中一阵晕眩，呆呆的重复了一句："剑?"香香公主道："嗯，我爹爹被他们害死时，我在他身边。他拿这柄剑给我，叫我被敌人侵犯时就举剑自杀。只有为了保护伊斯兰教女子的贞洁而自杀，真主安拉才不会责罚，否则自杀之后，会堕入火窟。"

陈家洛低下头来，见到她衣衫用线密密缝住，心想这个柔弱天真的女孩子为了抵抗暴力，不知已有多少次临到生死交界的关头，心中又是爱怜，又是伤痛，把她揽在怀里，过了半晌，宁定心神，细想眼前的局面。

首先想到："皇帝把喀丝丽接到宫来，原来是自己要她。他在御花园中建造沙漠，搭回人篷帐，起回教礼拜堂，当然都是为了讨好她。可是喀丝丽誓死不从。他威逼诱骗，不知已使了多少手段，结果始终无效。他刚才叹说不及我有福气，就指这件事了。"抱着香香公主的身子，见她迷迷糊糊的合上了眼，自是这些日子来孤身抗暴，心力交瘁，此时乍见亲人，放宽了心怀，再也支持不住，不禁沉沉睡去。又想：

"他让我见她，是什么用意？他提到皇后的情分，说欲图大事只得不顾皇后，家国之间，必须有所取舍。是了，他的意思是……"想到这里，不禁冷汗直冒，身子一阵发颤。香香公主也微微动了一下，只听她安心的叹了口气，脸露微笑，如花盛放。

"我该为了喀丝丽而和皇帝决裂，还是为了图谋大事而劝她顺从？"这念头如闪电般在脑子里晃了两晃，这是个痛苦之极的决定，实在不愿去想，可是终于不得不想："她对我如此深情，拼死为我保持清白之躯，深信我定能救她，难道我竟忍心离弃她、背叛她？但要是顾全了喀丝丽和我两人，一定得和哥哥决裂。这百世难遇的复国良机就此放过，我二人岂非成了千古罪人？"脑中一片混乱，直不知如何是好。

香香公主忽然睁开眼来，说道："咱们走吧，我怕再见那坏蛋皇帝。"陈家洛道："好，咱们就走。"接过她手中短剑，牙齿一咬，心想："千古罪人就是千古罪人！我们冲不出去，两人就一齐死在这里。要是侥幸冲出，我和她在深山里隐居一世，也总比让她受这伧夫欺辱的好。"走到窗边，游目四望，要察看有无侍卫太监阻挡，只见近处寂静无声，远方却是一片灯火。凝神眺望，看清楚灯火都是工匠所点，他们为了要造一块假沙漠，正在拆平许多民房，定是乾隆旨意峻急，是以成千成万的人正在连夜动工。

一见之下，怒火直冒上来，心道："这一来，不知有多少百姓要无家可归？"

随即想到："这皇帝好大喜功，不恤民困，如任由他为胡虏之长，如此欺压汉人，天下千千万万百姓不知要吃多少苦头。要是上天当真注定非如此不可，这些苦楚就让我和喀丝丽两人来担当吧。"

想到此处，真是肠断百转，心伤千回，定了定神，对香香公主道："你等一下，我出去一下就回来。"香香公主点点头，从他手里接过短剑，微笑着目送他出室上楼。

走到楼上，只见乾隆铁青着脸坐在榻上，一动不动。陈家洛道："国事为重，私情为轻，我可劝她从你。"乾隆大喜，跳下榻来，叫道："当真？"陈家洛道："嗯，不过你得立个誓。"说话两眼盯住了他。乾隆避开他眼光，问道："立什么誓？"陈家洛道："倘若你不是诚心竭力把满洲鞑子赶出关外，那怎么样？"乾隆想了一想，道："要是这样，就算我生前荣华无比，我死后陵墓给人发掘，尸骨为后人碎裂。"帝皇图的是万世不拔之基，陵寝不保，自是极重的誓言了。

陈家洛道："好，我就去劝她，不过我得和她出宫去。"乾隆一惊，道："出宫？"陈家洛道："正是，她现下恨你入骨，在宫里她不能安心听我说话，我要带她到长城上去好好开导。"乾隆疑心大起，道："干么走得这么远？"陈家洛道："我曾答应带她到长城城头去玩耍，完了这心愿之后，我以后永远不再见她。"乾隆道："你一定带她回来？"陈家洛道："我们在江湖上混的人，信义两字看得比性命还重。君子一言，快马一鞭！"

乾隆一时拿不定主意，心想他若是带了这美人高飞远走，却去哪里找他？沉吟半晌，又想："除了他设法开导，决无别法令她相从。他决心要图大事，定不致为一女子而负我。"于是一拍桌子，叫道："好，你们去吧！"等陈家洛辞别下楼，向着身后帷帐说道："带领四十名侍卫，一路跟着他，千万别让走了。"白振在帷帐里面连声答应。

陈家洛回到第四层楼，携着香香公主的手，道："咱们走吧。"香香公主大喜。两人并肩下楼，一路出宫。宫中侍卫早已接到旨意，也不阻拦。香香公主心中欢畅无比，她素来深信情郎无所不能，见事情如此顺利，轻轻易易的就出了宫门，却也不以为奇。

两人出得宫来，天已微明。心砚牵了白马，正在那里探头探脑的张望，一见陈家洛，疾忙奔来，见香香公主站在他身旁，更是惊喜。陈家洛接过马缰，道："我要出城一天，到天晚才能回来，叫大家放心好啦。"心砚望着两人同乘向北，正要回去，忽然身后马蹄声疾，数十名侍卫纵马追了下去，当先一人身形枯瘦，正是白振，心中一惊，忙奔回报信。

白马出得城来，越跑越快。香香公主靠在陈家洛怀里，但见路旁树木晃眼即过，数月来的悲愁一时尽去。那马脚力非凡，不到半天，已过清河、沙河、昌平等地，来到南口。

陈家洛道："咱们去瞧瞧明朝皇帝的陵墓。"纵马直向天寿山驰去。过了牌坊和玉石桥后，只见一座大碑，写着"大明长陵神功圣德碑"九个大字，碑右刻着乾隆所书的几行题字："明之亡非亡于流寇，而亡于神宗之荒唐，及天启时阉宦之专横，大臣志在禄位金钱，百官专务钻营阿谀。及思宗即位，逆阉虽诛，而天下之势，已如河决不可复塞，鱼烂不可复收矣。而又苛察太甚，人怀自免之心，小民疾苦而无告，故相聚为盗，闯贼乘之，而明社遂屋。呜呼！有天下者，可不知所戒惧哉？"

陈家洛瞧着这几行字，默默思索："他知道小民疾苦而无告，故相聚为盗。倒也不是没有见识。"香香公主道："你瞧的是什么啊？"陈家洛道："那是皇帝写的字。"香香公主恨道："这人坏死啦，别瞧他。"拉着他手向内走去，只见两旁排着狮、象、骆驼、麒麟以及文武百官的石像。香香公主望着石骆驼，想起家乡，泪水涌到了眼里。

陈家洛心想："和她相聚只剩下今朝一日，要好好让她欢喜才是。过了今天，我两人终生再没快乐的日子了。"于是打起精神，笑道："你想骑骆驼是不是？"将她抱起，轻轻一跃，两人都骑上了驼背，口里吆喝，催石骆驼前进。香香公主笑弯了腰，过了一会，叹道："要是这骆驼真能跑，把咱俩带到天山脚下，可有多好。"陈家洛道："那你要做什么？"香香公主眼望远处，悠然神往，道："那时候我可忙啦。要摘花朵儿给你吃，要给羊儿剪毛，要给小鹿喂羊奶，要到爹爹、妈妈、哥哥的坟上去陪他们，要想法子找寻姊姊……"陈家洛心头一震，忙问："你姊姊怎么了？"香香公主凄然道："那天夜里，清兵突然从四面八方杀到，姊姊正在生病。乱军中都冲散了，后来我始终没再听到她的消息。"

陈家洛黯然半晌，两人上马又行。一路上山，不多时到了居庸关，只见两崖峻绝，层峦叠嶂，城墙绵亘无尽，如长蛇般蜿蜒于丛山之间。香香公主道：“花这许多功夫造这条大东西干什么?”陈家洛道：“那是为了防北边的敌人打进来。在这长城南北，不知有多少人掷了头颅，流了鲜血。”香香公主道：“男人真是奇怪，大家不高高兴兴的一起跳舞唱歌，偏要打仗，害得多少人送命受苦，真不知道有什么好处。”陈家洛道：“要是皇帝听你的话，你叫他别去打边疆上那些可怜的人，好么?”

香香公主见他说得郑重，道：“我永远不再见这坏皇帝。”陈家洛道：“倘若你能使他听你的话，那么你一定要劝他别做坏事，给百姓多做点好事。你答应我这句话。”香香公主笑道：“你说得真古怪。你要我做什么事，难道我有不肯听的么?”陈家洛道：“喀丝丽，多谢你。”香香公主嫣然一笑。

两人携手在长城外走了一程。香香公主道：“我忽然想到一件事。”陈家洛道：“什么?”香香公主道：“今天我玩得真开心，是因为这里风景好么？不是的。我知道是因为和你在一起。只要你在我身旁，就是在最难看的地方，我也会喜欢的。”陈家洛越是见她欢愉，心里越是难受，问道：“你有什么事想叫我做的么?”香香公主一怔，道：“你待我真好，什么都给我做好了。我要的东西，我不必说，你就去给我拿了来。”说着从怀里摸出那朵雪中莲来，莲花虽已枯萎，但仍是芳香馥郁，笑道：“只有一件事你不肯做，我要你唱歌，你却推说不会。”

陈家洛笑道：“我真的从来没唱过歌。”香香公主假装板起了脸，道：“好，以后我也不唱歌给你听。”陈家洛心想：“我俩今生今世，就只有今日一天相聚了。我唱个歌给她听，让她笑一下，也是好的。”说道：“小时候曾听我妈妈的使女唱过几首曲子，我还记得。我唱给你听，你可不许笑。”香香公主拍手笑道：“好好，快唱!”

陈家洛想了一下，唱道：“细细的雨儿濛濛淞淞的下，悠悠的风儿阵阵的刮。楼儿下有个人儿说些风风流流的话，我只当是情人，不由得口儿里低低声声的骂。细看他，却原来不是标标致致的他，吓得我不禁心中慌慌张张的怕。”

陈家洛唱毕，把曲中的意思用回语解释了一遍，香香公主听得直笑，说道：“原来这个大姑娘眼睛不大好。”正自欢笑，忽见陈家洛眼眶红了，两行泪水从脸上流了下来，惊道：“干么你伤心啊？啊，你定是想起了你妈妈，想起了从前唱这歌的人。咱们别唱了。”

两人在长城内外看了一遍，见城墙外建雉堞，内筑石栏，中有甬道，每三十余丈有一墩台。陈家洛见了这放烽火的墩台，想起霍青桐在回部烧狼烟大破清兵，这时不知生死如何，更是愁上加愁，虽然强颜欢笑，但总不免流露伤痛之色。

香香公主道：“我知你在想什么？”陈家洛道：“是么？”香香公主道：“嗯，你在想我姊姊。”陈家洛道：“你怎知道？”香香公主道：“以前我们三个人一起在那古城里，虽然危险，可是我见你是多么快乐。唉，你放心好啦！”陈家洛拉住她手，问道：“喀丝丽，你说什么？”

香香公主叹道：“以前我是个小孩子，什么也不懂。可是我在皇宫里住了这些日子，我天天在回想跟你在一起的情景，从前许多不懂的事，现今都懂了。我姊姊一直在喜欢你，你也喜欢她。是么？”陈家洛道：“是的，我本来不该瞒你。”香香公主道：“不过我知道，你也是真心喜欢我的。我没有你，我就活不成。咱们快去找姊姊，找到之后，咱三人永远快快乐乐的在一起，你说那可有多好。”说到这里，眼中一阵明亮，脸上闪耀着光采，心中欢愉已极。陈家洛紧紧握着她手，柔声道：“喀丝丽，你想得真好，你和你姊姊，都是世界上最好最好的人。”

香香公主站着向远眺望，忽见西首太阳照耀下有水光闪烁，侧耳细听，水声有如琴鸣，喜道：“你听，这声音多美。”陈家洛道：“那是弹琴峡。”香香公主道：“去瞧瞧。”

两人从乱山丛中穿了过去，走到临近，只见一道清泉从山石间激射而出，水声淙淙，时高时低，真如音乐一般。

香香公主走到水边，笑道：“我在这里洗洗脚，可以么？”陈家洛笑道："你洗吧。"她除下鞋袜，踏入水里，只觉一阵清凉，碧绿的清水从她白如凝脂的脚背上流过。陈家洛猛见自己身影倒映在水里，原来日已偏西，从衣囊里拿出些干粮来两人吃了。香香公主靠在他的身上，一面吃饼，一面用手帕揩脚。

陈家洛一咬牙，说道："喀丝丽，我要对你说一件事。"她转过身来，双手搂着他，把头藏在他的怀里，低声道："我知道你爱我。你不说我也明白。不用说啦。"他心里一酸，一句冲到口边的话又缩了回去，过了一阵，道："咱们在玉峰里看到那玛米儿的遗书，你还记得么？"香香公主道："她现在和她的阿里一起住在天上，那很好。"陈家洛道："你们伊斯兰教相信好人死了之后，会永远在乐园里享福，是不是？"香香公主道："那当然是这样。"陈家洛道："我回到北京之后，就去找你们伊斯兰教的阿訇，请他教导我，让我好好做一个伊斯兰教的教徒。"

香香公主大喜过望，想不到他竟会自愿皈依伊斯兰教，仰起头来，叫道："大哥，大哥，你真的这样好么？"陈家洛道："我一定这样做。"香香公主道："你为了爱我，连这件事也肯了。我本来是不敢想的。"陈家洛缓缓的道："因为今生我们不能在一起。我要在死了之后，天天陪着你。"

香香公主听了这话，犹如身受雷轰，呆了半晌，颤声道："你……你说什么？今生我们不能在一起？"陈家洛道："是的，过了今天，咱们不能再相见了。"香香公主惊道："为什么？"身子颤动，两颗泪珠滴到了他衣上。

陈家洛温柔款款的搂着她，轻声道："喀丝丽，只要我能陪着你，就是没饭吃，没衣穿，天天受人打骂侮辱，我也是甘心情愿。可是你记得玛米儿吗？那个好玛米儿，为了使她族人不受暴君欺侮压迫，宁愿离开她心爱的阿里，宁愿去受那暴君欺侮……"香香公主的身子软软垂了下来，伏在他腿上，低声道："你要我跟从皇帝？要我去刺死他么？"

陈家洛道："不是的，他是我的亲哥哥。"于是将自己和乾隆的关系、红花会的图谋、六和塔上的盟誓、以及今日乾隆之所求，都源源本本的说了。她听到最后，知道自己日夜所盼、已经到了手的幸福，一下子又从手里溜了出去，心里一急，不觉晕了过去。

等到醒来，只觉陈家洛紧紧的抱着她，自己衣上湿了一块，自是他眼泪浸湿了的。她站起身来，柔声道："你等我一下。"慢慢走到远处一块大石上，向西伏下，虔诚祷告，祈求真神安拉指点她应当怎样做，淡淡的日光照射在她白衣之上，一个美丽无伦的背影中流露着无限的凄苦，无限的温柔。她慢慢转过身来，说道："你要我做什么，我总是依你。"

陈家洛纵身奔去，两人紧紧抱住，再也说不出话来。她低声道："早知道只有今天一天，我也不到这里来了。我要你整天抱着我不放。"陈家洛不答，只是亲她。过了好一阵，她忽然说道："离开家乡之后，我从来没有洗过澡，现在我要洗一洗。"取出短剑，割断了衣服上缝的线，脱了外衣。

陈家洛站起身来，道："我在那边等你。"香香公主道："不，不！我要你瞧着我。你第一次见我，我正在洗澡。今天是最后一次……我要你看了我之后，永远不忘记我。"陈家洛道："喀丝丽，难道你以为我会忘记你吗？"她求道："我说错啦，大哥，你别见怪。你别走啊。"陈家洛只得又坐下来。

但见她将全身衣服一件件的脱去，在水声淙淙的山峡中，金黄色的阳光照耀着一个绝世无伦的美丽身体。陈家洛只觉得一阵晕眩，不敢正视，但随即见到她天真无邪的容颜，忽然觉得她只不过是一个三四岁的光身婴儿，是这么美丽，可是又这么纯洁，忽想："造出这样美丽的身体来，上天真是有一位全知全能的大神吧？"心中突然弥漫着崇敬感谢的情绪。

香香公主慢慢抹去身上的水珠，缓缓穿上衣服，自怜自惜，又复自伤，心中在想："这个身体，永远不能再给亲爱的人瞧见了。"抹干了头发，又去偎倚在陈家洛的怀里。

陈家洛道："我跟你说过牛郎织女的故事，你还记得么？"香香公主道："记得，你还教我一个歌，说是：一年虽只相逢一次，却胜过了人间无数次的聚会。"陈家洛道："是啊，咱俩不能永远在一起，但真神总是教咱俩会见了。在沙漠上，在这里，咱俩过得这么快活，虽然时候很短，但比许多一起过了几十年的夫妻，咱俩的快活还是多些吧。"

香香公主听着他柔声安慰，望着太阳慢慢向群山丛中落下去，她的心就如跟着太阳落下去一般，忽然跳了起来，高声哭道："大哥，大哥，太阳下山了。"

陈家洛听了这话，真的心都碎了，拉着她的手道："喀丝丽，我要你受这么多的苦！"

香香公主望着太阳落下去的地方，低声道："太阳要是能再升起来，就是很短很短的一下子也好……"陈家洛道："我是为了自己的同胞，受苦是应该的，可是那些人你从来没见过，你从来没爱过他们……"香香公主道："我爱了你，他们不就是我自己的人吗？我们所有的回人兄弟，你不是也都爱他们么？"眼见天色越来越黑，太阳终于不再升上来，她心里一阵冰冷，说道："咱们回去吧，我很快乐，这一生我已经够了！"

陈家洛黯然无语，两人上马往来路回去。香香公主不再说话，也不回头再望一眼刚才两人共享过的美景。

走不到半个时辰，忽听马蹄声大作，数十人从暮色苍茫中迎面而来，领头的正是金钩铁掌白振，他一见陈家洛与香香公主，登时脸现喜色，左手向后一挥，跳下马来，站在道旁，后面跟着的四十名侍卫也纷纷下马。白振奉旨监视两人，哪知他们骑的白马奔驰如飞，寻常马匹如何追得上，一路打听，调换坐骑，也不敢吃饭休息，直追到傍晚，正自忧急，忽与两人狭路相逢，真如天上掉下了活宝来那么欢喜。

陈家洛瞧也不瞧，径自催马向前。忽然南方马蹄声又起，卫春华一马当先奔来，大叫："总舵主，我们都来啦。"跟着陆菲青、无尘、赵半山、文泰来、常氏双侠等先后赶到。

陈家洛一把抓住乾隆，拍拍拍几下，重重打了他三巴掌，喝道：“你还记得当日的誓言吗?”乾隆哪敢作声，疾趋而出。

第二十回　忍见红颜堕火窟
空余碧血葬香魂

乾隆自陈家洛带了香香公主去后，心中怔怔不宁，渐渐天色大明，又眼见太阳从东方升到头顶，太监开上御膳来，虽是山珍海味，却食不下咽。这天他也不朝见百官，整日坐起又睡倒，睡倒又坐起，派了好几批侍卫出去打探消息，直到天色全黑，月亮从宫墙上升起，还是没一个侍卫回报。

他在宝月楼上十分焦急，只得尽往好处去想，向着壁上的“汉宫春晓图”呆呆的凝望，突然想到：“这妮子既然喜欢他，定也喜欢汉装。待会他们回宫，他定已劝服她从我。我何不穿上汉装，叫她惊喜一番?”于是命太监取明人的衣冠。可是深宫之中，哪里来的明人衣冠？还是一名小太监聪明，奔到戏班子里去拿了一套戏服来，服侍他穿了。乾隆大喜，对镜一照，自觉十分风流潇洒，忽见鬓旁有几茎白发，急令小太监拿小钳子来钳去。

正低了头让小太监钳发，忽听背后轻轻的脚步之声，一名太监低声喝道：“皇太后慈驾到!”乾隆吃了一惊，抬起头来，镜中果然现出太后，只见她铁青了脸，满是怒容。乾隆疾忙转身道：“太后还不安息么?”扶着她在炕上坐下。太后挥挥手，众太监退了出去。

隔了好一阵，太后沉声说道：“奴才们说你今天不舒服，没上朝，也没吃饭。我瞧你来啦!”乾隆道：“儿子现下好了。只是吃了油腻有点儿不爽快，没什么，不敢惊动太后。”太后哼了一声，道：“是吃了回子的油腻呢，还是汉人的油腻呀？”乾隆一惊，答道：“想是昨天吃了烤羊肉。”太后道：“那是咱们的满洲菜呀，嗯，你做满洲人做厌了。”

乾隆不敢回答。太后又问：“那个回子女人在哪里？”乾隆道：“她性子不好，儿子叫人带出去训导去了。”太后道：“她随身带剑，死也不肯从你。叫人训导，有什么用？是要谁去开导她？”乾隆见她愈问愈紧，只得道：“是个老年的侍卫头儿，姓白的。”

太后抬起了头，好半天不作声，冷笑了几下，阴森森的道：“你现今四十多岁啦，还要娘做什么？”乾隆大惊，忙道：“太后请勿动怒，儿子有过，请太后教导。”太后道：“你是皇帝，是天下之主，爱怎么做就怎么做，爱撒什么谎就撒什么谎。”乾隆知道太后耳目众多，这事多半已瞒她不过，低声说道：“开导那女子的，还有一个是儿子在江南遇到的士子，这人才学很好……”太后厉声道：“是海宁陈家的是不是？”

乾隆低下了头，哪里还敢做声。太后道：“怪不得你穿起汉人衣衫来啦！干么你还不杀我？”说这句话时，已然声色俱厉。乾隆大吃一惊，双膝跪下，连连磕头，说道：“儿子若有不孝之心，天诛地灭！”

太后一拂衣袖，走下楼去。乾隆忙随后跟去，走得几步，想起自己身上穿着明人衣冠，给人见了可不成体统，匆匆忙忙的换过了，一问太监，知道太后在武英殿的偏殿，于是加快脚步进殿，说道：“太后息怒，儿子有不是的地方，请太后教诲。”

太后冷冷的问道：“你连日召那姓陈的进宫干什么？在海宁又干了些什么事？”乾隆垂头不语。太后厉声喝道：“你真要恢复汉家衣冠么？要把我们满洲人灭尽杀绝么？”乾隆颤声道：“太后别听小人胡言，儿子哪有此意？”太后道：“那姓陈的你待怎样处置？”乾隆道：“他党羽众多，手下有不少武功高强的亡命之徒，儿子所以一直和他敷衍，乃是要找个良机，把他们一网打尽，以免斩草不除根，终成后患。”太后听了容色稍霁，问道：“这话可真?”

乾隆听得太后此言，知已泄机，更无抉择余地，心一狠，决意一鼓诛灭红花会群雄，答道：“三日之内，就要教那姓陈的身首异处。”太后阴森的脸上露出了一丝笑容，道：“好，这才不坏了祖宗的遗训。”顿了一顿，道：“嘿，你跟我来。”站起身来，走向武英殿正殿。乾隆只得跟了过去。

太后走近殿门，太监一声吆喝，殿门大开。只见殿中灯烛辉煌，执事太监排成两列，八名王公跪下接驾，太后与乾隆走到殿上两张椅中坐下。乾隆向下看时，见那八名王公都是皇室贵族，为首的是自己兄弟和亲王弘昼。此外是庄亲王允禄、履亲王允裪、怡亲王弘晓、果亲王弘瞻、裕亲王广禄、显亲王衍璜，以及信郡王德昭，都是皇室的近亲。乾隆心神不定，不知太后这番布置主何吉凶。

太后缓缓说道：“先帝崩驾之时，遗命八旗旗兵由宗室八人分统，只是这些时候来边疆连年用兵，先帝的遗命一直没能遵办。眼下赖祖宗福荫，今上圣明，回疆已然削平，从今日起，八旗旗兵归你们八人分带，务须用心办事，以报皇上的恩典。”八人忙磕头谢恩。

乾隆心想：“原来她还是不放心，要分散我的兵权。”太后道：“请皇上分派吧。”乾隆心想：“这次大大落了下风，反正已不想举事，暂时分散兵权也是无妨。眼看她部署周密，我若是不允，她定然另有对付之策。”于是把正黄、镶黄、正白、镶白、正红、镶红、正蓝、镶蓝八旗旗兵分派给了八王统领。

八名王公暗暗纳罕，均想：按照本朝开国遗规，正黄、镶黄、正白三旗，由皇帝自将，称为上三旗，余下五旗称为下五旗。每一旗由满洲都统统率。此时太后分给八王统领，却是大大的不符祖宗规矩了，摆明是削弱皇帝权力之意，眼见太后懿旨严峻，不敢推辞，当下磕头谢恩，有的心想：“明日还是上折归还兵权为是，免惹杀身之祸。”

太后手一挥，迟玄托着一个盘子上前跪下，盘中铺着一块黄绫，上放铁盒。太后拿起铁盒，揭开盒盖，拿出一个小小的卷轴来。乾隆侧头看去，见卷轴外是雍正亲笔所书“遗诏”两字，旁边注着一行字道：“国家有变，着八旗亲王会同开拆。”乾隆登时脸色大变，心想原来父皇早就防到日后机密泄漏，如自己敢于变更祖宗遗规，甚至反满兴汉，遗诏中必定命八旗亲王废他而另立新君。他随即镇定，说道：“先帝深远谋虑，明见百世。儿子只要及得上先帝万一，太后就不必再为儿子操心了。”

太后把遗诏交给和亲王，道：“你把先皇遗诏恭送到雍和宫绥成殿，派一百名亲兵日夜看守。”顿了一顿，又道：“就是有今上御旨，也不能离开一步。”和亲王领了慈旨，把遗诏送到雍和宫去了。雍和宫在北京西北安定门内，本是雍正未登位时的贝勒府。雍正死后，乾隆追念父皇，将之扩建成为一座喇嘛庙。

太后布置已毕，这才安心，打了个呵欠，叹道：“这万世的基业，可要好好看着啊！”

乾隆送太后出殿，忙召侍卫询问。白振禀道：“陈公子已送娘娘回宫，娘娘在宝月楼候驾。”乾隆大喜，急速出殿，走到门口，回头问道：“路上有什么事吗？”白振道：“奴才等曾遇见红花会的许多头脑，幸亏陈公子拦阻，没出什么事。”

乾隆到了宝月楼上，果见香香公主面壁而坐，喜道：“长城好玩么？”香香公主不理。乾隆心想：“待我安排大事之后再来问你。”走到邻室，命召福康安进宫。

不多时，福康安匆匆赶到。乾隆命他率领骁骑营军士到雍和宫各殿埋伏，密嘱了好一阵子，福康安领旨去了。乾隆又命白振率领众侍卫在雍和宫内外埋伏，安排已定，说道：“明儿晚我在雍和宫大殿赐宴，你召陈公子、红花会所有的头脑和党羽齐来领宴。”白振听了这话，才知是要把红花会一网打尽，心想那定是有一场大厮杀了，磕了头正要走出，乾隆忽道："慢着！"白振回过头来，乾隆道："召雍和宫大喇嘛呼音克！"

待呼音克进来磕见，乾隆问道："你来京里有几年了？"呼音克道："臣服侍皇上已二十一年了。"乾隆道："你想不想回西藏去啊？"呼音克磕头不答。乾隆又道："西藏有达赖和班禅两个活佛，干么没第三个？"呼音克道："回皇上，这是向来的规矩，自从国师……"乾隆拦住了他的话头，说道："要是我封你做第三个活佛，去管一块地方，没人敢违旨吧？"呼音克喜从天降，连连磕头，说道："圣皇降恩，臣粉身难报。"乾隆道："现下我叫你做一件事。你回去召集亲信喇嘛，预备了硝磺油柴引火之物，等他传讯给你时，"说着向白振一指，又道："你就放火烧宫，从雍和宫大殿和绥成殿烧起。"

呼音克大吃一惊，磕头道："这是先皇的府邸，先皇遗物很多，臣不敢……"乾隆厉声道："你敢违旨么？"呼音克吓得遍体冷汗，颤声道："臣……臣……臣遵旨办理。"乾隆道："这事只要泄漏半点风声，我把你雍和宫八百名喇嘛杀得一个不剩。"隔了一会，温言道："绥成殿有旗兵看守，可要小心了，到时可把这些兵将一起烧在里面。事成之后，你就是第三位活佛了。去吧！"手一挥，呼音克又惊又喜，谢了恩和白振一同退出。

乾隆布置已毕，暗想这一下一箭双雕，把红花会和太后的势力一鼓而灭，就可安安稳稳做太平皇帝了，心头十分舒畅，见案头放着一张琴，走过去弹了起来，弹的是一曲《史明五弄》，弹不数句，铿铿锵锵，琴音中竟充满了杀伐之声，弹到一半，铮的一声，第七根弦忽然断了。乾隆一怔，哈哈大笑，推琴而起，走到内室来。

香香公主倚在窗边望月，听得脚步声，寒光一闪，又拔出了短剑。

乾隆眉头一皱，远离坐下，道："陈公子和你到长城去，是叫你来刺杀我吗？"香香公主道："他是劝我从你。"乾隆道："你不听他的话？”香香公主道：“他的话我总是听的。”乾隆又喜又妒，道：“那么你为什么带着剑？把剑给我吧！”香香公主道：“不，要等你做了好皇帝。”乾隆心想：“原来你要如此挟制于我。”一时之间，愤怒、妒忌、色欲、恼恨，百感交集，强笑道：“我现今就是好皇帝。”

香香公主道：“哼，刚才我听你弹琴，你要杀人，要杀很多人，你……你是恶极了。”乾隆一惊，心想原来自己的心事竟在琴韵中泄漏了出来，灵机一动，说道：“不错，我是要杀人。你那陈公子刚才已给我抓住了。你从了我，我瞧在你面上，可以放他。要是不从，嘿嘿，你知道我要杀很多人。”香香公主大惊，颤声道：“你要杀死自己亲弟弟？”乾隆铁青了脸道：“他什么都对你说了？”香香公主道：“我不信你抓得住他。他比你能干得多。”乾隆道：“能干？哼，就算今天还没抓住，明天呢？”香香公主不语，暗自沉吟。

乾隆又道：“我劝你死了这条心吧，我是好皇帝也罢，恶皇帝也罢，你总是永远见不着他了。”香香公主急道：“你答应他做好皇帝的，怎么又反悔？”乾隆厉声道：“我爱怎样就怎样，谁管得了我？”他刚才受太后挟制，满腔愤怒，不由得流露了出来。

霎时之间，香香公主便似胸口给人重重打了一拳，想道：“原来皇帝是骗他的，早知这样，我何必回来？”一时悔恨达于极点，险些晕倒。

乾隆见她脸上突然间全无血色，自悔适才神态太过粗暴，说道：“只要你好好服侍我，我自然也不难为他，还会给他大官做，教他一世荣华富贵。”

香香公主一生之中，从没给人如此厉害的欺骗过，她本来还只见到皇帝的凶狠，这时才知道恶人还能这么奸险，心想：“皇帝这么坏，定要想法子害他。他虽然本事比皇帝大，可是不知道亲哥哥会存心害他的啊。我一定须得让他明白，好教他不会上了皇帝的当。可是怎么去通知他呢？”乾隆见她皱眉沉思，稚气的脸上多了一层凝重的风姿，绝世美艳之中，重增华瞻，不觉瞧得呆了。

香香公主想道：“宫里全是皇帝的手下人，谁能给我送信？事情紧急，只有这么办。”说道：“那么你答应不害他？”乾隆大喜，随口道：“不害他，不害他！”香香公主见他说得没半分诚意，心中恨极，一个纯朴的少女在皇宫中住得多日，也已学会了怎样对付敌人，于是不动声色的道：“我明天一早要到清真礼拜堂去，向真神祈祷之后，才能从你。”乾隆大喜，笑道：“好，明天可不能再赖了。”又道：“宫里也有清真礼拜堂，我特地给你起的。再过得几天，等一切布置就绪，以后你就不用再出宫去做礼拜了。”

香香公主见他笑嘻嘻的下楼，找到纸笔，写了一封信给陈家洛，警告他皇帝有加害之心，反满兴汉之想全成虚幻，请他即速设法相救，一同逃出宫去，写毕，用一张白纸将信包住，白纸上用回文写道：“请速送交红花会总舵主陈家洛。”她想回人个个对她爹爹和姊姊十分尊敬，对自己也极崇仰，在礼拜堂中只要俟机交给任何一个回人，谁都会设法送到。

她写了信后，心神一宽，想到皇帝背盟为恶，反使自己与情郎有重聚的机会，陈家洛无所不能，要救自己出宫，自非难事，想到此处，心头登觉甜蜜无比，整日劳顿之后，靠在床上便睡着了。

朦胧间听得宫中钟声响动，睁开眼来，天已微明，忙起身梳洗。服侍她的宫女知她不许别人近身，只是在旁边瞧着，见她神采焕发，都代她欢喜。香香公主把书信暗藏在袖，走下楼来。抬轿的太监已在楼下侍候，众侍卫前后拥卫，将她送到了西长安街清真寺门口。

香香公主下了轿，望到伊斯兰教礼拜堂的圆顶，心中又是欢喜又是难受，俯首走进教堂，只见左右各有一人和她并排而行。她抬起头来，见是两个回人，心中一喜，正要把捏在手里的书信递过去，和右面那人目光一接，不禁迟疑，缓缓缩回了手。那人虽是回人装束，可是面目神情，全不是她族人模样，又向左边那人一望，也似有异。她低声问道："你们是皇帝派来看守我的吗？"她说的是回语，那两人果然不懂，都随意点了点头。

她一阵失望，转过身来，只见身后又跟着八名回人装束的皇宫侍卫，真正回人都被隔得远远地。她快步向寺中教长走近，说道："这信无论如何请你送去。"那教长一愕，香香公主将信塞入他手中。突然间一名侍卫抢上前来，从教长手中将信夺了去，在他胸口重重一推。教长一个踉跄，险些跌倒。众人愕然相顾，都不知发生了何事。

教长怒道："你们干什么？"那侍卫在他耳边低声喝道："别多管闲事！我们是宫里当差的。"那教长一吓，不敢多言，便领着众人俯伏礼拜。

香香公主也跪了下来，泪如泉涌，心中悲苦已极，这时只剩下一个念头："怎地向他示警，教他提防？就是要我死，也得让他知道提防。"

"就是要我死！"这念头如同闪电般掠过脑中："我在这里死了，消息就会传出去，他就会知道。不错，再没旁的法子！"但立即想到了《可兰经》第四章中的话："你们不要自杀。安拉确是怜悯你们的。谁为了过份和不义而犯了这严禁，我要把谁投入火窟。"穆罕默德的话在她耳中如雷震般响着："自杀的人，永堕火窟，不得脱离。"她并不怕死，相信死了之后可以升上乐园，将来会永远和心爱的人在一起，《可兰经》上这样说："他们在乐园里将享有纯洁的配偶，他们得永居其中。"可是如果自杀了，那就是无穷无尽的受苦！

想到这里，不禁打了一个寒颤，只觉全身冷得厉害，但听众人喃喃诵经，教长正在大声讲着乐园中的永恒和喜悦，讲着堕入火窟的灵魂是多么悲惨。对于一个虔信宗教的人，再没比灵魂永远沉沦更可怕的了，可是她没有其他法子。爱情胜过了最大的恐惧。她低声道："至神至圣的安拉，我不是不信你会怜悯我，但是除了用我身上的鲜血之外，没有别的法子可以教他逃避危难。"于是从衣袖中摸出短剑，在身子下面的砖块上划了“不可相信皇帝”几个字，轻轻叫了两声：“大哥!”将短剑刺进了那世上最纯洁最美丽的胸膛。

红花会群雄这日在厅上议事，蒋四根刚从广东回来，正与众人谈论南方各地英豪近况，忽报白振来拜，陈家洛单独接见。白振传达皇上旨意，说当晚在雍和宫赐宴，命红花会众位香主一齐赴宴，皇上亲自与会，因怕太后和满洲亲贵疑虑，是以特地在宫外相会。陈家洛领旨谢恩，心想喀丝丽定是勉为其难，从了皇帝，是以他对兴汉大业加倍热心起来，心中说不出的又喜又悲，送别白振后与群雄说了。众人听得皇帝信守盟约，行将建立不世奇功，都很兴奋。无尘、陆菲青、赵半山、文泰来等人吃过满清官员不少苦头，对乾隆的话本来不大相信，这时见大事进行顺利，都说究竟皇帝是汉人，又是总舵主的亲兄弟，果然大不相同。只是陈家洛为了兴复大业，割舍对香香公主之情，都为他难过。

陈家洛怕自己一人心中伤痛，冷了大家的豪兴，当下强打精神，和群雄纵论世事，后来谈到了武艺。无尘说道：“总舵主，你这次在回部学到了精妙武功，露几手给大家瞧瞧怎样?”陈家洛道：“好，我正要向各位印证请教，只怕有许多精微之处没悟出来。”向余鱼同道：“十四弟，请你吹笛。”余鱼同道：“好!”

李沅芷笑吟吟的奔进内室，把金笛取了出来。骆冰笑道：“好啊，把人家的宝贝儿也收起来啦。”李沅芷脸一红不作声。

自那日李沅芷被张召重击断左臂，一路上余鱼同对她细加呵护，由怜生爱，由感生情，这才是一片真心相待。李沅芷一往情深的痴念，终于有美满收场，自是芳心大慰。

两人这一日谈到那天在甘凉道上客店中初会的情景，李沅芷说很羡慕他用金笛点倒公差的本事，抱怨师父不肯传她点穴功夫。余鱼同笑道：“陆师叔虽然年老，总不便在你身上指点，也不能让你摸他。穴道认不准，怎么教?等将来咱俩成了夫妻，我再教你吧。”李沅芷笑道：“那么我倒错怪师父了。”余鱼同笑道：“要我传你点穴功夫，那也可以，但你得磕头拜师。”李沅芷笑道：“呸，你想么？”从那日起，余鱼同就把使笛打穴的入门功夫先教会了她。李沅芷把笛子借来练习，因此这些日子来那枝金笛一直在她身边。

陈家洛随着笛声舞动掌法，群雄围观参详。无尘笑道：“总舵主，你用这掌法竟打倒了张召重，我用剑给你过过招怎样？”说着仗剑下场。陈家洛道：“好，来吧！”挥掌向他肩头拍去。无尘一剑斜刺，不理陈家洛的手掌攻到、径攻对方腰眼。陈家洛侧身绕过，笛声中攻他后心。无尘更不回头，倒转剑尖，向后便刺，部位时机，无不恰到好处，正是追魂夺命剑中的绝招“望乡回顾”。陈家洛身子一侧，翻掌拿他手腕。无尘明知这一剑刺不中，但没患到他反攻如此迅捷，脚下一点，向前窜出三步，手腕一抖，长剑又已递出。旁观群雄，齐声叫好。两人虽是印证武功，却也丝毫不让，单剑斜走，双掌齐飞，打得紧凑异常。

正斗到酣处，忽然胡同外传来一阵漫长凄凉的歌声。群雄也不在意，却听那歌声越来越近，似是成千人齐声唱和，悲切异常，令人闻之堕泪。

心砚久在大漠，知是回人所唱悼歌，好奇心起，奔出去打听，过了一会从外面回来，脸色灰白，脚步踉跄，走近陈家洛身边，颤声叫道：“少爷！”

无尘收剑跃开。陈家洛回头问道：“什么？”心砚道：“香……香……香香公主死了！”群雄齐都变色。陈家洛只觉眼前一黑，俯伏摔了下去。无尘忙掷剑在地，伸手拉住他臂膀。

骆冰忙问：“怎么死的？”心砚道：“我问一个回人大哥，他说是在清真礼拜堂里祈祷之时，香香公主用剑自杀。”骆冰又问：“那些回人唱些什么？”心砚道：“他们说：皇太后不许她遗体入宫，交给了清真寺。他们刚才将她安葬了，回来时大家唱歌哀悼。”

众人大骂皇帝残忍无道，逼死了这样一位善良纯洁的少女。骆冰一阵心酸，流下泪来。陈家洛却一语不发。众人防他心伤过甚，正想劝慰，陈家洛忽道："道长，我学的掌法还没使完，咱们再来。"缓步走到场子中心，众人不禁愕然。

无尘心想："让他分心一下以免过悲，也是好的。"于是拾起剑来，两人又斗。群雄见陈家洛步武沉凝，掌法精奇，似乎对刚才这讯息并不动心，互相悄悄议论。李沅芷低声在余鱼同耳边道："男人家多没良心，为了国家大事，心爱的人死了一点也不在乎。"余鱼同吹着笛子，心想："总舵主好忍得下，倘若是我，只怕当场就要疯了。"

无尘顾念陈家洛遭此巨变，心神不能镇慑，不敢再使险招。两人本来棋逢敌手，功力悉匹，无尘一有顾忌，两招稍缓，立处下风。只见剑光掌影中，无尘不住后退，他一招不敢疾刺，收剑微迟，陈家洛左手三根手指已搭上了他手腕，两人肌肤一碰，同时跳开。无尘叫道："好，好，妙极！"

陈家洛笑道："道长有意相让。"笑声未毕，忽然一张口，喷出两口鲜血。群雄尽皆失色，忙上前相扶。陈家洛凄然一笑，道："不要紧！"靠在心砚肩上，进内堂去了。

陈家洛回房睡了一个多时辰，想起今晚还要会见皇帝，正有许多大事要干，如何这般不自保重，但想到香香公主惨死，却不由得伤痛欲绝。又想："喀丝丽明明已答应从他，怎么忽又自杀，难道是思前想后，终究割舍不下对我的恩情？她知道此事非同小可，如无变故，决不至于今日自杀，内中必定别有隐情。"思索了一回，疑虑莫决，于是取出从回部带来的回人衣服，穿着起来，那正是他在冰湖之畔初见香香公主时所穿，再用淡墨将脸颊涂得黝黑，对心砚道："我出去一会儿就回来。"心砚待要阻拦，知道无用，但总是不放心，悄悄跟随在后。陈家洛知他一片忠心，也就由他。

大街上人声喧阗，车马杂沓，陈家洛眼中看出来却是一片萧索。他来到西长安街清真礼拜寺，径行入内，走到大堂，俯伏在地，默默祷祝：“喀丝丽，你在天上等着我。我答应你皈依伊斯兰教，决不让你等一场空。”抬起头来，忽见前面半丈外地下青砖上隐隐约约的刻得有字，仔细一看，是用刀尖在砖块上划的回文：“不可相信皇帝”，字痕中有殷红之色。陈家洛一惊，低头细看，见砖块上有一片地方的颜色较深，突然想到：“难道这是喀丝丽的血？”俯身闻时，果有鲜血气息，不禁大恸，泪如泉涌，伏在地下号哭起来。

哭了一阵，忽然有人在他肩头轻拍两下，他吃了一惊，立即纵身跃起，左掌微扬待敌，一看之下又惊又喜，跟着却又流下泪来。那人穿着回人的男子装束，但秀眉微蹙，星目流波，正是翠羽黄衫霍青桐。原来她今日刚随天山双鹰赶来北京，要设法相救妹子，哪知遇到同族回人，惊闻妹子已死，匆匆到礼拜寺来为妹子祷告，见一个回人伏地大哭，叫着喀丝丽的名字，因此拍他肩膀相询，却遇见了陈家洛。

正要互谈别来情由，陈家洛突见两名清宫侍卫走了进来，忙一拉霍青桐的袖子，并肩伏地。两名侍卫走到陈家洛身边，喝道：“起来！”两人只得站起，眼望窗外，只听得叮当声响，两名侍卫将划着字迹的砖块用铁锹撬起，拿出礼拜寺，上马而去。

霍青桐问道：“那是什么？”陈家洛垂泪道：“要是我迟来一步，喀丝丽牺牲了性命，用鲜血写成的警示也瞧不到了。”霍青桐问道：“什么警示？”陈家洛道：“这里耳目众多，我们还是伏在地下，再对你说。”于是重行伏下，陈家洛轻声把情由择要说了。

霍青桐又是伤心，又是愤恨，怒道：“你怎地如此胡涂，竟会去相信皇帝？”陈家洛惭愧无地，道：“我只道他是汉人，又是我的亲哥哥。”霍青桐道：“汉人就怎样？难道汉人就不做坏事么？做了皇帝，还有什么手足之情？”陈家洛哽咽道：“是我害了喀丝丽！我……我恨不得即刻随她而去。”

霍青桐觉得责他太重，心想他本已伤心无比，于是柔声安慰道：“你是为了要救天下苍生，却也难怪。”过了一会，问道：“今晚雍和宫之宴，还去不去?”陈家洛切齿道：“皇帝也要赴宴，我去刺杀他，为喀丝丽报仇。”霍青桐道：“对，也为我爹爹、哥哥，和我无数同胞报仇。”

陈家洛问道：“你在清兵夜袭时怎能逃出来?”霍青桐道：“那时我正病得厉害，清兵突然攻到，幸而我的一队卫士舍命恶斗，把我救到了师父那里。”陈家洛叹道：“喀丝丽曾对我说，我们就是走到天边，也要找着你。”霍青桐禁不住泪如雨下。

两人走出礼拜堂，心砚迎了上来，他见了霍青桐，十分欢喜，道：“姑娘，我一直惦记着你，你好呀!”霍青桐这半年来惨遭巨变，父母兄妹四人全丧，从前对心砚的一些小小嫌隙，哪里还放在心上，柔声说道：“你也好，你长高啦!”心砚见她不再见怪，很是高兴。

三人回到双柳子胡同，天山双鹰和群雄正在大声谈论。陈家洛含着眼泪，把在清真寺中所见的血字说了。陈正德一拍桌子，大声道：“我说的还有错么?那皇帝当然要加害咱们。这女孩子定是在宫中得了确息，才舍了性命来告知你。”众人都说不错，关明梅垂泪道：“我们二老没儿没女，本想把她们姊妹都收作干女儿，哪知……”陈正德叹道：“这女孩子虽然不会武功，却大有侠气，难得难得!”众人无不伤感。

陈家洛道：“待会雍和宫赴宴，长兵器带不进去，各人预备短兵刃和暗器。酒肉饭菜之中，只怕下有毒物迷药，决不可有丝毫沾唇。”群雄应了。陈家洛道：“今晚不杀皇帝，解不了心头之恨，但要先筹划退路。”陈正德道：“中原是不能再住的了，大伙儿去回部。”群雄久在江南，离开故乡实在有点难舍，但皇帝奸恶凶险，人人恨之切齿，都决意扑杀此獠，远走异域，却也顾不得了。

陈家洛命文泰来率领杨成协、卫春华、石双英、蒋四根在城门口埋伏，到时杀了城门守军，接应大伙出城西去，命心砚率领红花会头目，预备马匹，带同弓箭等物在雍和宫外接应；又命余鱼同立即通知红花会在北京的头目，遍告各省红花会会众，总舵迁往回部，各地会众立即隐伏，以防官兵收捕。

他分派已毕，向天山双鹰与陆菲青道："如何诛杀元凶首恶，请三位老前辈出个主意。"陈正德道："那还不容易？我上去抓住他脖子一扭，瞧他完不完蛋？"陆菲青笑道："他既存心害咱们，身边侍卫一定带得很多，防卫必然周密。正德兄扭到他脖子，他当然完蛋，就只怕扭不到他脖子。"无尘道："还是三弟用暗器伤他。"天山双鹰在六和塔上见过赵半山的神技，对他暗器功夫十分心折，当下首先赞同。

赵半山从暗器囊里摸出当日龙骏所发的三枚毒蒺藜来，笑道："只要打中一枚，就教他够受了！"心砚见到毒蒺藜是惊弓之鸟，不觉打了个寒噤。陈家洛道："我怕那姓龙的还在宫里，有解药可治。"赵半山道："不妨，我再用鹤顶红和孔雀胆浸过，他解得了一种，解不了第二种。"陆菲青对骆冰道："你的飞刀和我的金针也都浸上毒药吧。"骆冰点头道："咱们几十枚暗器齐发，不管他多少侍卫，总能打中他几枚。"

陈家洛见众人在炭火炉上的毒药罐里浸熬暗器，想起皇帝与自己是同母所生，总觉不忍，但随即想到他的阴狠毒辣，怒火中烧，拔出短剑，也在毒药罐中熬了一会。

到申时三刻，众人收拾定当，饱餐酒肉，齐等赴宴。过不多时，白振率领了四名侍卫来请。群雄各穿锦袍，骑马前赴雍和宫。白振见众人都是空手不带兵刃，心下暗暗叹息。

到宫门外下马，白振引着众人入宫。绥成殿下首已摆开了三席素筵，白振肃请群雄分别坐下。中间一席陈家洛坐了首席，左边一席陈正德坐了首席，右边一席陆菲青坐了首席。佛像之下居中独设一席，向外一张大椅上铺了锦缎黄绫，显然是皇帝的御座了。陆菲青、赵半山等人心中暗暗估量，待会动手时如何向御座施放暗器。

菜肴陆续上席，众人静候皇帝到来。过了一会，脚步声响，殿外走进两名太监，陈家洛等认得是迟玄和武铭夫两人。太监后面跟着一名戴红顶子拖花翎的大官，原来是前任浙江水陆提督李可秀，不知何时已调到京里来了。李沅芷握住身旁余鱼同的手，险些叫出声来。迟玄叫道："圣旨到!"李可秀、白振等当即跪倒。陈家洛等也只得跟着跪下。

迟玄展开敕书，宣读道："奉天承运皇帝制曰：国家推恩而求才，臣民奋励以图功。尔陈家洛等公忠体国，宜锡荣命，爰赐陈家洛进士及第，余人着礼部兵部另议，优加录用。赐宴雍和宫。直隶古北口提督李可秀陪宴。钦此。"跟着喝道："谢恩!"

群雄听了心中一凉，原来皇帝奸滑，竟是不来的了。

李可秀走近陈家洛身边，作了一揖，道："恭喜，恭喜，陈兄得皇上如此恩宠，真是异数。"陈家洛谦逊了几句。李沅芷和余鱼同一起过来，李沅芷叫了一声："爹!"李可秀一惊，回头见是失踪近年、自己日思夜想的独生女儿，真是喜从天降，拉住了她手，眼中湿润，颤声道："沅儿，沅儿，你好么?"李沅芷道："爹……"可是话却说不下去了。李可秀道："来，你跟我同席!"拉她到偏席上去。李沅芷和余鱼同知他是爱护女儿，防她受到损伤。两人互相使了个眼色，分别就坐。

迟玄和武铭夫两人走到中间席上，对陈家洛道："哥儿，将来你做了大官，可别忘了咱俩啊!"陈家洛道："决不敢忘了两位公公。"迟玄手一招，叫道："来呀!"两名小太监托了一只盘子过来，盘中盛着一把酒壶和几只酒杯。迟玄提起酒壶，在两只杯中斟满了酒，自己先喝一杯，说道："我敬你一杯!"放下空杯，双手捧着另一杯酒递给陈家洛。

群雄注目凝视，均想："皇帝没来，咱们如先动手，打草惊蛇，再要杀他就不容易。这杯酒虽是从同一把酒壶里斟出，但安知他们不从中使了手脚，瞧总舵主喝是不喝?"

陈家洛早在留神细看，存心寻隙，破绽就易发觉，果见酒壶柄上左右各有一个小孔。迟玄斟第一杯酒时大拇指捺住左边小孔，斟第二杯酒时，拇指似乎漫不经意的一滑，捺住了右边小孔。陈家洛心中了然，知道酒壶从中分为两隔，捺住左边小孔时，左边一隔中的酒流不出来，斟出来的是盛在右边一隔中的酒，捺住右边小孔则刚刚相反。迟玄捧过来的这杯从右隔中斟出，自是毒酒，心想："哥哥你好狠毒，你存心害我，怕我防备，先赐我一个进士，叫我全心信你共举大事。若非喀丝丽以鲜血向我示警，这杯毒酒是喝定的了。"

他拱手道谢，举杯作势要饮。迟玄和武铭夫见大功告成，喜上眉梢。陈家洛忽将酒杯放下，提起酒壶另斟一杯，斟酒时捺住右边小孔，杯底一翻，一口干了，把原先那杯酒送到武铭夫前面，说道："武公公也喝一杯！"武铭夫和迟玄两人见他识破机关，不觉变色。陈家洛又捺住左边小孔，斟了一杯毒酒，说道："我回敬迟公公一杯！"

迟玄飞起右足，将陈家洛手中酒杯踢去，大声喝道："拿下了！"大殿前后左右，登时涌出数百名手执兵刃的御前侍卫和御林军来。

陈家洛笑道："两位公公酒量不高，不喝就是，何必动怒？"武铭夫喝道："奉圣旨：红花会叛逆作乱，图谋不轨，立即拿问，拒捕者格杀勿论。"

陈家洛手一挥，常氏双侠已纵到迟武二人背后，各伸右掌，拿住了两人的项颈，两人待要抵敌，已然周身麻木，动弹不得。陈家洛又斟一杯毒酒，笑道："这真是敬酒不吃吃罚酒了。"骆冰和章进各拿一杯，给迟武两人灌了下去。众侍卫与御林军见迟武被擒，只是呐喊，不敢十分逼近。

红花会群雄早从衣底取出兵刃，无尘身上只藏一柄短剑，使用不便，纵入侍卫人群之中，夹手夺了一柄剑来，连杀三人，当先直入后殿，群雄跟着冲入。

李可秀拉着女儿的手，叫道："在我身边！"他一面和白振两人分别传令，督率侍卫拦截，一面拉着女儿，防她混乱中受伤。余鱼同见状，长叹一声，心想："我与她爹爹势成水火，她终究非我之偶！”一阵难受，挥笛冲入。

李沅芷右手使劲一挣，李可秀拉不住，当即被她挣脱。李沅芷叫道：“爹爹保重，女儿去了！”反身跃起，纵入人丛。李可秀大出意外，急叫：“沅芷，沅芷，回来！”她早已冲入后殿，只见余鱼同挥笛正与五六名侍卫恶战，形同拼命。李沅芷叫道：“师哥，我来了！”余鱼同一听，心头一喜，精神倍长，刷刷数笛一轮急攻，李沅芷仗剑上前助战，将众侍卫杀退。两人携手跟着骆冰，向前直冲。

这时火光烛天，人声嘈杂，陈家洛等已冲到绥成殿外，一看之下，甚是惊异。只见数十名喇嘛正和一群清兵恶战，眼见众喇嘛抵敌不住，白振却督率了侍卫相助喇嘛，把众清兵赶入火势正旺的殿中。陈家洛怎知乾隆与太后之间勾心斗角的事，心想这事古怪之极，但良机莫失，忙传令命群雄越墙出宫。

李可秀与白振已得乾隆密旨，要将红花会会众与绥成殿中的旗兵一网打尽，但二人一个念着女儿，一个想起陈家洛的救命之恩，都对红花会放宽了一步，只是协力对付守殿的旗兵。过不多时，旗兵全被杀光烧死。绥成殿中大火熊熊，将雍正的遗诏烧成灰烬。

群雄跃出宫墙，不禁倒抽一口凉气，只见雍和宫外无数官兵，都是弓上弦，刀出鞘，数千根火把高举，数百盏孔明灯晃来晃去，射出道道黄光。陈家洛心想：“他布置得也真周密，惟恐毒药毒不死我们！”转眼之间，无尘与陈正德已杀入御林军队伍。四下里箭如飞蝗，齐向群雄射来。霍青桐大叫：“大家冲啊！”群雄互相紧紧靠拢，随着无尘与陈正德冲杀。但清兵愈杀愈多，冲出了一层，外面又围上一层。

无尘剑光霍霍，当者披靡，力杀十余名御林军，突出了重围，等了一阵，见余人并未随出，心中忧急，又翻身杀入，只见七八名侍卫围着章进酣斗。章进全身血污，杀得如痴如狂。无尘叫道：“十弟莫慌，我来了！”刷刷刷三剑，三名侍卫咽喉中剑。余人发一声喊，退了开去，无尘道：“十弟，没事么？”忽然呼的一声，章进挥棒向他砸来。无尘吃了一惊，侧身让过。章进连声狂吼，叫道："众位哥哥都给你们害了，我不要活了！"狼牙棒着地横扫。无尘叫道："十弟，十弟，是我呀！"章进双目瞪视，突然撇下狼牙棒，叫道："二哥啊，我不成了！"无尘在火光下见他胸前、肩头、臂上都是伤口，处处流血，自己只有单臂，无法相扶，咬牙道："你伏在我背上，搂住我！"蹲下身子，章进依言抱着他头颈。无尘只觉一股股热血从道袍里直流进去，当下奋起神威，提剑往人多处杀去。

剑锋到处，清兵纷纷让道，忽见前面官兵接二连三的跃在空中，显是被人提着抛掷出来的，无尘心想："除四弟外，别人无此功力，莫非城门有变？"仗剑冲去，果见文泰来、骆冰、余鱼同、李沅芷四人正与众侍卫恶战。无尘叫道："总舵主他们呢？"余鱼同道："不见啊，咱们到那边去找！"无尘心中一宽，心想章进受伤甚重，是以胡言呓语，未必大伙都已死伤。文泰来刀砍掌劈，杀开了一条血弄堂，四人随后赶去。

无尘奔到文泰来身旁，叫道："城门口怎样？"文泰来道："那边没事。我不放心，过来瞧瞧！"无尘道："来得正好！"他虽然负了章进，仍是一剑便杀一人，长剑起处，清军兵将无人能避。

突然李沅芷高声叫道："总舵主！"只见陈家洛从火光中掠过，东窜西晃，似乎在寻人。陆菲青从西首杀出，叫道："大伙退向宫墙！"遥见远处火光中一根翠羽不住晃动。陆菲青道："总舵主，你领大家退到墙边，我去接她出来！"说着手挥长剑，往霍青桐那边杀去。陈家洛与文泰来当先开路，又退回到墙边。

无尘叫道："十弟，下来吧！"章进只是不动，骆冰去扶他时，只觉他身子僵硬，原来已经气绝。骆冰伏尸大哭。文泰来正在抵敌众侍卫，接应赵半山、常氏双侠等过来，听得骆冰哭声，不由得洒了几点英雄之泪，怒气上冲，挥刀连毙三敌。

群雄逐渐聚拢，这时陆菲青和霍青桐已会合在一起，人丛中只见那根翠羽慢慢移来，但到相隔数十步时，再也无法走近。常氏双侠夺了两杆长枪，冲去接了过来。霍青桐脸色苍白，一身黄衫上点点斑斑尽是鲜血。陈家洛叫道："咱们再冲，这次可千万别失散了。"话声方毕，雍和宫内飕飕数声，连射了几枝箭出来。原来李可秀和白振手下人众杀尽了绥成殿中的旗兵后，蜂拥而至。红花会这一来前后受敌，处境更是险恶。

正危急间，正面御林军忽然纷纷退避，火光中数十名黄衣僧人冲了进来，当先一人白须飘动，金刀横砍直斩，威不可当，正是铁胆周仲英。群雄大喜，只听周仲英叫道："各位快跟我来！"文泰来抱起章进尸身，随着众人冲出。只见天镜禅师率着大苦、大癫、大痴、元痛、元悲、元伤等少林僧人，正与御林军接战。

霍青桐见众人杀敌甚多，但不论冲向何处，敌兵必定跟着围上，抬头四望，果见鼓楼屋顶上站着十多人，内中四人手提红灯分站四方，群雄杀奔西方，西方那人高举红灯，杀奔东方，东方便有红灯举起。霍青桐对陈家洛道："打灭那几盏红灯便好办了！"赵半山听了，从地下捡起一张弓，拾了几枝箭，弓弦响处，四灯熄灭。

群雄喝一声彩。清兵不见了灯号，登时乱将起来。霍青桐又道："屋顶上诸人之中，必有主将在内，咱们擒贼先擒王！"众人知她在回部运筹帷幄，曾歼灭兆惠四万多名精兵，真是女中孙吴，说话必有见地。无尘叫道："四弟、五弟、六弟，咱们四个去！"文泰来和常氏双侠齐齐答应。四人有如四头猛虎，直扑出去，御林军哪里拦阻得住？

陈家洛与天镜禅师等跟着杀出，眼见就要冲出重围，突然喊声大振，李可秀和白振率领亲兵侍卫围了上来。一阵混战，又将群雄裹在垓心。李沅芷、骆冰、以及七八名少林僧人都受了伤。

无尘等冲到墙边，跃上鼓楼，早有七个人过来阻拦。这些人竟是武功极好的高手，常氏双侠合敌三人，一时未分胜败。无尘与文泰来都是以一对二，在屋顶攻拒进退，打得十分激烈。无尘心中焦躁，想道："怎么这里竟有这许多硬爪子？"

只见屋角上众人拥卫之中，一名头戴红顶子的官员手执佩刀令旗，正在指挥督战。无尘叫道："这些鹰爪都交给我！"左一剑"心伤血污池"直刺敌人胸膛，右一剑"胆裂奈何桥"，径斩对手双足。这两人或缩身，或纵跃，无尘长剑已指向缠着文泰来的两名侍卫，"千刃刀山"斜戳左股，"万斛油锅"横削右腰，招招快极狠极。

文泰来缓出手来，向那红顶子大官直冲过去。左右卫士见他来势凶猛，早有四人挺刀阻截。文泰来在火光中猛见那官员回过头来，吃了一惊，险些失声叫出："总舵主！"这官员面貌几乎与陈家洛一模一样，若不是服色完全不同，真难相信竟是两人。他斗然想起，妻子曾说到徐天宏设计取玉瓶、捉拿王维扬之事，总舵主乔扮官员，竟被众人误认为骁骑营统领兼九门提督福康安，那么这人必是福康安无疑。眼下群雄身处危境，如不抓到此人，只怕无法脱难，当下身形一缩，从两柄大刀的刃锋下钻过，径向福康安扑去。

统率御林军兜捕红花会的，正是乾隆第一亲信的福康安。乾隆因火烧雍和宫之事万分机密，是以命他总领其事。但怕他遇到凶险，特选了十六名一等侍卫，专门负责护他一人。众侍卫中又有两人上前阻挡，余人拥着福康安避到另一间屋子顶上。无尘数招之下，已伤了两名侍卫，突然斜奔横走，在众侍卫中穿来插去，这里一剑，那里一脚，片刻间已连施七八下毒招。文泰来再度缓出手来，双足使劲，跃在半空，向福康安头顶猛扑而下。

这时地下骁骑营官兵与众侍卫已见到主帅处境凶险，他身旁虽有十多名高手侍卫保护，兀自拦阻不住这两个怪杰所向无敌的狠扑，又有七八人跃上屋来相助。余人也暂不向红花会余人进迫，都举头凝视屋顶的激斗，突见文泰来飞扑而下，不由得齐声惊呼。

福康安不会武功，当此危急之际，也只得举起佩刀仰砍，同时两枝长枪、两柄大刀齐向文泰来身上刺砍。文泰来心想：这一下抓不到，他后援即到，再无机会了，双臂一振，两杆长枪腾在空中，一足踹在左边一名侍卫胸前，右手一拳击中右边一名侍卫面门，大喝一声，两名刚跃上屋顶的侍卫吓得跌了下去。福康安惊得手足都软了，被文泰来一把当胸揪住，举在半空。四下里的清兵不约而同的又是大声惊叫。

这时常氏双侠已打倒三名侍卫，双双跃到，往文泰来身旁一站，取出飞抓，亮光闪闪，舞成径达两丈的一个大圈子，清兵哪敢过来？只见福康安举起令旗，颤声高叫：“大家住手！各营官兵与众侍卫各归本队！”

骁骑营官兵与众侍卫见本帅被擒，都是大惊失色。奉旨卫护福康安的侍卫中有三人不理会常氏双侠飞抓厉害，奋勇冲上。无尘叫道：“五弟、六弟，放这三个鹰爪过来！”双侠一收飞抓跃开，只道无尘要亲自取他们性命，哪知无尘长剑直指福康安咽喉，笑道：“来吧，来吧！”三名侍卫停步迟疑，互相使个眼色，又都跃开。文泰来双手微一用力，福康安臂上痛入骨髓，只得高声叫道：“快收兵，退开！”清兵侍卫不敢再战，纷纷归队。

陈家洛叫道：“咱们都上高！”群雄奔到墙边，一一跃上。赵半山点查人数，除章进伤重毙命外，其余尚有八九人负伤，幸喜都不甚重。

火光中又见孟健雄与徐天宏扶着周绮跃上屋顶。只见她头发散乱，脸如白纸。周仲英骂道：“你怎么也来了？不保重自己身子！”周绮叫道：“我要孩子，孩子，还我孩子来！”

陈家洛见她神智不清，忙乱中不及细问，用红花会切口传令：“咱们攻进宫去，杀了皇帝给十哥报仇！”群雄轰然叫好，骆冰把这话译给陆菲青、天镜禅师、天山双鹰、霍青桐等人听了，众人举刀响应。天镜禅师道：“少林寺都教他毁了，老衲今天要大开杀戒！”陈家洛惊问：“怎么，少林寺毁了？”天镜禅师道：“不错，已是烧成白地。天虹师兄护法圆寂了。”陈家洛一阵难受，愈增愤慨。众人拥着福康安，从御林军的刀枪剑戟中走出去，只见走了一层又是一层，围着雍和宫的兵将何止万人。群雄饶是大胆，也不觉心惊，暗想要不是擒住了他们头子，无论如何不能突出重围。

待走出最后一层清兵，见心砚领着红花会的头目，牵了数十匹马远远站着等候。各人纷纷上马，有的一人一骑，有的一骑双乘，纵声高呼，一阵风般向皇宫冲去。

徐天宏跑在陈家洛身旁，叫道："总舵主，退路预备好了么？"陈家洛道："九哥他们在城门口接应。你们怎么也刚巧赶到？"徐天宏恨道："方有德那奸贼，那奸贼！"陈家洛道："怎么？"徐天宏道："他勾结成璜、瑞大林，调兵夜袭少林寺。天虹老禅师不肯出寺，在寺中给烧死了。他们还抢了我的儿子去！"陈家洛听见他生了个儿子，想说句"恭喜"，却又缩住。徐天宏道："天镜师伯率领僧众找这几个奸贼报仇，直追到北京来。咱们去双柳子胡同找你，才知你们在雍和宫。"

这时众人已奔近禁城，御林军与众侍卫在后紧紧跟随，虽不交锋，但毫不放松。徐天宏转头对天山双鹰道："要是皇帝得讯躲了起来，深宫中哪里去找，请两位前辈先赶去探明如何？"他想二老最是好胜，适才无尘与文泰来擒拿福康安大显威风，他们夫妇却未显技立功。天山双鹰齐声应道："好，我们就去！"徐天宏从衣袋里摸出四枚流星火炮，交给陈正德道："见到皇帝，能杀马上就杀，如他护卫众多，请老前辈放流星为号。"关明梅道："好！"双鹰跃过宫墙，直往内院而去，身手快捷，直和鹰隼相似。

天山双鹰在屋顶上飞奔，只见宫门重重，庭院处处，怎知皇帝躲在何处？关明梅道："抓个太监来问。"陈正德道："正是！"两人一跃下地，隐身暗处，侧耳静听，想查到声息，过去抓人，忽听脚步声急，两人直奔而来。陈正德低声道："这两人有武功。"关明梅道："不错，跟去瞧瞧。"语声方毕，两个人影已从身边急奔过去。

双鹰悄没声的跟在两人身后，见前面那人身材瘦削，武功甚高，后面那人是个胖子，脚步却沉重得多。前面那人时时停步等他，不住催促："快，快，咱们要抢在头里给皇上报讯。"双鹰一听大喜，他们去见皇帝，正好带路，暗暗感激后面那胖家伙，要不是他脚步笨重，夫妇俩在后跟蹑势必给前面那人发觉。四人穿庭过户，来到宝月楼前。前面那人道："你在这里等着。"那大汉应了站住，那瘦子径自上楼去了。

双鹰一打手势，从楼旁攀援而上，直上楼顶，双足钩住楼檐，倒挂下来，见一排长窗，外面是一条画廊，栏干上新漆的气味混着花香散发出来，窗纸中透出淡淡的烛光。两人纵身落入画廊，只见一个人影从窗纸上映了出来。关明梅用食指沾了唾液，轻轻湿了窗纸，附眼往里一张，果见乾隆坐在椅上，手里摇着折扇，跪在地上禀报的瘦子原来便是白振。

只听白振奏道："绥成殿已经烧光了，看守的亲兵没一个逃出来。"乾隆喜道："很好！"白振又叩头道："奴才该死，红花会的叛徒却擒拿不到。"乾隆惊道："怎么？"白振道："太后身边的迟玄与武铭夫两人要敬什么毒酒，泄漏了机关，动起手来。奴才正在管绥成殿的事，给迟武两人放了他们出去。"乾隆嗯了一声，低头沉吟。

陈正德指指白振，又指指乾隆，向妻子打手势示意："我斗那白振，你去刺杀皇帝。"关明梅点了点头，两人正要破窗而入，白振忽然拍了两下手掌。关明梅一把拉住丈夫手臂，左手摇了摇，示意只怕其中有什么古怪，瞧一下再说，果然床后、柜后、屏风后面悄没声的走出十二名侍卫来，手中各执兵刃。天山双鹰均想："保护皇帝的必是一等高手，我两人贸然下去，如刺不到皇帝，反令他躲藏得无法寻找，不如等大伙到来。"只见白振低声向一名侍卫说了几句，那侍卫下楼，把那大汉带了上来。

那大汉一身黄衣，叩见皇帝，等抬起头来，双鹰大出意外，原来是一名喇嘛。乾隆道："呼音克，你办得很好，没露出什么痕迹么？"呼音克道："一切全遵皇上旨意办理，绥成殿连人带物，没留下一丁点儿。"乾隆道："好，好，好！白振，我答应他做活佛的。你去办吧。"白振道："是！"呼音克大喜，叩头谢恩。

两人走下楼来，白振道：“呼音克，你谢恩吧！”呼音克一楞，心想我早已谢过恩了，但皇帝的侍卫总管既如此说，便又向宝月楼跪下叩头，忽觉得项颈中一阵冰凉，两名侍卫的佩刀架在颈中。呼音克大惊，颤声道：“怎……怎么？”白振冷笑道：“皇上说让你做活佛，现在就送你上西天做活佛。”手一挥，两名侍卫双刀齐下，跟着两名太监拿了一条毡毯过来，裹了呼音克的尸身去了。

忽然远处人声喧哗，数十人手执灯笼火把蜂拥而来。白振疾奔上楼，禀道：“有叛徒作乱，请皇上退回内宫。”乾隆在杭州见过红花会群雄的身手，知道众侍卫实在不是敌手，也不多问，立即站起。

陈正德放出一个流星，嗤的一声，一道白光从楼顶升起，划过黑夜长空，大声喊道：“我们等候多时，想逃到哪儿去？”两人知道群雄赶到还有一段时候，这时先把皇帝绊住要紧，当下破窗扑入楼中。

众侍卫不知敌人到了多少，齐吃一惊，只见楼梯口站着一个红脸老汉、一个白发老妇。两名侍卫当先冲下迎敌。白振把乾隆负在背上，四名侍卫执刀前后保护，从栏干旁跳下，径行奔向第三层楼。关明梅手一扬，打出了三枚铁莲子，对手一避，她已纵身站在三四两层之间的栏干上，挺剑直刺乾隆左肩。

白振大骇，倒纵两步，早有两名侍卫挺刀上前挡住。陈正德与三名侍卫交手数合，立知均是高手劲敌，当即施展轻身功夫，在楼房中四下游走，不与众侍卫缠斗。白振一声唿哨，四名侍卫从四角兜抄过来，后面又是三人，七人登时将陈正德困在中间。斗了十余合，陈正德回剑挡开左边一杆短枪、一个链子锤，右面一鞭扫到，拍的一声，打中了他右臂，陈正德数十年来对敌，连油皮也未擦伤过一块，这一下又痛又怒，当即剑交左手，一招“旋风卷黄沙”把众人逼退数步，低头一剑直刺，戳死了那名挥鞭伤他的侍卫。

关明梅见丈夫受伤，猛冲上前接应，两人退到第二层楼。陈正德见群雄尚未到达，只怕自己夫妇缠不住这十多名高手侍卫，被他们冲下楼去，忙乘隙抢到楼外又放了个流星，回进楼中，见妻子守到楼梯上，打数合，退一级，扼险拒敌，当真是寸土必争。幸而楼梯狭窄，最多容得下三四名敌人同时进攻，但仰面拒战，十分吃力。陈正德心想何不以攻为守？当下仗剑扑向乾隆。众侍卫抢上抵御，他早已退开，向攻击关明梅的侍卫背后连刺数剑，待得有人上来相助，他又向乾隆攻去，众侍卫忙不迭的过来护驾。这般反客为主，立时争到了机先。众侍卫心慌意乱，被他刺伤了两名。关明梅也抢上了四级楼梯。

白振见情势不利，对一名侍卫道："马兄弟，你背皇上。"这人便是在杭州曾被红花会抓去过的马敬侠。他蹲下身子，把皇帝负在背上。白振长啸一声，双爪向陈正德抓去。两人一交上手，陈正德就无法脱身，心中暗暗叫苦，加之右臂受伤，越战越痛，单敌白振已是勉强，何况还有四五名侍卫围攻。白振双掌翻飞，招招不离敌人要害。陈正德全神贯注的招架，不提防背后一名侍卫突然冷剑偷袭，刺入他后心。

那侍卫正喜得手，被陈正德奋力回肘猛撞，登时头骨撞破而死。陈正德所受这一剑正中要害，知道今日要毕命于斯，大喝一声，神威凛凛。白振吃了一惊，倒退一步。陈正德提剑向乾隆猛力掷去。马敬侠见长剑疾飞而至，要待退让，却已不及，他只怕伤了皇帝，拼着手掌重伤，举手去格，但这剑正是陈正德临终一掷，那是何等功力？何等义愤？马敬侠的肉掌怎能挡格得开？波的一声，手掌被削去半只，长剑直刺入胸膛之中，对穿而过。

陈正德大喜，心想这一剑也得在乾隆胸前穿个透明窟窿，自己一条命换了一个皇帝，虽死也值得了！

白振及众侍卫见长剑没入马敬侠胸膛，关明梅见丈夫受伤掷剑，个个大惊失色，顾不得互斗，各自过来抢救。

白振忙把乾隆抱起，问道："皇上，怎样？"乾隆已吓得脸色苍白，强自镇定，微笑道："总算我先有防备。"白振见那剑从马敬侠身后穿出半尺，乾隆胸口衣服数层全被刺破，不觉骇然，但皇帝竟未受伤，又惊又喜，道："皇上洪福齐天，真是圣天子有百神呵护。"他哪知乾隆变盟之后，深恐红花会前来报复，想起二十多年前雍正皇帝半夜里被侠客割去首级的惨状，甚是寒心，因此这几日来外衣之内总是衬了金丝软甲，果然救了一命。

白振把乾隆负在背上，见楼梯上已无人阻拦，唿哨一声，众侍卫前后拥卫，直奔下楼。将出宝月楼门，乾隆忽然惊呼，挣下地来，只见楼下门口当先一人正是陈家洛。他身后火光剑影，数十名英雄豪杰站在当地。乾隆反身急奔上楼。众侍卫蜂拥而上。两名侍卫走得稍慢，被常氏双侠截住，斗不数合，三个少林僧上前夹攻，立时击毙。

陈家洛等见了流星讯号，急向宝月楼奔来，但一路有侍卫相拒拦阻，边打边进，牵延了时刻，杀到宝月楼时，皇帝被天山双鹰绊住，竟未逃出。群雄大喜，急抢上楼。文泰来虎吼一声，叫道："啊哈，原来在此！"却是成璜和瑞大林手执兵刃，站在床前。陈家洛一上楼，立即分派各人守住通道。无尘仗剑站在第三层通下来的梯口，常氏双侠守住上来的梯口，赵半山、大苦、大癫、大痴分守东南西北四面窗口。

霍青桐见师父抱住师公不住垂泪，忙走过去，只见陈正德背上伤口中的血如泉涌，汩汩流出。陆菲青也抢了过来，拿出金创药给他敷治。陈正德苦笑摇了摇头，对关明梅道："我对不住你……累得你几十年心中不快活，你回到回部之后，和袁……袁大哥去成为夫妻……我在九泉，也心安了。陆兄弟，你帮我成就了这桩美事……"

关明梅双眉竖起，喝道："这几个月来，难道你还不知道我对你的一片心吗？"陆菲青心想："他人都快死了，你们这对冤家还吵什么？就算口头上顺他几句又有何妨？"正要开言相劝，关明梅叫道："这样你可放了心吧！"横剑往喉中一勒，登时气绝。霍青桐和陆菲青虽近在身旁，但哪里料想得到她如此刚烈，都是不及相救。陈正德放声大哭，突然哭声顿息。陆菲青俯身下去，只见他抱着妻子身体，两人都死在血泊里了。霍青桐伏在双鹰身上，痛哭不已。

陈家洛手执短剑，指着乾隆道："且不说六和塔中盟言如何，我们在海宁塘上曾击掌为誓，决不互相加害，你却用毒酒暗算于我，今日还有什么话说?"说着走上两步，短剑剑尖寒光闪闪，对准他的心口，凛然说道："你认贼作父，残害百姓，乃是天下仁人义士的公敌！你我兄弟之义，手足之情，再也休提。今日我要饮你之血，给所有死在你手里的人报仇。"乾隆吓得脸无人色，全身发抖。

天镜禅师踏步上前，喝道："我们在少林寺清修，与世无争，你何以派了赃官，将佛门胜地烧得片瓦不存？今日老衲要开杀戒了。"成璜忽地窜出，举起齐眉棍当头猛砸下来。天镜不闪不避，右手撩住棍梢一拖。成璜收脚不住，向前跌来。天镜反手一掌，拍的一声，把他半个头打进脖子里去，登时毙命。天镜右手一抖，齐眉木棍断成三截。众侍卫见这个老和尚如此神威，哪个再敢上前。

白振到此地步，只得挺身而出，叫道："待我来接老禅师几招。"天镜哼了一声，待要进招，陈家洛道："师叔，待弟子来。"天镜道："好！"陈家洛道："白老前辈请！"呼的一掌横劈过来。白振举臂欲格，不料陈家洛手掌忽然转弯，拍的一声，打在他肩头。白振大吃一惊："我与他在杭州交手时势均力敌，怎么不到一年，他功力陡然大进?"转念未毕，陈家洛又是两掌打到。白振避开一掌，接了一掌，知道不是敌手，跳开一步，叫道："且住！"

乾隆忽道："他是你救命恩人，又何必再打?"白振知皇帝已有疑他之意，从侍卫手里接过一柄刀来，说道："陈总舵主，我不是你对手。"陈家洛道："我敬重你是条汉子，只要你不再给皇帝卖命，那就去吧！"赵半山守在东面窗口，往旁侧一让。白振凄然一笑，道："多谢两位美意。在下不能保护皇上，那是不忠；不能报答阁下救命之恩，那是不义；不忠不义，有何面目生于天地之间?"回刀往自己项颈中猛力砍落，一颗首级飞了起来，蓬的一声，落在地下。

陈家洛扶起霍青桐来，把短剑递在她手里，说道："你爹爹妈妈、哥哥妹妹、两位师父，以及无数同族父老兄弟姊妹，都死在此人手里。你亲手杀了他吧！"霍青桐接过短剑，向乾隆走去。

瑞大林挺着锯齿刀来拦，文泰来斜刺里跃到，左手抓住他背心提起，右拳如擂鼓般在他胸口连击八九拳，手一松，瑞大林胸骨脊骨齐断，软软的一团掉在地下。当日他与七名侍卫捉拿文泰来，先施偷袭，令他身受重伤，此仇这时方始得报。文泰来见霍青桐持剑上来，乾隆身旁只剩下寥寥五六名侍卫，哈哈一笑，让在一旁监视。

霍青桐走上数步，忽听得楼下人声鼎沸。赵半山回头外望，只见得宝月楼外火把齐明，御林军、侍卫、太监等等何止三四千人，齐来救驾。文泰来走到窗口，高声喝道："皇帝在这里。谁敢上来，老子先把皇帝宰了。"他威风凛凛，声若雷震，这一声大喝，楼下众人登时肃静无声。徐天宏和心砚将白振、瑞大林、马敬侠、成璜等人的尸体掷将下来。众侍卫见这些高手都死于非命，更加不敢乱动，只怕伤了皇帝。

宝月楼上群雄也是默不作声，凝视霍青桐手持寒光闪闪的短剑，一步步走向乾隆。

突然间床帐后人影一晃，一个人奔出来挡在乾隆身前，霍青桐一楞停步，见这人是个白须老者，手中却抱着一个婴儿，那老者右手将婴儿举在面前，微微冷笑，左手伸出五指，虚捏在婴儿喉头。那婴儿又白又胖，吮着小指头儿，十分可爱。周绮扑了出来，大叫："还我孩子！"纵身上去就要夺那婴儿。那老头叫道："你上来吧，你要死孩子，你上来。"周绮失神落魄般呆在当地。

这老人便是曾任安徽巡抚的方有德。那日在福建德化娶妾，被群雄赶来一场大闹，他老奸巨猾，在人丛中溜了，后来会到成璜、瑞大林，知道皇帝欲得红花会群雄而甘心，于是定下奸计，率领军马夜袭少林寺，烧死了天虹老方丈，还把周绮的儿子抢了来。他知这是大功一件，因此与瑞大林等赶到北京来朝见皇帝。乾隆连夜召见，想细问少林寺中是否还留下什么和他身世有关的痕迹。他三人上楼之时，正逢陈家洛等杀到。方有德躲在帐后不敢露面，这时见事势紧急，他虽不会武艺，但阴鸷果决，立即抱了婴儿出来。

僵持片刻，方有德道："你们都退出宫去，我就还你们孩子！"霍青桐骂道："你这魔鬼，你骗人！"她激动中说的是回语，方有德不懂。群雄眼见乾隆已处在掌握之中，就是天下所有的精兵锐甲一齐来救，也要先把皇帝杀了再说，哪知忽然出来一个手无寸铁、不会武艺的老人，怀抱一个婴儿，就把众人制得束手无策。群雄望着陈家洛，等他示下。

陈家洛望着霍青桐，想起香香公主为乾隆逼死，霍青桐全家的血海深仇，岂可不报？再见到天山双鹰与章进的尸身，不觉悲愤冲心。但一转眼见徐天宏满脸又是惊惶又是担心的神色，不禁又望了一眼抱在方有德手里的那个孩子。这婴儿还只有两个月大，憨憨的笑着，伸出小手，去摸按在他颈里方有德那只干枯凸筋的大手。陈家洛心中一凛，回过头来，只见天镜眼中闪烁着慈和的光芒，陆菲青轻轻叹息，周仲英白须飘动，身子微颤。周绮张大了口，一副神不守舍的样子。

陈家洛心想："周老爷子为了红花会，斩了周家血脉，这孩子是他传种接代的命根……但今日不杀皇帝，以后他加意防备，只怕再无机缘报此大仇，那便如何是好？"正自沉吟，忽听周绮一声呼叫，又要扑上前去，却被骆冰和李沅芷拉住，只是拼命挣扎，连无尘、文泰来、常氏双侠等素来杀人不眨眼的豪杰，脸上也均有不忍之色。赵半山手扣暗器，随便一枚发出，必制方有德的死命，只是这孩子实在太过脆弱，万一方有德临死之时手指使劲捏死了他，那便如何是好？他扣着暗器的手微微发颤，饶是周身数十种暗器，竟是一枚不敢妄发。

霍青桐回过身来，将短剑还给陈家洛，低声道："死了的人已归天国！要教这孩子长大之后，记得咱们的大仇！"陈家洛点点头，朗声对方有德道："好吧，我们不伤皇帝性命，把这孩子给我。”说着还剑入鞘，伸出双手去接孩子。

方有德阴森森道：“哼，谁相信你？你们出宫之后，才能把孩子还你。”陈家洛大怒，喝道：“我们红花会言出必践，难道会骗你这老畜生？”方有德道：“我就是信不过。”陈家洛道：“好，那么你跟我们出宫。”方有德迟疑不答。

乾隆听陈家洛饶他性命，心中大喜，哪里还顾方有德的死活，说道：“你跟他们出宫好了。你今日立此大功，我自然知道。”方有德心头一寒，听皇帝口气，是要在他死后给他来个追赠封荫之类，只得说道：“谢皇上恩典。”

方有德转头向陈家洛道：“我跟你们出去，这条老命还想要么？”他是想陈家洛再答应饶他不死。陈家洛知他心意，怒道：“你作恶多端，早就该进地狱啦。”乾隆怕夜长梦多，对方心意又变，催道：“快跟他们出去。”方有德道：“我一出去，只怕你们留下几人又害皇上。”陈家洛怒道：“依你说怎样？”方有德道：“请皇上圣驾先下楼去，我再随你们出宫。”陈家洛心想到此地步，只得放人，向乾隆道：“好，去吧！”

乾隆再也顾不得皇帝尊严，拔足向楼门飞奔。陈家洛突然伸右手一把拉住，左手拍拍拍拍，连打他四记耳光，甚是清脆响亮。乾隆两边面颊登时肿了起来。众人出其不意，隔了一阵才轰然喝彩。陈家洛骂道：“你记不记得自己发过的毒誓？”乾隆哪里还敢答话？陈家洛手一挥，乾隆打个踉跄，急奔下楼去了。陈家洛喝道：“拿孩子来！”

赵半山扣住毒蒺藜，望着窗外，只等陈家洛接到孩子，乾隆在楼下出现，就要大显身手，数十枚喂毒暗器齐往皇帝身上射去。

方有德环顾周遭，筹思脱身之计，说道：“我要亲眼见到皇上太平无事，才能交出孩子。”说着慢慢走向窗口。常伯志骂道：“你这龟儿是死定了的。”紧跟在他身后，只待他一交出孩子，要抢先一掌将他打死。只见乾隆走出楼门，侍卫一拥而上。赵半山喃喃骂道：“奸贼，奸贼！”

方有德见数十名侍卫集在楼下，心想与其在楼上等死，不如冒险跳下，必有侍卫接住，突然抱着孩子，涌身跳出。

群雄出其不意，惊叫起来。常伯志飞抓抖出，已绕住方有德左腿，用力上甩。方有德身子飞起，孩子脱手，两人一齐落下。赵半山双足力蹬，如箭离弦，跃在半空，头朝下，脚向上，左手前伸，已抓住孩子的一只小腿，同时右手三枚毒蒺藜飞出，打在方有德头顶胸前。

这时楼上群雄、楼下侍卫，无不大叫。赵半山凝神提气，左手里弯，已把孩子抱在怀里，双足稳稳落地，一招太极拳“云手”，把扑上来的两名侍卫推了出去，余人纷纷攻来。常氏双侠、徐天宏、周仲英、文泰来齐从楼上跃下，团团护住。赵半山俯首瞧那孩子，只见他手舞足蹈，咯咯大笑，显然对刚才死里逃生那一跃大感有趣，还想再来一下。

陈家洛把福康安推到窗口，高声叫道：“你们要不要他的性命?”乾隆在众侍卫重重拥卫之下，再无惧怕，火光中突见到福康安被擒，大惊失色，连叫：“住手，住手!”众侍卫退了下来。周仲英等也不追击。

原来乾隆的皇后是大臣傅恒的姊姊。傅恒之妻十分美貌，进宫来向皇后请安之时，给乾隆见到了，就和她私通而生了福康安。傅恒共有四子，三个儿子都娶公主为妻。傅恒蒙蒙瞳瞳，数次请求让福康安也尚主而为额驸，乾隆只是微笑不许。他儿子很多，对这私生子偏生特别钟爱。福康安与陈家洛面貌相似，只因两人原是亲叔侄，血缘甚近。

陈家洛不知内中尚有这段怪事，但见皇帝着急，胸中已想好了计谋，当下押着福康安，与众人一齐下楼。周绮抢到赵半山身边把孩子抱在手里，喜得如痴如狂。

一边是红花会群雄与少林寺众僧，另一边是清宫侍卫与御林军。宝月楼前本已拆成一片白地，这时犹如两军在战场上列阵对圆一般，只是众寡悬殊。李可秀明白皇帝心思，叫道：“陈总舵主，你放下福统领，就让你们平安出城。”陈家洛道：“皇帝怎么说？”

乾隆刚才吃了四记耳光，面颊肿得犹如熟烂了的桃子，疼痛难当，但见爱子落在对方手里，只得摆手道：“放你们走，放你们走！”陈家洛道：“福统领送我们出城。”高声对乾隆道：“天下百姓恨不得食你之肉，寝你之皮，你就是再活一百年，也教你一百年中日日提心吊胆，夜夜魂梦难安！”转过身来，说道：“走吧！”

众人拥着福康安，抱了天山双鹰和章进的尸身，径向宫外而去。众侍卫与御林军眼睁睁的不敢追赶。

出宫不远，两骑马飞驰追来，李可秀在马上高声叫道：“陈总舵主，李可秀有话相商。”群雄勒马等候，李可秀和曾图南纵马走近。李可秀道：“皇上说道，如放福统领平安归去，你有什么意思，都可答应。”陈家洛双眉一扬，道：“哼，还有谁会相信皇帝的鬼话？”李可秀道：“务求陈总舵示下，小将好去回禀。”

陈家洛道：“好！第一，要皇帝拨库银重建福建少林寺，佛像金身，比前更加宏大。朝廷官府，永远不得向少林寺滋扰。”李可秀道：“这事易办。”陈家洛道：“第二，皇帝不可再加重回部各族百姓征赋，俘虏的回部男女，一概放归。”李可秀道：“这也不难。”陈家洛道：“第三，红花会人众散处天下，皇帝不得怀恨捕拿。”李可秀沉吟不语，陈家洛道：“哼，真要捕拿，难道我们就怕了？这位奔雷手文四爷，不在李军门衙门里住过一时么？”李可秀道：“好，我也斗胆答应了。”

陈家洛道：“明年此日，我们见这三件事照办无误，就放福统领回来。”李可秀道：“好，就是这样。”向福康安道：“福统领，陈总舵主千金一诺，请你宽心。皇上一定下旨办理这三件事。小将尽心竭力，刻刻以福统领平安为念，自当监督尽快办成。陈总舵主或能提前让福统领回来。”福康安默然不语。

陈家洛想起白振与李可秀攻打绥成殿旗兵之事，虽然不明原因，但想内中必有重大隐情，大可吓他一跳，说道：“你对皇帝说，绥成殿中之事，我们都知道了。要是他再使奸，可没好处。”

李可秀一惊，只得答应。陈家洛一拱手道："李军门，咱们别过了。你升官发财，可别多害百姓呀。"李可秀拱手道："不敢！"

李沅芷和余鱼同双双下马，走到李可秀跟前，跪了下去。李可秀一阵心酸，知道此后永无再见之日，低声道："孩子，自己保重！"伸手抚摸她头发，兜转马头，回宫去了。李沅芷伏地哭泣，余鱼同扶她上马。

群雄驰到城门，与杨成协、卫春华等会合。福康安叫开城门。

钟楼上巨钟镗镗，响彻全城，正交四更。

众人出得城来、只见水边一片芦苇，残月下飞絮乱舞，再走一程，眼前尽是乱坟。

忽听一群人在边唱边哭，唱的却是回人悼歌。陈家洛和霍青桐都是一惊，纵马上前，问道："你们悲悼谁啊？"一个老年回人抬起头来，脸上泪水纵横，道："香香公主！"

陈家洛惊问："香香公主葬在这里么？"那回人指着一座黄土未干的新坟，道："就在这里。"霍青桐流下泪来，道："咱们不能让妹子葬在这里。"陈家洛道："不错，她最爱那神峰里面的翡翠池，常说：'我能永远住在那里就高兴了！'咱们把她遗体运去葬在池边。"霍青桐含泪道："正是。"

那老年回人问道："两位是谁？"霍青桐道："我是香香公主的姊姊！"另一个回人叫了起来："啊，你是翠羽黄衫。"

霍青桐道："咱们把坟起开来吧。"当下与陈家洛、几名回人、心砚、蒋四根等一齐动手。少林僧中以方便铲作兵器的甚多，各人铲土，片刻之间已把坟刨开，撬起石块，先闻到一阵幽香，众人都吃了一惊，坟中竟然空无所有。

陈家洛接过火把，向坟中照去，只见一滩碧血，血旁却是自己送给她的那块温玉。

众人惊诧不已。众回人道："我们明明亲送香香公主的遗体葬在这里，整天没离开过，怎么她遗体忽然不见了？"骆冰道："这位妹妹如此美丽神异，自是仙子下凡。现今又回到了天上。总舵主和霍青桐妹妹不必伤心。”

陈家洛拾起温玉，不由得一阵心酸，泪如雨下，心想喀丝丽美极清极，只怕真是仙子。

突然一阵微风过去，香气更浓。众人感叹了一会，又搬土把坟堆好，只见一只玉色大蝴蝶在坟上翩跹飞舞，久久不去。

陈家洛对那老回人道：“我写几个字，请你雇高手石匠刻一块碑，立在这里。”那回人答应了。心砚取出十两银子给他，作为立碑之资，从包袱中拿出文房四宝，把一张大纸铺在坟头。

陈家洛提笔蘸墨，先写了“香冢”两个大字，略一沉吟，又写了一首铭文：

“浩浩愁，茫茫劫，短歌终，明月缺。郁郁佳城，中有碧血。碧亦有时尽，血亦有时灭，一缕香魂无断绝！是耶非耶？化为蝴蝶。”

群雄伫立良久，直至东方大白，才连骑向西而去。

（全书完）

注：

一、陈家洛之母姓徐名灿，字湘苹，世家之女，能诗词，才华敏赡，并非如本书中所云为贫家出身。笔记中云："京城元夜，妇女连袂而出，踏月天街，必至正阳门下摸钉乃回。旧俗传为'走百病'。海宁陈相国夫人有词以纪其事。词云：'华灯看罢移香屧。正御陌，游尘绝。素裳粉袂玉为容，人月都无分别。丹楼云淡，金门霜冷，纤手摩挲怯。三桥婉转凌波蹑。敛翠黛，低回说。年年长向凤城游，曾望蕊珠宫阙。星桥云烂，火城日近，踏遍天街月。'"

二、乾隆向陈家洛立誓，若生异心，死后陵墓给人发掘。乾隆死后，所葬陵墓称为"裕陵"。民国十七年（一九二八）五月，孙殿英部以火药爆开乾隆及慈禧太后陵墓，搜获大批宝物而去，乾隆遗体全遭损毁。后溥仪派"内务府总管大臣"宝熙、"侍郎"陈毅（非中共元帅）等去办理善后。宝熙有《于役东陵日记》，七月十六日记云："幸将高宗元首及后妃颅骨，全行觅得，其四体百骸，则十不存五。"陈毅所作《东陵纪事诗》有句云："帝共后妃六，躯惟完其一，伤哉十全主，遗骸不免析"，其注云："……确为男体，即高宗也……下颔已碎为二，检验吏审而合之。上下齿本共三十六，体干高伟，骨皆紫黑色，股及脊犹黏有皮肉……腰肋不甚全，又缺左胫，其余手指足趾诸零骸，竟无以觅。高宗……自称'十全老人'，乃宾天百三十年，竟婴此奇惨……"香港高伯雨先生辑有《乾隆慈禧坟墓被盗纪实》一书。

三、《清宫词》中，有两首与本书故事有关，摘录于下：

巨族盐官高渤海，异闻百载每传疑。冕旒汉制终难复，曾向安澜驻翠蕤。（原注：海宁陈氏有安澜园，高宗南巡时，驻跸园中，流连最久。乾隆中尝议复古衣冠制，不果行。）

家人燕见重椒房，龙种无端降下方。丹阐几曾封贝子，千秋疑案福文襄。（原注：福康安，孝贤皇后之胞侄，傅恒之子也，以功封忠锐嘉勇贝子，赠郡王衔，二百余年所仅见。满洲语谓后族为"丹阐"。）

四、赵翼记乾隆喜作诗及用僻典云："……诗尤为常课，日必数首，皆用朱笔作草，令内监持出，付军机大臣之有文学者，用折纸楷书之，谓之'诗片'。遇有引用故事，而御笔令注之者，则诸大臣归，遍翻书籍，或数日始得，有终不得者，上亦弗怪也。余扈从木兰时，读御制'雨猎'诗，有'着制'二字，不知所出，后始悟《左传·齐陈成子帅师救郑》篇：'衣制杖戈'，注云：制，雨衣也。又用兵时谕旨，有朱笔增出'埋根首进'四字，亦不解所谓，后偶阅《后汉书·马融传》中始得之，谓'决计进兵'也。圣学渊博如此，岂文学诸臣所能仰副万一哉……御制诗每岁成一本，高寸许。"乾隆从古书中随手翻到一个生僻典故，用在诗中，文学侍从之臣自然难解所谓；而纵明出处，也必佯作不知，或假装回家查书数日，斯知圣学渊博如此。大概乾隆一意要得香香公主，因此下旨："埋根首进"。

五、关于陈家洛、无尘道人、赵半山、福康安等人事迹，《飞狐外传》中续有叙述。

后　记

《书剑恩仇录》是我所写的第一部小说。从一九五五年到现在，整整二十年了。

我是浙江海宁人。乾隆皇帝的传说，从小就在故乡听到了的。小时候做童子军，曾在海宁乾隆皇帝所造的石塘边露营，半夜里瞧着滚滚怒潮汹涌而来。因此第一部小说写了我印象最深刻的故事，那是很自然的。但陈家洛这人物是我的杜撰。香香公主也不是传说中或历史上的香妃。香香公主比香妃美得多了。本书中所附的香妃插图，只是让读者们看到，乾隆有这样的一个嫔妃。

海宁在清朝时属杭州府，是个海滨小县，只以海潮出名。近代的著名人物有王国维、蒋百里、徐志摩等，他们的性格中都有一些忧郁色调和悲剧意味，也都带着几分不合时宜的执拗。陈家洛身上，或许也有一点这几个人的影子。但海宁不出武人，即使是军事学家蒋百里，也只会讲武，不大会动武。

历史学家孟森作过考据，认为乾隆是海宁陈家后人的传说靠不住，香妃为皇太后害死的传说也是假的。历史学家当然不喜欢传说，但写小说的人喜欢。

乾隆修建海宁海塘，全力以赴，直到大功告成，这件事有厚惠于民。我在书中将他写得很不堪，有时觉得有些抱歉。他的诗作得不好，本来也没多大相干，只是我小时候在海宁、杭州，到处见到他御制诗的石刻，心中实在很有反感，现在展阅名画的复印，仍然到处见到他的题字，不讽刺他一番，闷气难伸。

除了小学时写过描红格子之外，我从来没练过字，封面上所写的书名和签名，不值书法家一哂。对诗词也是一窍不通，直到最近修改本书，才翻阅王力先生的《汉语诗律学》一书而初识平平仄仄。拟乾隆的诗也就罢了，拟陈家洛与余鱼同的诗就幼稚得很。陈家洛在初作中本是解元，但想解元的诗不可能如此拙劣，因此修订时削足适履，革去了他的解元头衔。余鱼同虽只秀才，他的诗也不该是这样的初学程度。不过他外号“金笛秀才”，他的功名，就略加通融，不予革除了。本书的回目也做得不好。本书初版中的回目，平仄完全不叶，现在也不过略有改善而已。

本书最初在报上连载，后来出版单行本，现在修改校订后重印，几乎每一句句子都曾改过。甚至第三次校样还是给改得一塌胡涂。对负责校对的蔡炎培兄、明报出版部排字领班陈栋兄及各位工友，常有既感且愧之念。

《金庸作品集》全部预计出四十册左右。每一册中都附印彩色插图（本版未收——编注），希望让读者们（尤其是身在外国的读者）多接触一些中国的文物和艺术作品。如果觉得小说本身太无聊，那就看看图片吧，书后那枚“金庸作品集”的印章是金石家易越石先生所作，谨志谢意。

《作品集》的出版策划与印刷，承沈宝新兄、陈华生兄两位协助良多，实深感激。

一九七五年五月